WINDOWS 8

D0714235

LE GUIDE COMPLET

Micro
Application

Avant-propos

Destinée aussi bien aux débutants qu'aux utilisateurs initiés, la collection *Guide Complet* repose sur une méthode essentiellement pratique. Les explications, données dans un langage clair et précis, s'appuient sur de courts exemples. En fin de chaque chapitre, découvrez, en fonction du sujet, des exercices, une check-list ou une série de FAQ pour répondre à vos questions.

Vous trouverez dans cette collection les principaux thèmes de l'univers informatique : matériel, bureautique, programmation, nouvelles technologies...

Conventions typographiques

Afin de faciliter la compréhension des techniques décrites, nous avons adopté les conventions typographiques suivantes :

- **gras** : menu, commande, boîte de dialogue, bouton, onglet.
- *italique* : zone de texte, liste déroulante, case à cocher, bouton radio.
- Police bâton : Instruction, listing, adresse internet, texte à saisir.
- ✄ : indique un retour à la ligne volontaire dû aux contraintes de la mise en page.

Il s'agit d'informations supplémentaires relatives au sujet traité.

Met l'accent sur un point important, souvent d'ordre technique qu'il ne faut négliger à aucun prix.

Propose conseils et trucs pratiques.

Donne en quelques lignes la définition d'un terme technique ou d'une abréviation.

INTRODUCTION À WINDOWS 8

Windows 8 est la version de Windows sortie le 26 octobre 2012. Windows 8 marque une étape importante dans les évolutions de Windows.

- Windows 8 est la première version de Windows qui fonctionne à la fois sur l'architecture de processeur *Intel* et *ARM* (pour les tablettes).

- Windows 8 est orienté pour une utilisation tactile (mais pas seulement !).

- Windows 8 inaugure une toute nouvelle interface à base de tuiles dynamiques et qui marque la fin du menu **Démarrer**.

Trois grands changements lourds de sens démontrent bien l'évolution de nos usages, dont l'arrivée en force des tablettes et autres périphériques tactiles. Windows évolue, et une chose est sûre : il va falloir vous habituer à tous ces changements ! Mais pas de panique, cet ouvrage est là pour vous aider et, surtout, vous vous apercevrez qu'une fois la phase d'apprentissage passée et les anciennes habitudes gommées Windows 8 offre une utilisation moderne de nos usages quotidiens.

L'utilisation de notre ordinateur à la maison ou en entreprise se transforme. Aujourd'hui, plus de 12 millions de Français de 7 à 77 ans sont connectés à Internet haut débit. Plus d'un foyer sur deux est équipé d'un ordinateur. Nous utilisons notre ordinateur pour surfer sur Internet, jouer, travailler, communiquer. Les ordinateurs sont également présents au quotidien dans la vie de nos enfants. Même dans les écoles maternelles, ils contribuent dès le plus jeune âge à l'éducation des enfants. L'usage devient universel et l'apprentissage de l'informatique est omniprésent. L'arrivée des Smartphones tactiles, des tablettes tactiles (comme l'*iPad*), des réseaux sociaux a aussi changé notre façon de consommer l'informatique : nous sommes de plus en plus longtemps connectés et sur des périphériques aux facteurs de forme différents (tactile et/ou clavier-souris). C'est pourquoi chaque nouvelle version de Windows doit apporter son lot d'améliorations concernant la productivité et la créativité de l'utilisateur.

Un grand nombre d'évolutions, d'améliorations et de modifications ont été apportées par rapport à Windows XP, Vista et Windows 7. Tout cela a pour finalité de simplifier les tâches les plus courantes pour laisser le champ libre à l'émergence de nouveaux besoins et de nouveaux scénarios d'utilisation pour les utilisateurs et les entreprises. Bienvenue sur Windows 8 !

Figure 1.1 : Interface de Windows 8

1.1. L'historique

Octobre 2001 marque la sortie de Windows XP. Cette nouvelle version de système d'exploitation a beaucoup apporté aux utilisateurs. Avec une interface agréable, il a aidé un grand nombre d'entre nous à passer au-dessus de nos appréhensions.

2006 voit la naissance de Windows Vista. Conscient de l'importance à accompagner les utilisateurs, Windows Vista propose un grand nombre de nouveautés mais aussi toujours plus d'assistants et de simplicité.

L'objectif de Windows Vista est de "donner les pleins pouvoirs à l'utilisateur sans qu'il puisse pour autant détruire le système". Qu'est-ce que cela signifie ? Microsoft a protégé Windows Vista pour limiter le nombre d'erreurs ou d'attaques possibles contre votre ordinateur. Il a intégré la fonction du contrôle de comptes utilisateur. Malheureusement, l'arrivée de cette nouvelle fonctionnalité s'est révélée contreproductive.

En 2009, Windows 7 prend le relais ; le message de Microsoft reste le même : donner les pouvoirs à l'utilisateur sans qu'il puisse pour autant détruire le système. Cependant, un des changements importants de Windows 7 est la refonte du contrôle de comptes utilisateur (UAC), afin de permettre aux utilisateurs de sélectionner un niveau de notification. Le paramètre le moins sécurisé désactive la fonction de contrôle de comptes d'utilisateurs et permet au programme de s'installer et d'effectuer des modifications sans demande d'autorisation. Le contrôle de comptes d'utilisateurs peut se contenter d'afficher des messages lorsqu'un programme essaie de modifier les paramètres importants du système. Le paramètre le plus élevé applique un modèle de *reporting* égal à celui de Windows Vista. Dans ce cas, le contrôle de comptes de l'utilisateur demande une confirmation de l'utilisateur à chaque installation et modification dans Windows 7.

Windows 7 est également le premier système d'exploitation grand public et non réservé aux téléphones à introduire une prise en charge du tactile multipoint dans le système de base. Bien que les tablettes exploitant d'autres plateformes aient depuis suivi le même chemin, Windows 7 fut le premier système commercialisé à intégrer le tactile multipoint directement dans la plateforme. Au fil du temps, Microsoft a beaucoup appris sur les limitations du tactile pour la navigation dans Windows, où la majeure partie de l'interface existante et la quasi-totalité des programmes existants ont été spécialement conçues pour être utilisées à la souris et au clavier. Windows 7 est rapidement devenu le système d'exploitation le plus utilisé au monde.

Fin 2012, voici Windows 8. L'informatique a beaucoup évolué. Le mythe de l'informatique complexe réservée à une certaine catégorie de personnes n'existe plus. Face à ce nouveau système robuste, vous avez à présent la possibilité de quasiment tout essayer sans endommager votre ordinateur. En cas de risque, Windows 8 vous préviendra. En cas de danger, il ne vous autorisera pas à effectuer l'action demandée. Vous pourrez de plus utiliser Windows 8 aussi bien sur votre ordinateur fixe, portable ou tablette à processeur Intel ou tablette à processeur ARM.

REMARQUE

Windows 8 = 7 + 1 ?

Windows 8 est la version qui succède à Windows 7. Donc, il est finalement logique qu'elle porte le nom de Windows 8 car 7 + 1 = 8. Enfin, on devrait plutôt dire 6 + 2 = 8 ! En effet, Windows 8 porte le numéro de noyau de Windows 6.2. Là où Windows Vista porte le numéro 6.0 et Windows 7 porte le numéro 6.1. Cela signifie que Vista, 7 et 8 partagent le même noyau (mais

REMARQUE grandement amélioré pour Windows 8). Ce qui veut dire que, sauf cas très exceptionnel, les applications qui fonctionnent aujourd'hui avec Windows 7 fonctionneront sous Windows 8.

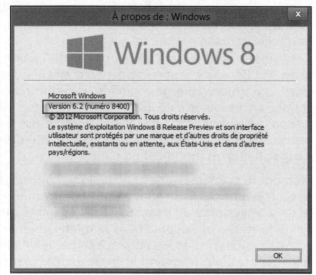

Figure 1.2 : Version de Windows 8

1.2. Les tendances

Si l'on se penche sur la façon dont nous consommons les services informatiques, et la façon dont ces services évoluent (les périphériques tactiles, les réseaux sociaux, etc.), il apparaît évident que le monde dans lequel nous vivons et les attentes des utilisateurs vis-à-vis des appareils informatiques se modifient à toute vitesse.

Voici quelques-unes des tendances qui ont influencé la conception de l'expérience utilisateur et des fonctionnalités de Windows 8 :

1 Connexion permanente. La connectivité devient omniprésente. Alors que l'interface utilisateur de Windows, axée autour des fichiers, a été conçue sur la base d'une connectivité optionnelle, limitée et intermittente, la quasi-totalité des usages préférés du PC présupposent aujourd'hui l'établissement d'une connexion à Internet. Dans de plus en plus de lieux publics, les utilisateurs s'attendent à trouver une connexion Wi-Fi, et un nombre croissant de PC offrent également la possibilité de se connecter à des réseaux haut débit mobiles. Désormais, la connectivité est plus une règle qu'une exception.

2 C'est l'utilisateur lui-même, et non plus les fichiers, qui est au cœur des activités. Les principales activités des utilisateurs de PC ont considérablement évolué. Par opposition aux activités traditionnelles de rédaction et de création, les utilisateurs lisent de plus en plus et fréquentent les réseaux sociaux. Ils restent en contact avec leurs proches, partagent des images et des opinions, et communiquent de façon concise, mais très fréquente. La vie en ligne évolue de plus en plus vite, et les utilisateurs exploitent leurs PC pour se tenir au courant et participer à cette évolution. Une grande partie de ces activités et de ces usages captivants ont lieu dans le navigateur web, au sein d'expériences utilisateur bâties autour du langage HTML et d'autres technologies web.

3 Les PC portables supplantent les PC de bureau. Les utilisateurs se tournent de plus en plus vers des types de PC mobiles (ordinateurs portables, tablettes, etc.), au détriment des ordinateurs de bureau traditionnels. Si les PC de bureau puissants restent l'ordinateur de prédilection des utilisateurs qui souhaitent exploiter toutes les performances d'un PC très modulable et évolutif (monteurs vidéo, analystes financiers, chercheurs, amateurs de jeux, passionnés d'informatique, etc.), l'utilisateur lambda préfère désormais un PC léger et portable.

En 2009, les ordinateurs de bureau représentaient 44 % du marché mondial du PC et les ordinateurs portables, 56 %. Seulement trois ans plus tard, plus de 61 % des PC vendus sont des ordinateurs portables, et la tendance s'accélère. Ces statistiques couvrent tous les PC Windows vendus au niveau mondial. Aux États-Unis, en 2012, les ventes de tablettes dépasseront même les ventes d'ordinateurs de bureau ! L'évolution du rôle des formats d'appareils est assez étonnante. Même en entreprise, plus d'un ordinateur acheté sur deux est un ordinateur portable.

4 Les contenus sont stockés sur les PC et dans le Cloud. À la connectivité permanente et à la popularité des ordinateurs portables vient s'ajouter le fait que les contenus des utilisateurs sont désormais répartis entre le PC et les services Cloud. Ainsi, en plus des services de stockage spécialement prévus à cet effet, par exemple *SkyDrive*, les utilisateurs stockent leurs photos sur *Facebook* et *Flickr*, partagent leurs vidéos familiales sur *Vimeo* et stockent et écoutent leur musique par le biais de services Cloud. À tous ces éléments viennent s'ajouter les gigaoctets et parfois même les téraoctets de vidéos, de photos et de musiques stockées sur les PC du foyer. Le contenu des utilisateurs s'étend de tous côtés et, à l'heure où les appareils photo haute résolution sont en permanence dans votre

poche (*via* votre téléphone), les volumes de contenus générés chaque jour se décuplent rapidement. Un service comme SkyDrive modifie de façon radicale l'approche de l'utilisateur vis-à-vis de son PC et des ressources auxquelles il a accès.

Le point commun de toutes ces tendances : les utilisateurs avaient déjà commencé à utiliser leur PC avec des attentes différentes et des usages différents. Si le PC reste le meilleur outil au monde pour le traitement de texte, la création et la conception d'objets, les utilisateurs commençaient à entreprendre d'autres activités sur leur PC. Dès 2009, ils commençaient aussi à attendre de leur PC qu'il se comporte de plus en plus comme un téléphone : connexion permanente, mobilité, longue autonomie, contacts et activités mis au premier plan et possibilité de rester au courant de tout ce qui se passe.

Dans le même temps, les applications ont continué à s'enrichir sur les appareils mobiles, car les développeurs ont plus de temps et d'expérience à consacrer au développement d'applications.

Comme à de nombreuses autres reprises au cours de notre histoire, Microsoft devait faire progresser l'expérience Windows : il fallait non seulement mieux répondre aux besoins liés aux nouveaux usages, mais aussi anticiper et exploiter les usages futurs. Il fallait aussi moderniser l'expérience Windows et préparer le terrain pour les innovations de la prochaine décennie en matière de plateformes et de développement, pour faire du PC l'ordinateur le plus séduisant et le plus utile.

Windows 8 regarde vers l'avenir, vers de nouvelles fonctionnalités, de nouveaux équipements, de nouvelles applications et de nouveaux usages.

1.3. Les objectifs de l'expérience utilisateur de Windows 8

Dans le cadre de la conception de cette nouvelle expérience utilisateur, un certain nombre d'objectifs précis ont émergé.

■ **Rapidité et fluidité.** Si vous avez suivi l'actualité de Windows 8 au cours des douze derniers mois, vous avez certainement lu ou entendu l'expression rapide et fluide. Il ne s'agit pas d'un simple slogan marketing créé récemment : ces termes font partie du langage de conception utilisé pour définir ce qui constitue l'âme de la nouvelle expérience utilisateur de Windows 8. S'il fallait choisir une expression pour résumer Windows 8, ce serait celle-là. L'objectif : faire en sorte que cette description se vérifie dans les faits.

Cela signifie que l'interface est réactive, performante, esthétique et animée. Mais aussi que l'interface apparaît à l'écran et disparaît de façon logique. Les scénarios d'utilisation les plus essentiels sont efficaces et peuvent être menés à bien sans questions ni invites supplémentaires. Les éléments dont vous n'avez pas besoin sont hors de vue.

Cela implique également une certaine impression de fluidité et de légèreté lors de l'utilisation de Windows. Par exemple, lorsque vous balayez l'écran depuis le bord de l'écran pour afficher les commandes, la réponse est fluide, naturelle et agréable. Les doigts ont été conçus pour ce type de mouvement ! Autre exemple, lorsque vous faites glisser votre doigt à partir du haut de l'écran pour fermer une application ou que vous faites glisser une vignette vers le bas de l'écran pour appeler la fonction de zoom, puis que vous déplacez votre doigt vers une zone éloignée de l'écran d'accueil, l'opération est convaincante et efficace.

■ **Longue autonomie.** Comme la plupart des PC Windows fonctionnent désormais sur batterie (ce qui sera bientôt le cas de la grande majorité d'entre eux), l'autonomie est cruciale. Lorsque le modèle de programmation initial de Windows a été créé, les PC étaient presque tous branchés en permanence. Les notions de gestion de l'alimentation ou de la batterie n'existaient pas. Par conséquent, les programmes étaient libérés de toute contrainte. Utilisés ou non, une fois en cours d'exécution ils restaient exécutés en permanence. Les programmes pouvaient occuper toute la mémoire du système ou toutes les ressources processeur, ou encore écrire sur le disque à chaque seconde. Pour résumer, ils pouvaient vider votre batterie sans la moindre retenue.

Traditionnellement, le développement des logiciels PC s'articule autour d'une utilisation maximale du processeur, chaque fois que cela est possible. Par opposition, Windows 8 surveille maintenant de très près l'utilisation des processeurs et comprend son influence sur la diminution ou l'augmentation de l'autonomie. Dans un monde mobile, il s'agit là d'un nouveau type de compromis en termes de développement. Alors qu'autrefois Microsoft cherchait surtout à réduire la consommation de mémoire, il s'attache désormais également à améliorer l'autonomie tout en proposant une expérience utilisateur rapide et fluide. Le travail consiste ainsi à optimiser la consommation de mémoire, de ressources processeur et de ressources graphiques, mais aussi à améliorer les performances et l'autonomie, sur un large éventail de plateformes et de configurations matérielles. Voilà le véritable compromis inhérent au développement d'un système d'exploitation mobile ou d'un système d'exploitation moderne utilisable sur un appareil mobile.

■ **Les vignettes dynamiques renforcent la personnalisation.** La vignette est au cœur de chaque application Windows 8. De plus en plus, les utilisateurs consomment les informations en picorant. *Qui a écrit sur ma chronologie ? Est-ce que j'ai des nouveaux messages ? Est-ce que quelqu'un a publié des images de la soirée d'hier ? Ai-je raté une actualité importante ? Quelle équipe a remporté le match ? Ma note de frais a-t-elle été approuvée ? Quelqu'un a-t-il battu mon record ? Ai-je enfin trouvé l'âme sœur ? À quelle heure est mon prochain rendez-vous ? Le nouveau livre de mon auteur favori est-il disponible en précommande ? Notre stock devient-il trop faible ? Y a-t-il des embouteillages ce matin ?* Désormais, voilà comment bon nombre d'utilisateurs utilisent leur appareil, en passant allègrement d'un site à l'autre, d'un programme à l'autre, sur leur PC comme sur leur téléphone, pour savoir s'il y a quelque chose de nouveau à voir ou à faire.

Les vignettes sont conçues pour vous permettre de voir toutes ces informations regroupées au même endroit, à l'aide d'un simple clic, d'un mouvement tactile ou d'un appui sur une touche, où que vous soyez dans Windows et sans même ouvrir vos applications.

Figure 1.3 : Exemple de vignettes

■ **Une expérience utilisateur itinérante entre vos différents PC.** Comme sur la plupart des sites web, vous pouvez ouvrir une session sur votre PC Windows 8 en utilisant un compte en ligne. Pour cela, vous utilisez un compte Microsoft. Il peut s'agir d'un identifiant Windows Live ID existant (l'adresse de messagerie que vous utilisez pour Xbox Live, Hotmail et d'autres services Microsoft), mais vous pouvez aussi créer un compte en utilisant votre adresse de messagerie habituelle, quelle qu'elle soit.

Une fois la session ouverte, la magie opère : à mesure que vous personnalisez votre expérience Windows, les modifications sont diffusées en itinérance sur vos autres PC.

■ **Faites fonctionner votre PC comme un appareil, pas comme un ordinateur.** Aujourd'hui, la plupart des utilisateurs adorent leur PC, mais il est évident que l'attitude et les attentes des utilisateurs quant aux appareils qu'ils emportent avec eux évoluent considérablement. Les utilisateurs veulent des produits qui marchent tout seuls. Ils veulent pouvoir s'asseoir dans leur canapé et profiter de leurs applications, de leurs jeux et de leurs sites préférés sans subir les caprices de la base de registre, de centaines de panneaux de configuration ou de profils d'alimentation. Ils veulent tout simplement prendre en main leur appareil, l'utiliser de façon agréable, puis le reposer.

Ces objectifs ne sont évidemment pas les seules aspirations exhaustives de Windows 8. Néanmoins, elles permettent de mieux se rendre compte de la relation entre les tendances observées et les tendances anticipées, et de la façon dont ces observations ont été directement mises en adéquation avec les objectifs de la nouvelle interface utilisateur que vous allez découvrir.

1.4. Les différentes versions de Windows 8

Microsoft a réduit considérablement le nombre de versions de Windows. Pour Windows 8, il n'en existe plus que trois (là ou Windows 7 en comptait six).

Toutes les versions, sans exception, bénéficieront des avancées communes en matière d'interface utilisateur et de sécurité. Là-dessus, pas d'équivoque ; choisissez la version qui vous convient en fonction de vos besoins.

Pour les PC et les tablettes fonctionnant avec des processeurs à architecture *Intel*, que ce soit en 32 ou 64 bits, il y aura deux versions : *Windows 8* et *Windows 8 Pro*. Quant à l'édition pour processeurs *ARM*, elle s'appelle *Windows RT*.

- **Windows 8.** Windows 8 est la déclinaison standard du système d'exploitation, la version qui sera la plus répandue sur les ordinateurs de bureau et les portables.

- **Windows 8 Pro** inclut tout ce qu'il y a dans Windows 8 avec des fonctions avancées comme le cryptage, la virtualisation, la gestion du PC et la connexion à un domaine sur le réseau. La fonction Media Center de Windows, intégrée à la plupart des versions de Windows 7, sera proposée non plus en standard mais à part, dans un pack à acheter en sus.

REMARQUE

Version de Windows 8 pour les entreprises

À noter que Microsoft propose aux entreprises la version **Windows 8 Entreprise**, qui est une déclinaison de Windows 8 Pro.

- **Windows RT** (RT pour RunTime) est la version destinée aux tablettes fonctionnant avec un processeur ARM. Elle inclura la suite bureautique Microsoft Office (Word, Excel, PowerPoint et OneNote) dopée pour une utilisation tactile. Par ailleurs, Windows RT ne sera disponible que préinstallée sur les tablettes, et pas en version boîte. Elle ne pourra faire tourner les applications traditionnelles : on pourra seulement y installer les programmes disponibles sur le Windows Store.

Comparatif technique des versions

Voici un bilan des fonctionnalités techniques incluses dans chaque version.

Tableau 1.1 : Comparatif technique des versions de Windows 8

Fonctionnalités techniques différenciées	Windows 8	Windows 8 Pro	Windows RT
Mise à jour de Windows 7 Starter, Familiale Basique, Familiale Prémium	X	X	
Mise à jour de Windows 7 Professionnel, Ultimate		X	
Interface Windows 8, Zoom sémantique, tuiles dynamiques	X	X	X
Windows Store	X	X	X
Applications (Courrier, Calendrier, Contacts, Messages, Photos, SkyDrive, Musique, Vidéos, etc.)	X	X	X

Tableau 1.1 : Comparatif technique des versions de Windows 8

Fonctionnalités techniques différenciées	Windows 8	Windows 8 Pro	Windows RT
Microsoft Office préinstallé (Word, Excel, PowerPoint, OneNote)			X
Internet Explorer 10	X	X	X
Chiffrement des périphériques		X	
Utilisation du compte Microsoft	X	X	X
Bureau Windows	X	X	X
Installation d'applications 32 et/ou 64 bits	X	X	
Explorateur Windows	X	X	X
Windows Defender	X	X	X
SmartScreen	X	X	X
Windows Update	X	X	X
Gestionnaire de tâches	X	X	X
Packs de langues	X	X	X
Support du multi-écrans	X	X	X
Espaces de stockage	X	X	
Windows Media Player	X	X	
Exchange ActiveSync	X	X	X
Historique des fichiers	X	X	X
Montage des ISO et VHD	X	X	X
Fonctions de mobilité étendues	X	X	X
Bureau à distance (client)	X	X	X
Fonction de restauration d'origine	X	X	X
Clavier virtuel	X	X	X
Boot (démarrage) de confiance	X	X	X
Client VPN	X	X	X
Bitlocker et Bitlocker To Go		X	
Boot à partir d'un VHD		X	
Client Hyper-V		X	
Rejoindre un domaine		X	
Chiffrement de fichiers EFS		X	
Stratégies de groupes		X	
Bureau à distance (serveur)		X	

1.5. En bref

Windows 8 apporte de très nombreux changements. Nouvelle interface, disparition du menu **Démarrer**, etc. Même le logo de Windows change.

Figure 1.4 : Le logo de Windows 8

Avec ce logo et l'interface de Windows 8, Windows (traduisez "fenêtres") n'a jamais aussi bien porté son nom. Bonne découverte !

INSTALLER WINDOWS 8

Au fur et à mesure que les années passent et que Microsoft nous livre de nouvelles versions de son système d'exploitation, il faut bien le reconnaitre, les processus d'installation n'ont fait que se simplifier.

Pour autant, le virage amorcé par Windows 8 doit aller bien au-delà des efforts accomplis jusqu'à présent. Le simple fait que Windows 8 réponde à plusieurs facteurs de forme l'oblige à relever les défis suivants :

- Pour répondre aux besoins des tablettes, et de portables hybrides, Windows 8 doit disposer d'un démarrage plus rapide que jamais.

- Pour répondre aux tablettes PC, Windows 8 doit disposer d'un menu de démarrage unique est simplifié.

- Microsoft se retrouve avec quatre systèmes d'exploitation en cours d'utilisation sur l'ensemble du parc Windows dans le monde. Pour encourager les utilisateurs de Windows XP, Windows Vista et Windows 7 à passer à Windows 8, Microsoft se doit de simplifier le nombre d'outils et procédures pour simplifier la migration.

- Pour répondre au nombre croissant d'ordinateurs portables en entreprise, Microsoft doit poursuivre les efforts de sécurisation des séquences de démarrage depuis le BIOS.

- Plus globalement, Microsoft doit prendre en compte l'arrivée de disques durs de haute capacité pour répondre aux besoins grandissants des technologies multimédia.

Nous allons donc voir tout au long de ce chapitre comment Windows 8 relève l'ensemble de ces défis.

Figure 2.1 : Différents facteurs de formes adressés par Windows 8

2.1. Windows 8 trop rapide au démarrage ?!

Aussi étonnant que cela puisse paraître, Windows 8 a rencontré quelques problèmes lors de son développement. Son démarrage était si rapide qu'il n'était plus possible d'agir pour l'interrompre.

Lorsque l'on allumait son ordinateur, la détection des frappes sur les touches F2 ou F8 était impossible, faute de temps suffisant. En effet, il était impossible de lire le moindre message du type **Appuyez sur** F2 **pour accéder aux options de configuration**. Pour la première fois depuis des dizaines d'années, il était impossible d'interrompre le démarrage et forcer votre PC à suspendre les opérations en cours. D'ailleurs, plusieurs vidéos disponibles sur Internet montrent un ordinateur portable équipé d'un SDD (*Solid State Drive*) qui démarre intégralement en moins de sept secondes. Aucun matériel spécifique n'est nécessaire pour profiter d'un démarrage aussi rapide : il s'agit tout simplement d'une caractéristique propre aux nouveaux PC. Même sur le matériel existant, vous constaterez que les temps de démarrage sont considérablement réduits. Néanmoins, sur de nombreux PC, le BIOS lui-même (c'est-à-dire le logo du BIOS et les différents messages affichés au démarrage) met du temps à démarrer le système. Comme vous pouvez l'imaginer, un SSD contribue également à accélérer le démarrage.

C'est bien connu, le trop est l'ennemi du bien, avec un processus de démarrage complet qui prend seulement sept secondes, les différentes étapes qui composent la séquence de démarrage s'enchaînent presque trop rapidement pour que vous puissiez les remarquer, et de facto pour que vous puissiez les arrêter.

REMARQUE

Interruption de la séquence de démarrage

Dans la plupart des cas, les décisions influençant le déroulement du démarrage sont prises au cours dès les deux ou trois premières secondes. Ensuite, le démarrage consiste simplement à accéder à Windows le plus rapidement possible. Ce délai de deux à trois secondes tient compte du temps nécessaire à l'initialisation du microprogramme et à la phase *POST* (moins de deux secondes), ainsi que le temps mis par le gestionnaire de démarrage Windows pour détecter un chemin de démarrage secondaire (moins de 200 millisecondes sur certains systèmes). Ces délais, qui vont continuer à diminuer, sont d'ores et déjà trop courts pour permettre d'interrompre le démarrage comme vous pouviez le faire jusque-là.

Pour la première fois depuis l'arrivée de Windows 95, il est devenu impossible, même au plus agile d'entre nous, d'utiliser la touche F8 dans les 200 millisecondes proposées par les machines équipées de BIOS UEFI et des disques SSD.

Les problèmes rencontrés avec la touche F8 s'appliquent également aux autres touches pouvant s'avérer utiles au cours du démarrage. Sur la plupart des PC, des touches supplémentaires sont détectées par le microprogramme et indiquées par le biais de messages au cours de la phase *POST* : **Appuyez sur** F2 **pour accéder à la configuration, Appuyez sur** F12 **pour un démarrage réseau,** etc. Désormais, la phase *POST* est presque déjà terminée avant même que ces instructions n'aient pu s'afficher. Dans de nombreux cas, le clavier n'est pas opérationnel pendant une bonne partie de la phase *POST* et il est donc inutile d'essayer de faire détecter ces touches par le microprogramme. À vrai dire, certains appareils n'essaient même pas de les détecter.

Quoi qu'il en soit, le démarrage trop rapide de Windows 8 associé à de nouveaux matériels, pose problème pour plus d'un scénario.

En effet, même lorsque Windows démarre correctement, il peut arriver que vous souhaitiez effectuer une autre opération : démarrer à partir d'un dispositif de stockage externe tel qu'une clé USB, accéder aux options de configuration du BIOS, exécuter des outils à partir de l'image protégée de l'Environnement de récupération Windows (*WinRe*) sur une partition séparée, etc.

Voir le chapitre de réinitialisation de Windows 8 et la création d'une image personnalisée.

Il arrive parfois de rencontrer des problèmes après une défaillance ou annuler une opération, arrêt brutal etc.

Windows offrait jusqu'à présent de nombreux outils adaptés à ces situations : actualisation ou réinitialisation de votre PC, retour à un point de restauration grâce à l'outil Restauration du système ou dépannage manuel par le biais de l'invite de commandes. Toutes ces options de dépannage se faisaient principalement par le biais du Gestionnaire de démarrage Windows, en appuyant sur F8 au début du processus de démarrage.

Bref, les exemples et les scénarii sont encore nombreux pour pouvoir tous les exposer au travers d'un seul chapitre. Néanmoins, pour résoudre ces problèmes, Microsoft a tout simplement combiné trois solutions.

1 Pour commencer, Microsoft a rassemblé toutes les options dans un seul menu (le menu des options de démarrage), qui contient tous les outils de dépannage, les options de démarrage de Windows destinées aux développeurs, les méthodes d'accès à la configuration du BIOS, ainsi qu'une méthode simple permettant de démarrer sur d'autres dispositifs de stockage comme par exemple des lecteurs USB.

2 Microsoft a créé des comportements de basculement qui affichent automatiquement le menu des options de démarrage, chaque fois qu'un problème susceptible d'empêcher le PC de démarrer correctement sous Windows 8 se pose.

3 Pour terminer, Microsoft a créé plusieurs méthodes simples permettant d'accéder facilement au menu des options de démarrage, y compris lorsque le processus de démarrage et Windows ne rencontrent pas le moindre problème. Au lieu de déclencher l'affichage de ces menus et options par le biais d'une interruption, ceux-ci s'affichent à la demande, de façon très simple.

Voici comment chacune de ces trois solutions répond à un aspect spécifique du problème de démarrage de Windows 8. L'ensemble de ces trois solutions propose à l'utilisateur une réponse à un problème que nous n'aurions jamais imaginé avoir un jour *Se plaindre de la vitesse trop rapide du démarrage de Windows*.

Toutes les options de démarrage dans un seul menu

Le principe de base reste simple, le menu des options de démarrage vise à créer un emplacement unique pour toutes les options qui influent sur le comportement de démarrage du PC Windows 8.

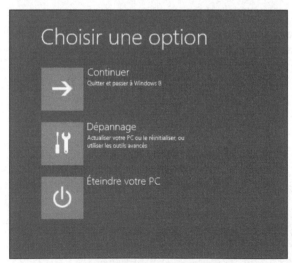

Figure 2.2 : Menu unique de démarrage

Le démarrage sur un autre périphérique (réseau ou lecteur USB, par exemple) est l'un des scénarios les plus fréquents qui nécessitaient auparavant d'interrompre le démarrage en appuyant sur une touche.

Il est désormais possible d'utiliser un logiciel pour déclencher ce comportement. Sur ces périphériques, vous disposerez désormais du bouton « *Utiliser un périphérique* » dans le menu des options de démarrage, qui permet d'accéder directement à cette fonctionnalité. Windows n'oblige plus l'utilisateur à interrompre le démarrage en appuyant sur une touche.

Dans ce même menu, Microsoft a ajouté de nouvelles fonctionnalités qui vous permettent de redémarrer directement dans la configuration BIOS du microprogramme UEFI. Sur les ordinateurs d'ancienne génération, les instructions permettant d'accéder à la configuration du BIOS s'affichaient lors de la phase POST, par le biais de messages tels qu'**Appuyez sur** F2 **pour accéder à la configuration**. Ce comportement reste toujours applicable aux systèmes conçus avant Windows 8 : dans ce cas, ils continueront à fonctionner (principalement parce que la phase POST dure plusieurs secondes sur ces systèmes. Par conséquent, la nouvelle fonctionnalité UEFI permet à cette option de figurer dans le menu des options de démarrage.

REMARQUE — **Anciens systèmes non-UEFI**

Les ordinateurs conçus avant Windows 8 ne disposeront pas de ces nouvelles fonctionnalités figurant dans le menu fourni par l'UEFI (démarrage sur la configuration des paramètres du microprogramme et démarrage direct sur un périphérique). Les microprogrammes de ces périphériques continueront à prendre en charge cette fonctionnalité dans l'écran POST, comme par le passé. Sur ces systèmes d'ancienne génération, vous avez toujours le temps d'appuyer sur ces touches pendant la phase POST, car ils ne bénéficient pas des améliorations qui permettent à un PC Windows 8 de terminer la phase POST en moins de deux secondes.

Le menu des options de démarrage regroupe ainsi toutes les options qui influent sur le comportement de démarrage du PC Windows 8. En regroupant toutes ces options, le menu des options de démarrage devient un outil convivial, unifié et simple d'utilisation adapté à ces différents éléments. La modification des paramètres de démarrage de Windows, l'accès à la configuration BIOS du microprogramme UEFI, le démarrage sur un lecteur USB et d'autres opérations similaires n'obligent plus l'utilisateur à interrompre le démarrage en appuyant sur une touche, à condition toutefois que vous puissiez accéder au menu des options de démarrage lui-même.

Options de démarrage en cas de problème

Dans deux situations bien précises, vous devez pouvoir accéder au menu des options de démarrage sur un PC Windows 8.

1 Quelque chose s'est mal passé et une réparation est requise pour rétablir le bon fonctionnement du PC.

2 Tout se passe comme vous le souhaitez, mais vous voulez modifier le comportement de démarrage ou la configuration du microprogramme, ou encore démarrer à partir d'un autre périphérique que ceux que vous utilisez habituellement.

Dans le premier cas, un problème est survenu et une réparation est requise. Les PC d'ancienne génération vous obligeaient (vous ou une personne de confiance) à lancer la procédure de résolution des problèmes en appuyant sur une touche possible au cours du démarrage. Par exemple, certaines options détectaient les touches telles que F2 ou F12 (selon les ordinateurs utilisés).

Le fait d'appuyer sur ces touches constitue la première étape du processus de résolution des problèmes, qui aboutit à la réparation finale. En regroupant toutes ces commandes dans un seul menu d'options de démarrage, il n'est plus nécessaire d'utiliser des touches différentes pour accéder aux différentes options. Pour aller encore plus loin, Microsoft a même supprimé la nécessité d'appuyer sur cette touche unique, en chargeant automatiquement le menu des options de démarrage lorsque le démarrage de Windows n'aboutit pas.

Dans Windows 8, ce comportement de basculement automatique vous permet d'accéder directement au menu des options de démarrage chaque fois que vous rencontrez un problème empêchant votre PC de charger Windows. Ce comportement prévoit même les cas où Windows considère que le démarrage s'est bien passé, alors que le PC est inutilisable. Cette situation peut se produire lorsqu'un pilote défectueux a été installé et aboutit à l'affichage d'un écran d'ouverture de session entièrement vide. Windows peut ne pas détecter que l'écran est vide, mais toute personne regardant l'écran le remarquera immédiatement. Désormais, Windows 8 peut détecter par le biais d'un algorithme la répétition d'un tel comportement au cours de plusieurs démarrages successifs, et démarrer automatiquement dans le menu des options de démarrage au sein de l'Environnement de récupération Windows (WinRE). Comme l'image source de WinRE contient des pilotes et des fichiers totalement isolés de l'installation Windows principale, elle n'est pas affectée par les modifications logicielles et elle offre un environnement fiable pour résoudre les problèmes à partir du menu des options de démarrage.

Les comportements de détection automatique garantissent la disponibilité permanente des outils de réparation et de récupération de Windows, même si Windows 8 lui-même est incapable de se charger correctement. Sans qu'il soit nécessaire d'appuyer sur une touche ou d'entreprendre une action, Windows RE est chargé automatiquement lorsque cela est nécessaire, ce qui permet de réparer et de restaurer le système grâce aux outils de résolution des problèmes disponibles dans le menu des options de démarrage.

Options de démarrage même sans problème

En l'absence d'erreur, Windows 8 se devait quand même de faciliter l'accès aux options de démarrage à partir de lui même. De nombreux éléments du menu sont nécessaires, même lorsque tout fonctionne correctement : démarrage sur un autre périphérique, modification de la configuration du microprogramme ou modification des paramètres de démarrage de Windows 8.

Microsoft a facilité l'accès au menu des options de démarrage à la demande, d'une façon qui s'intégrerait en toute logique à un système Windows 8 entièrement fonctionnel.

La méthode principale permettant d'accéder aux options de démarrage consiste à utiliser l'option *Démarrage avancé* de l'onglet **Général** figurant dans le menu **Paramètres du PC**. Pour ce faire, procédez comme suit

1 Accédez au menu **Paramètres du PC** en cliquant sur l'icône **Paramètres** ou en effectuant une recherche dans l'écran d'accueil à l'aide de mots clés spécifiques (amorçage, démarrage, mode sans échec, microprogramme, BIOS, etc.).

Figure 2.3 : Options de démarrage avancées à partir de la recherche Mode sans échec

2 Dans l'onglet **Général** figure une courte description des options disponibles dans le menu des options de démarrage, ainsi qu'un bouton **Redémarrer maintenant**. Les descriptions affichées sur cet écran sont entièrement dynamiques et évoluent en fonction du matériel, du microprogramme et des logiciels installés sur votre PC Windows 8.

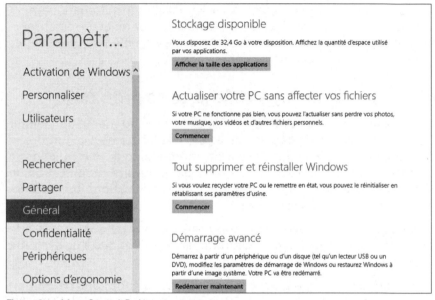

Figure 2.4 : Menu Général, Redémarrage avancé

3 Appuyer sur le bouton **Redémarrer maintenant** situé sous **Démarrage avancé**. Ainsi, vous initialisez la méthode principale permettant d'accéder aux options de démarrage sur un système entièrement fonctionnel.

4 Le système lance alors le processus de redémarrage normal. Ensuite, juste avant que Windows ne soit totalement arrêté et s'apprête à redémarrer et à entrer en phase POST, le processus général est suspendu et le menu des options de démarrage apparaît à l'écran. Il s'agit du dernier instant où une interface utilisateur peut s'afficher au cours d'une séquence arrêt/redémarrage.

Le processus de redémarrage est suspendu à ce point intermédiaire pour vous permettre de choisir votre destination avant que le PC n'entre dans une nouvelle phase POST. En choisissant l'option de démarrage souhaitée avant la phase POST, vous pouvez accéder directement à la configuration du microprogramme ou au démarrage à partir d'un périphérique (lorsque ces options sont choisies) sans devoir subir un deuxième redémarrage et une deuxième phase POST. Vous pouvez même utiliser ce menu pour démarrer rapidement dans une deuxième installation Windows, si vous le souhaitez.

ASTUCE — **Accès rapide au menu d'option de démarrage**
Vous disposez d'une autre solution pour accéder au menu des options de démarrage : vous pouvez utiliser le menu **Marche/Arrêt**. Si vous maintenez la touche [Maj] enfoncée tout en cliquant sur **Redémarrer**, Windows 8 exécute la même séquence d'événements que si vous aviez cliqué sur *Démarrage avancé* dans **Paramètres du PC**. Comme vous pouvez ouvrir le menu **Marche /Arrêt** où que vous soyez dans Windows 8, grâce à l'icône *Paramètres*, vous disposez là d'une solution très rapide pour accéder directement au menu des options de démarrage.

Il existe toujours une solution permettant de déclencher le menu des options de démarrage lors de l'arrêt. Celle-ci offre en plus l'avantage de fonctionner à partir de l'invite de commandes. Microsoft a ajouté un nouveau commutateur à `shutdown.exe` : `/o`. Le commutateur `/o` fonctionne uniquement lorsque `/r` (redémarrage) est également utilisé. La syntaxe complète est donc :

```
Shutdown.exe /r /o
```

Microsoft a ajouté ce commutateur à `shutdown.exe`, car il souhaite que cette partie de Windows reste cohérente et prévisible. Tout le monde n'utilise pas `Shutdown.exe`, mais ceux qui l'utilisent s'en servent pour toutes les tâches liées à l'arrêt.

REMARQUE — **Option [Maj] + Redémarrer au menu Marche/Arrêt**
Les options de démarrage doivent être disponibles, même lorsque personne n'a de session ouverte sur le PC. Avec les PC d'ancienne génération qui permettaient d'appuyer sur des touches pendant le démarrage, toute personne disposant d'un accès physique au PC pouvait appuyer sur une touche pour interrompre le démarrage et utiliser les options de démarrage disponibles.

2.2. Installer Windows 8 étape par étape

Bien souvent, à force d'installer ou de désinstaller des programmes sur son ordinateur, il arrive que celui-ci ait des problèmes de fonctionnement ou tout simplement ne soit plus à la hauteur des performances qu'on attend de lui. Le démarrage devient très long, le lancement d'un programme, interminable ; bref, la réinstallation de Windows 8 devient nécessaire.

Cependant, avant d'installer ou de réinstaller Windows 8, il est nécessaire de prendre un certain nombre d'éléments en compte. Bien que cela ne soit pas très compliqué, ce chapitre a pour objectif de vous accompagner et de vous faire gagner du temps dans l'installation pas à pas de Windows 8. Concernant la réinstallation de Windows, Windows 8 arrive avec son lot de nouveautés puisqu'il propose des mécanismes de réinstallation complète ou partielle.

Au travers de quelques questions, ce chapitre vous permettra d'abord de dresser une liste de contrôle avant de vous retrouver planté au milieu du chemin.

2.3. Liste de contrôle

- Possédez-vous le DVD de réinstallation ainsi que la clé associée à ce DVD ?
- Possédez-vous les logiciels et codes d'accès vous permettant d'accéder à Internet ?
- Avez-vous réalisé une sauvegarde de vos fichiers les plus importants ?
- Possédez-vous les CD de vos programmes les plus importants ?
- Possédez-vous les pilotes de tous les périphériques que Windows 8 ne prend pas en charge ?

Une fois tous ces points contrôlés et validés, vous pouvez vous lancer dans la réinstallation de votre ordinateur.

REMARQUE

Installer Windows en procédant à une nouvelle installation

Lorsque vous installez Windows en procédant à une nouvelle installation, votre version existante de Windows (incluant tous vos fichiers, paramètres et programmes) est automatiquement remplacée. Vous pouvez sauvegarder vos fichiers et vos paramètres, mais vous devrez réinstaller manuellement vos programmes une fois l'installation terminée.

2.4. Installation détaillée

L'installation standard de Windows 8 ne déroge pas aux règles de simplicité ; il vous suffit de démarrer l'ordinateur avec le DVD d'installation pour qu'elle se réalise presque seule. Il vous sera demandé d'entrer le numéro de série et de répondre à trois ou quatre questions : pays, nom, mot de passe, etc.

Le premier changement qui distingue Windows 8 de Windows 7 est que Windows 8 prend en compte votre configuration Internet dès l'installation. Ainsi, vous aurez le choix d'utiliser durant l'installation un compte local d'utilisateur ou votre compte avec un ID Microsoft (par exemple `Bob.durand@homail.com`).

En étant connecté à Internet, Windows 8 peut à partir de son premier démarrage se mettre automatiquement à jour au niveau de la sécurité et, de fait, vous garantir que votre ordinateur est assez sécurisé pour effectuer ses premiers pas sur Internet.

Pour installer Windows 8, procédez comme suit :

1 Démarrez le programme d'installation de Windows 8 en insérant le DVD puis redémarrez votre ordinateur.

2 Sélectionnez la langue et les paramètres régionaux et cliquez sur **Suivant**.

Figure 2.5 : Sélection des paramètres régionaux : la langue, les paramètres liés au pays et le clavier

3 À l'invite d'installation, cliquez sur **Installer maintenant**.

Figure 2.6 : Invite d'installation de Windows 8

4 Windows 8 ne déroge pas à la règle. Dans la fenêtre **Termes du contrat de licence,** lisez et acceptez les termes du contrat de licence. Cochez la case *J'accepte les termes du contrat de licence* (indispensable pour continuer). Cliquez sur **Suivant.** Si vous ne validez pas cette option, vous serez obligé de mettre fin au programme d'installation de Windows 7.

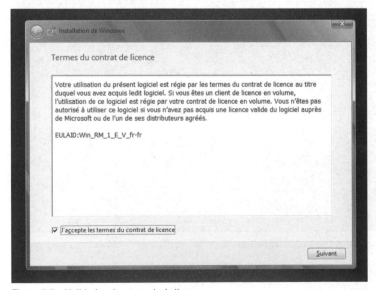

Figure 2.7 : Validation des accords de licence

5 À la question *Quel type d'installation voulez-vous effectuer ?*, deux choix s'offrent à vous : *Mise à niveau* ou *Personnalisée (options avancées)*. Sélectionnez *Personnalisé : installer uniquement Windows (avancé)*.

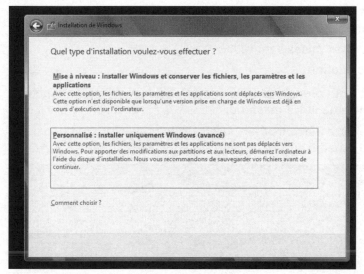

Figure 2.8 : Sélection de l'installation personnalisée

6 À la question *Où souhaitez-vous installer Windows ?*, cliquez sur *Options de lecteurs (avancées)* pour personnaliser la taille de la partition d'installation.

Figure 2.9 : Personnalisation de la taille de la partition d'installation

7 Cliquez sur **Suivant** pour démarrer la copie des fichiers.

Les étapes suivantes se succèdent :

■ copie des fichiers de Windows ;

■ décompression des fichiers ;

■ installation des fonctionnalités ;

■ installation des mises à jour ;

■ fin de l'installation.

L'installation peut prendre plusieurs dizaines de minutes, en fonction de la puissance de votre machine.

8 Dans la fenêtre **Personnaliser**, saisissez le nom d'ordinateur, choisissez votre thème au niveau des couleurs puis cliquez sur **Suivant**.

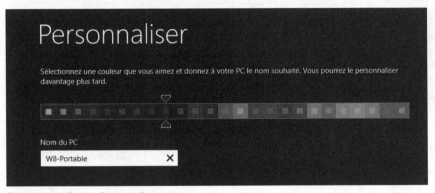

Figure 2.10 : Fenêtre Personnaliser

9 Dans la fenêtre **Paramètres**, deux possibilités s'offrent à vous : vous pouvez personnaliser les paramètres suivants ou choisir la configuration rapide. Si vous choisissez la configuration rapide, ce PC envoie de temps en temps des informations à Microsoft pour :

— installer automatiquement les mises à jour importantes et recommandées ;

— protéger votre PC contre les fichiers et les sites web dangereux ;

— activer **Do Not Track** dans Internet Explorer ;

— contribuer à améliorer les logiciels, services et services de localisation Windows en lui envoyant des informations ;

— rechercher en ligne des solutions aux problèmes ;

— permettre aux applications de vous proposer un contenu personnalisé en fonction de l'emplacement du nom et de l'avatar de compte de votre PC ;

— activer le partage et se connecter aux périphériques de ce réseau.

Dans ce cas, cliquez sur **Utiliser la configuration rapide** sinon cliquez sur **Personnaliser**.

10 Dans l'étape suivante, vous devez saisir votre adresse de compte Internet pour pouvoir utiliser l'ensemble des nouveautés liées à Windows 8.

Dans la zone *Adresse de messagerie*, saisissez votre adresse puis cliquez sur **Suivant**.

11 L'étape suivante est l'une des étapes les plus importantes, car elle va conditionner votre façon d'utiliser votre tablette. Pour profiter pleinement de Windows 8, il est recommandé de commencer directement par un compte de messagerie plutôt qu'un simple compte local. Cela vous permettra dès le premier usage d'utiliser l'interactivité de Windows 8. Dans notre cas, cliquez sur **Compte Microsoft**.

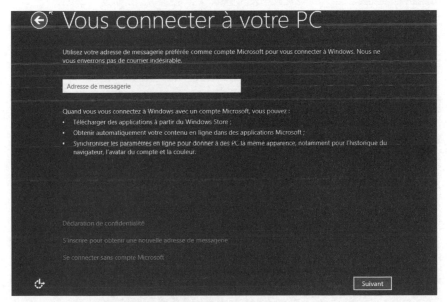

Figure 2.11 : Saisie de l'adresse de messagerie

12 Une fois votre adresse saisie, Windows 8 recherche votre compte puis, ce dernier trouvé, vous demande de bien vouloir saisir votre mot de passe. Puis saisissez les informations de sécurité avec une adresse de messagerie de secours.

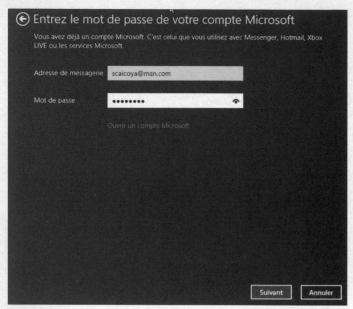

Figure 2.12 : Saisie du mot de passe Internet pour votre compte local Windows

13 Dans la fenêtre **Ajouter des informations de sécurité**, saisissez une adresse de secours en cas de problème avec votre compte d'authentification Internet puis cliquez sur **Suivant**.

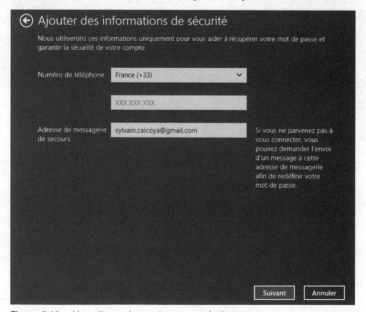

Figure 2.13 : Ajout d'une adresse de messagerie de secours

14 La fenêtre de la dernière étape de configuration apparaît et, après quelques secondes ou minutes, votre ordinateur est prêt.

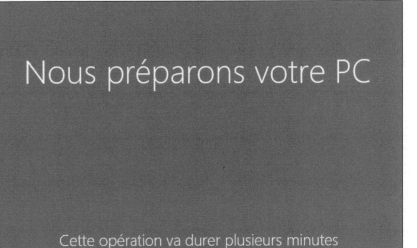

Nous préparons votre PC

Cette opération va durer plusieurs minutes

Figure 2.14 : Préparation finale de l'installation avant utilisation

Pour la fin de l'installation et la personnalisation de Windows 8, rendez-vous au chapitre *Vos trente premières minutes avec les tablettes Windows 8*, l'ensemble des paramètres y est présenté.

2.5. En bref

L'installation de Windows 8 reste toujours aussi sommaire. Malgré tout, Windows 8 apporte son lot de nouveautés concernant l'installation avec la possibilité d'utiliser un compte Internet qui vous permettra de synchroniser l'ensemble de vos paramètres et préférences d'installation. Pour terminer, on apprécie aussi les efforts réalisés concernant la réinstallation ou l'actualisation de paramètres qui vous permettront de maintenir les performances de votre machine.

CHAPITRE 3

VOS 30 PREMIÈRES MINUTES AVEC UNE TABLETTE WINDOWS 8

L'arrivée de Windows 8 est bien plus qu'un simple système d'exploitation conçu pour fonctionner avec votre tablette. Il bouscule nos habitudes, nous force à repenser nos façons d'utiliser les nouveaux supports informatiques.

Pour autant, quelle que soit la tâche à accomplir, Windows 8 vous aide à la réaliser rapidement. Pour travailler sur un projet, pour jouer ou pour lire un livre, Windows 8 s'adapte à vos besoins en vous permettant d'utiliser conjointement un écran tactile, une souris et un clavier sans difficulté. Vous n'avez donc plus besoin de choisir ! Grâce à son démarrage rapide et à sa connexion au Cloud, vous pouvez accéder à vos photos, documents et paramètres sur n'importe quel PC Windows 8.

3.1. Terminer l'installation de sa tablette

Lors de l'acquisition de votre tablette, celle-ci se trouve préinstallée, c'est-à-dire avec une installation de Windows qui est terminée mais non personnalisée. La finalisation de l'installation de votre tablette se fait en quelques étapes très intuitives que nous vous proposons au travers de ce pas-à-pas.

1 Dans la première fenêtre, nommée **Personnaliser**, sélectionnez le thème de couleurs que vous souhaitez dans la liste de présélection, saisissez le nom que vous souhaitez donner à votre tablette puis cliquez sur **Suivant**.

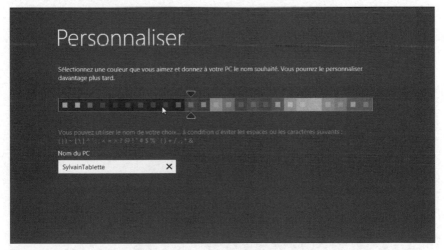

Figure 3.1 : Fenêtre Personnaliser

REMARQUE

> **Clavier virtuel**
>
> Pour utiliser un clavier virtuel, il vous suffit de taper deux fois avec votre doigt dans la zone de saisie du texte.

2 La seconde fenêtre vous offre un premier choix qui consiste à opter pour une configuration rapide qui reprend les points suivants :

- Installer automatiquement les mises à jour importantes et recommandées.
- Protéger votre PC contre le contenu, les fichiers et les sites web dangereux.
- Contribuer à améliorer les logiciels, services et services de localisation Windows.
- Rechercher en ligne des solutions aux problèmes.
- Permettre aux applications de vous proposer un contenu personnalisé en fonction de l'emplacement, du nom et de l'avatar de compte de votre PC.
- Activer le partage et se connecter aux périphériques de ce réseau.

Le second choix vous propose d'effectuer une fin d'installation beaucoup plus personnalisée. Dans l'usage d'une tablette, l'option de configuration rapide suffit. Cliquez sur **Utiliser la configuration rapide** pour passer à la suite.

3 Dans l'étape suivante, vous devez saisir votre adresse de compte Internet pour pouvoir utiliser l'ensemble des nouveautés liées à Windows 8.

Dans la zone *Adresse de messagerie*, saisissez votre adresse puis cliquez sur **Suivant**.

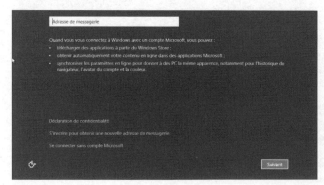

Figure 3.2 : Saisie de l'adresse de messagerie

4 L'étape suivante est l'une des étapes les plus importantes, car elle va conditionner votre façon d'utiliser votre tablette. Pour profiter pleinement de Windows 8, il est recommandé de commencer directement par un compte de messagerie plutôt qu'un simple compte local. Cela vous permettra dès le premier usage d'utiliser l'interactivité de Windows 8. Dans notre cas, cliquez sur **Compte Microsoft**.

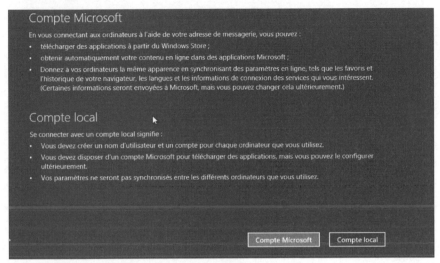

Figure 3.3 : Choix du compte d'utilisation de Windows 8

5 Une fois votre adresse saisie, Windows 8 recherche votre compte puis, ce dernier trouvé, vous demande de bien vouloir saisir votre mot de passe. Puis saisissez les informations de sécurité avec une adresse de messagerie de secours.

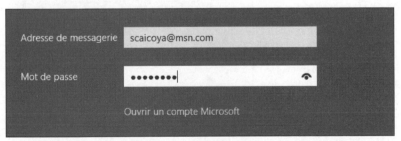

Figure 3.4 : Saisie du mot de passe Internet pour votre compte local Windows

6 La fenêtre de la dernière étape de configuration apparaît et, après quelques secondes ou minutes, votre tablette est prête.

Votre PC sera prêt dans un petit moment.

Figure 3.5 : Fin d'installation de la tablette

3.2. Les premiers gestes à connaître

Le premier constat que l'on peut faire est que l'on se retrouve perdu au travers d'une nouvelle utilisation de Windows. En quelques secondes, plus rien n'est intuitif, l'absence de souris laisse un grand vide, et plus l'on fait de nouveaux gestes plus les nouvelles fenêtres se succèdent.

Ce qui nous amène à nous familiariser avec le tableau des premiers gestes, ci-dessous.

Tableau 3.1 : Les 10 premiers gestes à connaitre

Mouvements tactiles	Équivalent avec la souris	Geste à réaliser
Balayer l'écran à partir du bord droit pour accéder aux commandes système Si vous balayez l'écran à partir du bord droit de l'écran, la barre d'icônes contenant les commandes système apparaît.	Placez le pointeur de la souris dans l'angle inférieur droit ou supérieur droit de l'écran.	
Balayer l'écran vers l'intérieur ou l'extérieur sur la gauche pour afficher les applications précédemment utilisées Si vous balayez l'écran vers l'intérieur, puis vers l'extérieur sur la gauche, les applications les plus récemment utilisées apparaissent et vous pouvez sélectionner une application dans la liste.	Placez la souris en haut à gauche et faites glisser vers le bas pour afficher les applications les plus récemment utilisées.	
Balayer l'écran vers l'intérieur à partir de la gauche pour passer d'une application à une autre Si vous balayez l'écran vers l'intérieur à partir de la gauche, les miniatures de vos applications ouvertes apparaissent afin que vous puissiez les ouvrir rapidement.	Placez le pointeur de la souris dans l'angle supérieur gauche et cliquez pour parcourir les applications ou dans l'angle inférieur gauche de l'écran et cliquez pour afficher l'écran d'accueil.	

Tableau 3.1 : Les 10 premiers gestes à connaitre

Mouvements tactiles	Équivalent avec la souris	Geste à réaliser
Balayer l'écran à partir du bord inférieur ou supérieur pour accéder aux commandes de l'application Les commandes de l'application s'affichent lorsque vous balayez l'écran à partir du bord inférieur ou supérieur. En balayant l'écran du haut vers le bas, vous ancrez ou fermez l'application active.	Cliquez avec le bouton droit de la souris sur l'application pour voir les commandes de l'application.	
Faire glisser une application pour la fermer Vous n'avez pas besoin de fermer les applications. Elles ne ralentiront pas votre PC et se fermeront toutes seules si vous ne les utilisez pas pendant quelque temps. Si vous souhaitez fermer une application, faites-la glisser au bas de l'écran.	Cliquez sur la partie supérieure de l'application et faites-la glisser au bas de l'écran.	
Appuyer et maintenir enfoncé pour en savoir plus Des informations détaillées s'affichent lorsque vous appuyez de façon prolongée. Dans certains cas, le fait d'appuyer et de maintenir enfoncé permet d'ouvrir un menu comportant des options.	Pointez sur un élément pour afficher plus d'options.	
Appuyer pour effectuer une action Le fait d'appuyer sur un élément d'interface déclenche une action : lancement d'une application ou ouverture d'un lien.	Cliquez sur un élément pour effectuer une action.	
Faire glisser Vous faites glisser votre doigt principalement pour vous déplacer dans des listes ou sur des pages ou pour les faire défiler, mais également pour d'autres interactions, notamment pour déplacer un objet ou pour dessiner et écrire.	Cliquez, maintenez le bouton de la souris enfoncé, puis faites glisser pour effectuer un déplacement ou un défilement. En outre, lorsque vous utilisez une souris et un clavier, une barre de défilement apparaît au bas de l'écran afin d'effectuer un défilement horizontal.	
Pincer ou étirer pour effectuer un zoom avant et arrière Le zoom permet d'accéder au début, à la fin ou à un emplacement spécifique d'une liste. Vous pouvez commencer à zoomer en resserrant ou en écartant deux doigts sur l'écran.	Maintenez la touche Ctrl du clavier enfoncée tout en utilisant la roulette de la souris pour agrandir ou réduire un élément à l'écran.	

Tableau 3.1 : Les 10 premiers gestes à connaitre

Mouvements tactiles	Équivalent avec la souris	Geste à réaliser
Faire pivoter pour tourner Faites pivoter deux doigts ou plus pour tourner un objet. Vous pouvez tourner l'intégralité de l'écran de 90 degrés en faisant pivoter votre appareil.	Pour que la rotation d'un objet soit prise en charge, l'application doit permettre la rotation.	

3.3. Les raccourcis clavier

Autrefois l'on pouvait trouver les raccourcis clavier dans les annexes de livre, aujourd'hui il peut être très utile dans les premiers moments de connaître certains raccourcis clavier ; voici la liste des raccourcis clavier que vous pourrez utiliser pour naviguer plus simplement dans les menus de Windows 8.

Tableau 3.2 : Listes de raccourcis Windows 8

Combinaison de touches	Description du raccourci
Windows + C	Ouvrir la barre des Charms
Windows + F	Ouvrir le panneau de recherche des fichiers
Windows + H	Ouvrir le menu partage
Windows + I	Ouvrir le panneau de configuration rapide
Windows + J	Passer de l'application accrochée sur un côté à l'application courante
Windows + K	Ouvrir le menu des connexions
Windows + L	Verrouiller la session en cours
Windows + O	Verrouiller/modifier l'orientation de la tablette
Windows + Q	Ouvrir le panneau de recherche des applications
Windows + W	Ouvrir le panneau de recherche des paramètres
Windows + X	Afficher le menu système
Windows + Z	Ouvrir la barre des applications
Windows + ,	Afficher un aperçu du bureau
Windows + ↵	Lancer le narrateur
Windows + Impr Ecr	Enregistrer une capture d'écran dans un fichier
Windows + Espace	Changer la langue du clavier
Windows + ↖	Minimiser toutes les fenêtres, sauf la fenêtre active
Windows + +	Effectuer un zoom avant
Windows + -	Effectuer un zoom arrière

Tableau 3.2 : Listes de raccourcis Windows 8

Combinaison de touches	Description du raccourci
[Windows] + [Shift] + [.]	Accrocher l'application courante sur la partie gauche de l'écran
[Windows] + [.]	Accrocher l'application courante sur la partie droite de l'écran
[Windows] + [⇆]	Parcourir la liste des applications ouvertes (remplace Flip 3D)
[Windows] + [Shift] + [⇆]	Parcourir la liste des applications ouvertes dans le sens inverse

3.4. Faire le tour du propriétaire

Le nouvel écran d'accueil permet de regrouper tout ce qui est important à vos yeux et d'y accéder facilement : contacts, météo, prochains rendez-vous dans votre agenda, etc. Windows 8 est conçu pour être flexible et personnalisé : vous choisissez les sites web, favoris, albums photo, contacts et applications à épingler sur l'écran d'accueil, afin d'y accéder rapidement. Comme c'est vous qui décidez la manière dont les éléments sont organisés et regroupés, l'affichage des mises à jour et l'accès aux données sont plus rapides que jamais.

Figure 3.6 : Nouvelle page d'accueil, interface Metro

Les vignettes de l'écran d'accueil s'actualisent automatiquement pour vous permettre de voir ce qui se passe et de rester au courant en un coup d'œil. Vous pouvez partager des informations et communiquer avec d'autres personnes en quelques clics seulement, et recevoir instantanément les dernières actualités, les informations sportives et les activités de vos amis sur les réseaux sociaux.

Windows 8 intègre également le Bureau, que vous connaissez déjà. Parmi les vignettes de l'écran d'accueil figure l'application Bureau. Elle permet d'accéder directement au Bureau. Sur le Bureau, vous verrez que les paramètres et fonctionnalités que vous utilisez dans Windows 7 restent présents.

3.5. Retrouver Windows 7

Windows 8 reprend le meilleur des deux mondes, celui de la tablette tactile grâce à sa nouvelle interface nommée Metro, mais le meilleur de Windows 7 aussi. En effet, derrière la nouvelle apparence de Windows 8 se cachent les mêmes fondations que celles de Windows 7 et lorsque vous basculez vers le Bureau. Votre usage habituel de Windows reprend ses droits. Il s'utilise avec un clavier et une souris physiques pour des applications comme Word, Excel, etc.

Pour lancer l'ancienne interface, c'est-à-dire le Bureau Windows 7, procédez comme suit :

1 À partir de l'écran d'accueil, cliquez sur la vignette **Bureau**.

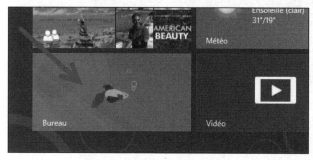

Figure 3.7 : Vignette Bureau

2 Votre bureau Windows apparaît en mode plein écran, comme pour Windows 7. La seule particularité est la disparition du menu **Démarrer**.

Figure 3.8 : Barre des tâches sans le menu Démarrer

3 Pour retourner à l'écran d'accueil qui remplace le menu **Démarrer**, vous disposez de deux solutions :

■ appuyer sur la touche **Windows** de votre clavier si vous utilisez votre tablette avec un clavier physique ;

- diriger votre doigt vers le bord droit de l'écran pour faire apparaître la barre latérale droite, puis sélectionner l'icône **Démarrer**.

Figure 3.9 : Icône Démarrer

Épingler les applications

Avec la disparition du menu **Démarrer**, l'utilisation de logiciel dans l'environnement Bureau peut rapidement devenir une contrainte. Pour remédier à ce problème, nous vous recommandons d'épingler les dix applications que vous utilisez le plus.

Pour épingler une application, il vous suffit de lancer l'application et, une fois celle-ci dans la barre des tâches, d'effectuer un clic-droit avec la souris puis de cliquer sur **Épingler**.

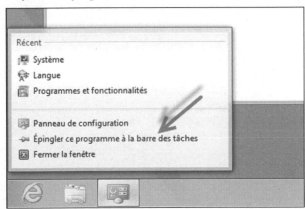

Figure 3.10 : Épingler ce programme dans la barre des tâches

3.6. Éteindre et redémarrer sa tablette

Auparavant, pour éteindre son ordinateur, c'était simple, il suffisait de cliquer sur l'icône **Windows** puis **Arrêt** et de sélectionner l'option que l'on souhaitait.

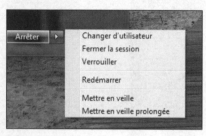

Figure 3.11 : Arrêter son ordinateur version Windows 7

Seulement, voilà, c'était avant ! Avec une nouvelle interface comme écran d'accueil et la disparition du menu **Démarrer**, il n'est pas simple de perdre un réflexe qui date maintenant de plus de quinze ans avec l'arrivée de Windows 95.

Pour retrouver l'équivalent de ce bon vieux réflexe, procédez comme suit :

1 À partir de l'écran d'accueil, glissez votre doigt vers la barre latérale droite.

Figure 3.12 : Icône Paramètres de la barre latérale droite

2 Dans la barre latérale droite, sélectionnez **Paramètres**.

Figure 3.13 : Bouton Marche/Arrêt

3 Après avoir cliqué sur le bouton **Marche/Arrêt**, sélectionnez l'option de votre choix.

Figure 3.14 : Options du bouton Marche/Arrêt

3.7. En bref

Les premiers pas avec Windows 8 dans la tablette peuvent sembler laborieux, voire décourageants. Pour autant, cela reste normal car au travers de Windows 8 Microsoft nous fait prendre un virage à 180 degrés concernant nos habitudes vieilles de plus de quinze ans.

L'exercice de style n'est pas simple pour tout un chacun, car il n'y a pas d'autre choix que de s'adapter aux nouveaux usages de Windows 8 dans la tablette, mais aussi à la nouvelle philosophie de Microsoft concernant le nouveau monde toujours plus connecté et interconnecté.

Une fois cette étape dépassée, il faudra doucement s'habituer à naviguer entre le monde de la tablette et le monde du PC dans ce même matériel avec un seul et unique Windows.

Une fois toutes ces étapes passées avec succès, Windows 8 est dans son usage un véritable plaisir qui vous transportera beaucoup plus qu'une simple autre tablette peut le faire.

Sur les nouveaux PC tactiles, tout ce que vous pouvez faire avec une souris et un clavier restera très simple avec le tactile. Vous pouvez aussi basculer d'une application à une autre, personnaliser votre écran d'accueil, faire défiler l'écran et zoomer. Avec le clavier tactile, vous pourrez naviguer, saisir des informations et interagir, où que vous soyez. Comme votre méthode de travail est différente selon l'application que vous utilisez, Windows 8 vous permettra d'opter facilement pour la méthode la mieux adaptée.

GÉRER LES COMPTES UTILISATEURS

La gestion des comptes utilisateurs et des groupes est inhérente à Windows depuis les toutes premières versions. Cependant, avec l'émergence des réseaux sociaux et des tablettes et Smartphones, Windows 8 distingue deux catégories de comptes utilisateurs : le compte local, classique ; et le compte Microsoft ou compte unifié. Vous allez dans ce chapitre comprendre la différence entre les deux types de comptes et les mettre en pratique.

4.1. Le compte utilisateur local

Grand classique de Windows, un compte utilisateur local est composé d'un nom de compte, d'un mot de passe et de droits associés. Il permet d'obtenir des accès, plus ou moins étendus, à tout ou partie du système d'exploitation. On le nomme local car il permet des accès localement au système d'exploitation installé sur votre ordinateur et pas simultanément sur différents ordinateurs ou sites web.

Tout le monde a maintenant pris l'habitude d'utiliser un compte composé du nom et du mot de passe.

Créer un compte d'utilisateur local

Bien qu'il soit possible de créer, de supprimer et d'attribuer des permissions à un nombre quasi illimité de comptes utilisateurs, Windows 8 possède par défaut deux types d'utilisateurs qui dérogent à la règle. Il s'agit du compte *Invité* et du compte *Administrateur*. Voici une description de ces deux comptes :

Tableau 4.1 : Comptes d'utilisateurs par défaut

Compte d'utilisateur par défaut	Description
Compte *Invité*	Le compte *Invité* est utilisé par les personnes qui ne possèdent pas de compte sur l'ordinateur. Un utilisateur dont le compte est désactivé (mais pas supprimé) peut également se servir du compte *Invité*. Le compte *Invité* ne demande pas de mot de passe. Ce compte est désactivé par défaut, mais vous pouvez l'activer. Vous pouvez définir des droits et des autorisations pour le compte *Invité* tout comme le faire pour tout autre compte d'utilisateur. Par défaut, ce compte fait partie du groupe *Invités*, qui permet à l'utilisateur de se connecter à un ordinateur. Seul un membre du groupe *Administrateurs* peut accorder des droits supplémentaires et des autorisations au groupe *Invités*. Par défaut, le compte *Invité* est désactivé et il est conseillé de ne pas l'activer.

Tableau 4.1 : Comptes d'utilisateurs par défaut

Compte d'utilisateur par défaut	Description
Compte *Administrateur*	Le compte *Administrateur* est désactivé par défaut, mais vous pouvez l'activer. Lorsqu'il est activé, le compte *Administrateur* possède le contrôle total de l'ordinateur et peut affecter des droits d'utilisateur et des autorisations de contrôles d'accès aux utilisateurs en fonction des besoins. Ce compte ne doit être utilisé que pour les tâches nécessitant des informations d'identification administratives. Il est vivement recommandé de paramétrer ce compte pour qu'il utilise un mot de passe renforcé. Le compte *Administrateur* est un membre du groupe *Administrateurs* sur l'ordinateur. Le compte *Administrateur* ne peut jamais être effacé ou supprimé dans le groupe *Administrateurs*, mais il peut être renommé ou désactivé. Comme il est notoire que le compte *Administrateur* existe sur de nombreuses versions de Windows, le fait de renommer ou de désactiver ce compte rend son accès beaucoup plus compliqué pour des utilisateurs malveillants.

Par défaut, Windows 8 ne possède pas plusieurs comptes utilisateurs. Cela vous oblige à utiliser votre ordinateur comme une machine monobloc et, de ce fait, vous ne pouvez pas personnaliser votre environnement, votre messagerie ou encore restreindre l'accès d'Internet par le biais du Contrôle parental. Mais ce n'est que l'utilisation par défaut. Vous devez en créer un obligatoirement. Windows 8 va plus loin en reprenant les fonctions de ces parents Windows NT, Windows 2000 et Windows XP, Vista, 7. Vous pouvez créer facilement des comptes en fonction de l'organisation que vous souhaitez pour votre ordinateur. Il est par exemple possible de créer deux comptes : un premier appelé *Internet* qui permet d'utiliser Internet et les applications et un autre, *Non Internet*, qui refusera quant à lui tous les accès à Internet. De façon plus rationnelle et classique, il est possible de créer un compte par utilisateur (par exemple un compte nommé du prénom de chaque membre de la famille) et de partager ou non des applications.

REMARQUE

Informations préalables sur la création d'un compte utilisateur

Pour créer un utilisateur, vous devez fournir des informations d'identification pour le compte *Administrateur* sur l'ordinateur local (si le système vous y invite) ou être membre du groupe *Administrateurs* sur l'ordinateur local.

Un nom d'utilisateur doit être différent de celui de tout autre utilisateur ou groupe sur l'ordinateur en cours de gestion. Le nom d'utilisateur peut contenir jusqu'à 20 caractères, majuscules ou minuscules, sauf les caractères suivants : " / \ [ ] : ; | = , + * ? < > @. Un nom d'utilisateur ne peut pas être entièrement composé de points (.) ou d'espaces.

Dans les zones *Mot de passe* et *Confirmer le mot de passe*, vous pouvez taper un mot de passe (127 caractères au maximum).

L'utilisation de mots de passe renforcés et de stratégies de mot de passe adéquates peut vous aider à protéger votre ordinateur contre les attaques.

Pour créer un compte utilisateur, procédez comme suit :

1 Activez la barre latérale droite en passant votre souris sur le bord droit (haut ou bas) de votre ordinateur ou en passant votre doigt sur le bord droit de votre tablette.

2 Cliquez ou appuyez sur **Modifier les paramètres du PC** en bas à droite.

Figure 4.1 : Modifier les paramètres du PC

3 La fenêtre **Paramètres du PC** s'ouvre.

4 Cliquez ou appuyez sur **Utilisateurs** dans la liste de gauche.

5 Puis sur **Ajouter un utilisateur**.

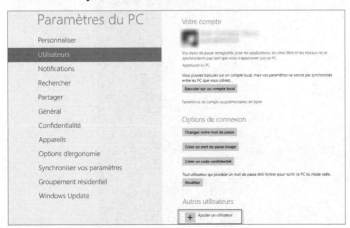

Figure 4.2 : Fenêtre Paramètres du PC, section Utilisateurs

6 À la fenêtre **Ajouter un utilisateur**, cliquez ou appuyez sur **Se connecter sans compte Microsoft**.

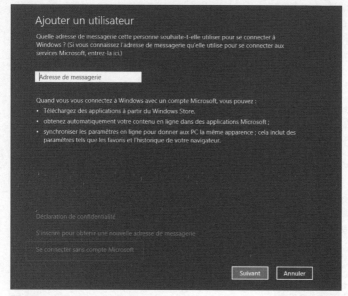

Figure 4.3 : Fenêtre Ajouter un utilisateur

7 À la fenêtre suivante, lisez les différences entre les comptes utilisateurs et cliquez ou appuyez sur **Compte local**.

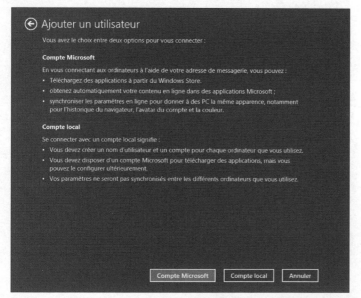

Figure 4.4 : Différences entre les comptes utilisateurs

8 Dans la boîte de dialogue suivante, remplissez les champs *Nom d'utilisateur*, *Mot de passe*, *Entrer de nouveau le mot de passe* et *Indication de mot de passe*. Une fois terminé, cliquez ou appuyez sur **Suivant**.

Figure 4.5 : Boîte de dialogue où l'on entre les informations de compte

---

Indication de mot de passe

Le champ *Indication de mot de passe* vous permet d'entrer une phrase, un mot-clé, une question, un indice vous permettant de vous souvenir de votre mot de passe si toutefois vous l'oubliez. Attention tout de même, il est absolument interdit d'entrer le mot de passe comme indication, pour préserver la sécurité de votre compte, et de toute façon Windows 8 ne vous autorisera pas à le faire.

---

9 La fenêtre suivante récapitule le compte créé. Cliquez ou appuyez sur **Terminer**. C'est fait !

Changer le mot de passe d'un compte d'utilisateur local

Il est vivement conseillé de changer le mot de passe de votre compte (qu'il soit local ou non), et ce régulièrement. Ceci afin de protéger les informations, documents, applications qui y sont associés.

Également, plus le mot de passe est complexe (avec des minuscules, majuscules, chiffres, caractères spéciaux et sur plus de 10 caractères), plus il est difficile de compromettre le compte.

Pour changer le mot de passe d'un compte local :

1 Activez la barre latérale droite en passant votre souris sur le bord droit (haut ou bas) de votre ordinateur ou en passant votre doigt sur le bord droit de votre tablette.

2 Cliquez ou appuyez sur **Modifier les paramètres du PC** en bas à droite.

3 La fenêtre **Paramètres du PC** s'ouvre.

4 Cliquez ou appuyez sur **Utilisateurs** dans la liste de gauche.

5 Cliquez ou appuyez sur **Changer votre mot de passe**.

Figure 4.6 : Bouton Changer votre mot de passe

6 Dans la boîte de dialogue **Changer votre mot de passe**, commencez par confirmer votre mot de passe actuel. Cliquez ou appuyez sur **Suivant**.

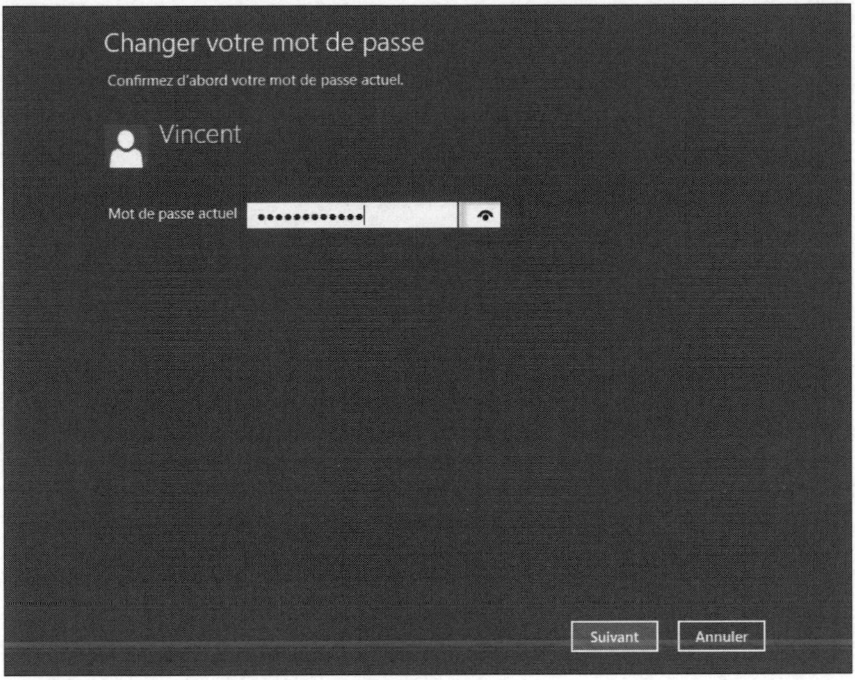

Figure 4.7 : Commencer d'abord par indiquer le mot de passe actuel

REMARQUE

Visualisation furtive du mot de passe

Par défaut, lorsque vous tapez un mot de passe, des points s'affichent pour éviter qu'une personne malintentionnée ne regarde par-dessus votre épaule et lise votre mot de passe. En revanche, il arrive souvent qu'on se trompe en tapant son mot de passe (car trop complexe !). Dans Windows 8, repérez le symbole d'œil à côté du champ où taper votre mot de passe. Si vous cliquez ou appuyez dessus, vous verrez apparaître les caractères que vous avez tapés. Les caractères ne resteront affichés que le temps où vous garderez le doigt appuyé sur le symbole ou que vous garderez le doigt appuyé sur le bouton gauche de la souris. Faites attention de n'utiliser cette fonction que s'il n'y a personne autour de vous.

7 Dans la boîte de dialogue suivante, remplissez les champs *Nouveau mot de passe, Entrer de nouveau le mot de passe* et *Indication de mot de passe*. Une fois terminé, cliquez ou appuyez sur **Suivant**.

8 La fenêtre suivante récapitule le changement de mot de passe. Cliquez ou appuyez sur **Terminer**. C'est fait !

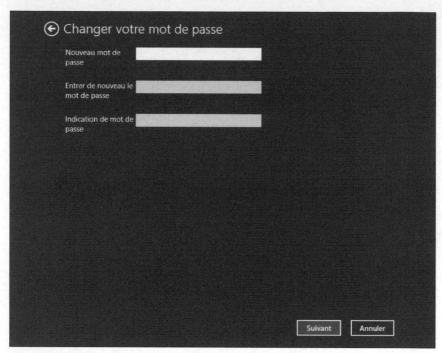

Figure 4.8 : Informations du nouveau mot de passe

Réinitialiser le mot de passe pour un compte d'utilisateur local

La réinitialisation d'un mot de passe est très utile en cas d'oubli du mot de passe d'un compte local. Le mot de passe garantit que l'utilisateur est bien celui qu'il prétend être et, de ce fait, son intimité est protégée. Il arrive parfois que l'utilisateur l'oublie ou le perde. Dans ce cas, un administrateur a la possibilité de changer le mot de passe sans connaître l'ancien. Pour cela, sous Windows 8, il faut créer un disque de réinitialisation. Pour faire cela, direction le Bureau de Windows :

1 Sur la fenêtre de démarrage de Windows 8, cliquez ou appuyez sur **Bureau**.

2 Une fois le bureau ouvert, appelez la barre latérale droite en passant votre souris sur le bord droit (haut ou bas) de votre ordinateur ou en passant votre doigt sur le bord droit de votre tablette.

3 Cliquez sur **Paramètres** puis **Panneau de configuration**. Le panneau de configuration classique de Windows se lance.

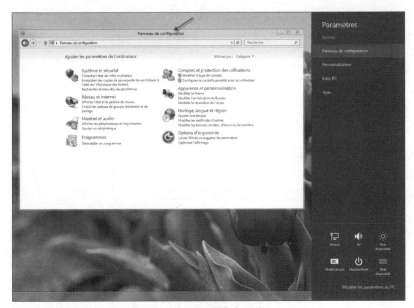

Figure 4.9 : Panneau de configuration classique Windows 8

4 Cliquez sur **Comptes et protection des utilisateurs** puis **Comptes d'utilisateurs**.

Figure 4.10 : Comptes d'utilisateurs

5 Cliquez sur **Créer un disque de réinitialisation du mot de passe**.

Figure 4.11 : Créer un disque de réinitialisation du mot de passe

6 L'assistant *Mot de passe oublié* se lance. Cliquez sur **Suivant**.

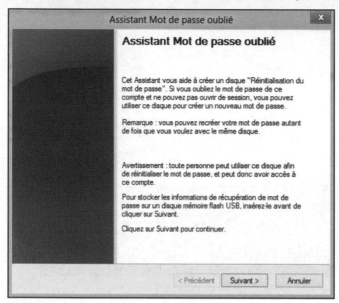

Figure 4.12 : Assistant Mot de passe oublié

7 Dans la fenêtre suivante, sélectionnez dans quel lecteur vous voulez stocker le disque de réinitialisation du mot de passe. Privilégiez une clé USB. Cliquez sur **Suivant**.

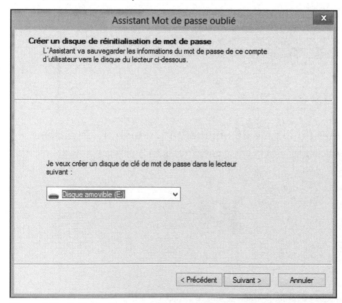

Figure 4.13 : Indiquer où stocker le disque de réinitialisation du mot de passe

8 Dans la fenêtre suivante, entrez le mot de passe actuel et cliquez sur **Suivant**.

Figure 4.14 : Entrer le mot de passe actuel

9 Le disque se crée. Suivez sa progression. À 100 %, cliquez sur **Suivant**, puis à la fin de l'assistant cliquez sur **Terminer**.

Stockez votre clé USB en lieu sûr. Le jour où vous oublierez votre mot de passe, si vous avez tapé un mot de passe incorrect un message s'affiche pour vous indiquer que votre nom d'utilisateur ou votre mot de passe est incorrect. Lorsque ce message apparaît, cliquez sur **OK**. Cliquez sur **Réinitialiser le mot de passe**, puis suivez les instructions.

Supprimer un compte d'utilisateur local

Un compte d'utilisateur a un cycle de vie. Tout d'abord, il est créé, le mot de passe, les droits associés évoluent et, suite logique, il peut être supprimé. Avant de supprimer un compte, il est nécessaire de prendre en compte plusieurs informations.

REMARQUE

Informations préalables avant de supprimer un compte utilisateur

■ Pour supprimer un compte utilisateur, vous devez fournir des informations d'identification pour le compte *Administrateur* sur l'ordinateur local (si le système vous y invite) ou être membre du groupe *Administrateurs* sur l'ordinateur local.

■ Il est impossible de récupérer un compte d'utilisateur supprimé.

■ Le compte *Administrateur* et le compte *Invité* ne peuvent pas être supprimés.

Pour supprimer un compte utilisateur, procédez comme suit :

1 Sur la fenêtre de démarrage de Windows 8, cliquez ou appuyez sur **Bureau**.

2 Une fois le bureau ouvert, appelez la barre latérale droite en passant votre souris sur le bord droit (haut ou bas) de votre ordinateur ou en passant votre doigt sur le bord droit de votre tablette.

3 Cliquez sur **Paramètres** puis **Panneau de configuration**. Le Panneau de configuration classique de Windows se lance.

4 Cliquez sur **Comptes et protection des utilisateurs** puis **Supprimer des comptes d'utilisateurs**.

5 Sélectionnez le compte à supprimer.

Figure 4.15 : Sélection du compte à supprimer

6 Cliquez sur **Supprimer le compte**.

Figure 4.16 : Suppression du compte

Les groupes locaux

Les comptes utilisateurs locaux sont accompagnés d'un certain nombre de groupes par défaut.

Bien qu'il soit possible de créer ses propres groupes, Windows 8 vous propose un certain nombre de groupes intégrés au système d'exploitation. Les groupes locaux intégrés à Windows 8 sont les suivants :

- *Administrateurs ;*
- *Opérateurs de sauvegarde ;*
- *Opérateurs chiffrement ;*
- *Utilisateurs du modèle COM distribué ;*
- *Invités ;*
- *IIS_IUSRS ;*
- *Opérateurs de configuration réseau ;*
- *Utilisateurs du journal de performance ;*
- *Utilisateurs de l'Analyseur de performances ;*
- *Utilisateurs avec pouvoir ;*
- *Utilisateurs du Bureau à distance ;*
- *Duplicateurs ;*
- *Utilisateurs.*

Voici une description plus détaillée de groupe intégré à Windows 8 :

Tableau 4.2 : Description détaillée de groupes

Groupe	Description	Droits d'utilisateur par défaut
Administrateurs	Les membres de ce groupe possèdent le contrôle total de l'ordinateur et peuvent affecter des droits d'utilisateur et des autorisations de contrôles d'accès aux utilisateurs en fonction des besoins. Le compte *Administrateur* fait partie par défaut de ce groupe. Lorsqu'un ordinateur est joint à un domaine, le groupe *Admins* du domaine est automatiquement ajouté à ce groupe. Ce groupe disposant du contrôle total de l'ordinateur, il est conseillé d'y ajouter des utilisateurs avec précaution.	- Accéder à cet ordinateur à partir du réseau - Ajuster les quotas de mémoire pour un processus - Permettre l'ouverture d'une session locale - Autoriser l'ouverture de session par les services Terminal Server - Sauvegarder des fichiers et des répertoires - Modifier l'heure système - Changer le fuseau horaire - Créer un fichier d'échange - Créer des objets globaux - Créer des liens symboliques - Déboguer des programmes - Forcer l'arrêt à partir d'un système distant - Emprunter l'identité d'un client après l'authentification - Augmenter la priorité de planification - Charger et décharger les pilotes de périphériques - Ouvrir une session en tant que tâche - Gérer le journal d'audit et de sécurité - Modifier les valeurs de l'environnement du microprogramme - Effectuer les tâches de maintenance de volume - Processus unique du profil - Performance système du profil - Retirer l'ordinateur de la station d'accueil - Restaurer des fichiers et des répertoires - Arrêter le système - Prendre possession de fichiers ou d'autres objets
Opérateurs de sauvegarde	Les membres de ce groupe peuvent sauvegarder et restaurer des fichiers sur un ordinateur, quelles que soient les autorisations qui protègent ces fichiers. Cela s'explique par le fait que le droit d'effectuer une sauvegarde est prioritaire sur toutes les autorisations de fichier. Les membres de ce groupe ne peuvent pas modifier les paramètres de sécurité.	- Accéder à cet ordinateur à partir du réseau - Permettre l'ouverture d'une session locale - Sauvegarder des fichiers et des répertoires - Contourner la vérification de parcours - Ouvrir une session en tant que tâche - Restaurer des fichiers et des répertoires - Arrêter le système
Opérateurs de chiffrement	Les membres de ce groupe sont autorisés à réaliser des opérations de chiffrement.	Aucun droit d'utilisateur par défaut

Tableau 4.2 : Description détaillée de groupes

Groupe	Description	Droits d'utilisateur par défaut
Utilisateurs du modèle COM distribué	Les membres de ce groupe sont autorisés à démarrer, activer et utiliser des objets DCOM sur un ordinateur.	Aucun droit d'utilisateur par défaut
Invités	Les membres de ce groupe ont un profil temporaire lors de l'ouverture de session, et ce profil est supprimé lorsque la session est fermée. Le compte *Invité* (qui est désactivé par défaut) est également un membre par défaut de ce groupe.	Aucun droit d'utilisateur par défaut
IIS_IUSRS	Il s'agit d'un groupe prédéfini utilisé par les services Internet (IIS).	Aucun droit d'utilisateur par défaut
Opérateurs de configuration réseau	Les membres de ce groupe peuvent apporter des modifications aux paramètres TCP/IP et libérer ou renouveler des adresses TCP/IP. Ce groupe ne possède aucun membre par défaut.	Aucun droit d'utilisateur par défaut
Utilisateurs du journal de performances	Les membres de ce groupe peuvent gérer les compteurs de performances, les journaux et les alertes d'un ordinateur, localement et à partir de clients distants, sans être membres du groupe *Administrateurs*.	Aucun droit d'utilisateur par défaut
Utilisateurs de l'Analyseur de performances	Les membres de ce groupe peuvent surveiller les compteurs de performances d'un ordinateur, localement et à partir de clients distants, sans être membres du groupe *Administrateurs* ou des groupes *Utilisateurs* du journal de performances.	Aucun droit d'utilisateur par défaut
Utilisateurs avec pouvoir	Par défaut, les membres de ce groupe ne possèdent pas davantage d'autorisations ou de droits d'utilisateur qu'un compte d'utilisateur standard. Dans les versions antérieures de Windows, le groupe *Utilisateurs avec pouvoir* était conçu de manière à accorder aux utilisateurs des autorisations et des droits d'administrateur spécifiques pour réaliser des tâches système courantes. Dans cette version de Windows, les comptes d'utilisateurs standard peuvent, par défaut, réaliser la plupart des tâches de configuration courantes, telles que la modification des fuseaux horaires. Pour les applications héritées, qui exigent les mêmes autorisations et droits d'utilisateur avec pouvoir que ceux définis dans les versions antérieures de Windows, les administrateurs peuvent appliquer un modèle de sécurité qui autorise le groupe *Utilisateurs avec pouvoir* à assumer les mêmes droits et autorisations que ceux configurés dans les versions antérieures de Windows.	Aucun droit d'utilisateur par défaut

Tableau 4.2 : Description détaillée de groupes

Groupe	Description	Droits d'utilisateur par défaut
Utilisateurs du Bureau à distance	Les membres de ce groupe peuvent se connecter à distance à l'ordinateur.	- Autoriser l'ouverture de session par les services Terminal Server
Duplicateurs	Ce groupe prend en charge les fonctions de réplication. L'unique membre du groupe *Duplicateurs* doit être un compte d'utilisateur de domaine utilisé pour se connecter aux services Duplicateurs d'un contrôleur de domaine. N'ajoutez pas de compte d'utilisateur réel à ce groupe.	Aucun droit d'utilisateur par défaut
Utilisateurs	Les membres de ce groupe peuvent effectuer des tâches courantes : exécuter des applications, utiliser les imprimantes locales ou du réseau et verrouiller l'ordinateur. Les membres de ce groupe ne peuvent pas partager des répertoires ni créer des imprimantes locales. Par défaut, les groupes *Utilisateurs de domaine*, *Utilisateurs authentifiés* et *Interactif* sont membres de ce groupe. Par conséquent, tout compte d'utilisateur créé dans le domaine devient membre de ce groupe.	- Accéder à cet ordinateur à partir du réseau - Permettre l'ouverture d'une session locale - Contourner la vérification de parcours - Changer le fuseau horaire - Augmenter une plage de travail de processus - Retirer l'ordinateur de la station d'accueil - Arrêter le système

REMARQUE

Groupes locaux intégrés à Windows 8

Il est impossible de supprimer un groupe local intégré par défaut dans Windows 8.

4.2. Le compte Microsoft

Vous allez maintenant découvrir les fonctionnalités qui permettent de rendre Windows 8 plus interactif, plus dynamique. Par exemple, vous pouvez, sous Windows 8, afficher vos photos sous la même application, appelée **Photos**, qu'elles proviennent de l'appareil photo numérique ou du Smartphone, partagées sur Facebook ou Flickr, etc. De plus, la tuile de l'application **Photos** sur l'écran d'accueil de Windows 8 se mettra à jour dynamiquement et affichera les plus belles photos, sous forme de vignettes, provenant localement ou des réseaux sociaux. Ces mises à jour dynamiques permettent par exemple d'être prévenu de tout nouvel e-mail (application **Courrier**), ou message instantané de type Windows Live Messenger ou Facebook (application **Messages**), ou photo (application **Photos**), ou informations, etc., et tout cela sans ouvrir une application. L'écran **Démarrer** et les tuiles deviennent une tour de contrôle des activités. Cela donne le rendu suivant.

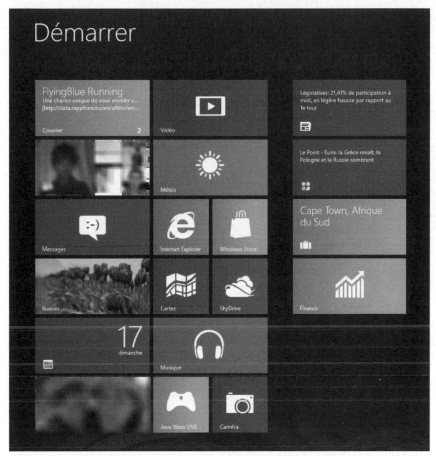

Figure 4.17 : L'écran Démarrer avec l'affichage dynamique des tuiles sous Windows 8

Cette nouveauté de Windows 8 est pratique ! Mais, pour que cela soit possible, il faut bien que votre ordinateur ou tablette Windows 8 ait accès à Internet : c'est la condition primordiale ; mais aussi que le compte d'utilisateur avec lequel vous ouvrez la session soit unifié et ait accès aussi bien à Windows Live, Facebook, Flickr et autres réseaux sociaux. Pour cela, le compte d'utilisateur ne peut pas être local mais doit être un compte sur Internet.

Windows 8 permet d'ouvrir une session avec votre compte Windows Live, qui est aussi nommé compte Microsoft sous Windows 8. Qu'est-ce qu'un compte Windows Live ou compte Microsoft ? Il s'agit d'un compte hébergé sur Internet, chez Microsoft, et qui vous permet par exemple d'accéder à votre messagerie web Hotmail ou de converser sur Windows Live Messenger. Vous pouvez maintenant ouvrir une session sous Windows 8 avec ce compte et profiter instantanément de toute une série de fonctionnalités comme la configuration automatique de la messagerie Hotmail, l'interconnexion avec Facebook et les réseaux sociaux, la messagerie instantanée, l'accès au Windows Store, au Xbox Live, etc.

Figure 4.18 : Ouvrir une session avec un compte Windows Live sous Windows 8

Deux cas de figure se présentent :

- Soit vous avez déjà un compte Windows Live (dont le nom d'utilisateur est une adresse e-mail qui se termine par @hotmail.com ou @hotmail.fr ou @live.fr ou @live.com ou @msn.fr ou @msn.com) et vous devez le synchroniser avec Facebook, par exemple.
- Soit vous n'en avez pas et vous devez en créer un.

Créer un compte Microsoft

Vous pouvez créer un compte Microsoft principalement de trois façons :

- au premier démarrage sous Windows 8 ;
- à tout moment à partir de Windows 8 ;
- sur Internet, depuis n'importe quel ordinateur.

Créer un compte Microsoft au premier démarrage

Lors de la phase de premier démarrage, avant la première ouverture de session, procédez comme suit :

1 À l'écran **Se connecter à votre ordinateur**, cliquez ou appuyez sur le lien en bleu *S'inscrire* pour obtenir une nouvelle adresse de messagerie.

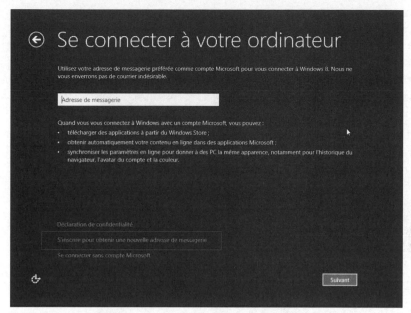

Figure 4.19 : Choisir de créer une nouvelle adresse de messagerie

2 L'écran **Créer une nouvelle adresse de messagerie** apparaît. Remplissez les différents champs. Vous choisirez une adresse en `@hotmail.fr` ou en `@live.fr`. Cliquez ou appuyez sur **Suivant**.

Figure 4.20 : Entrer les informations pour créer une nouvelle adresse de messagerie

3 Ensuite, remplissez les informations de sécurité dans la section **Ajouter des informations de sécurité**. Ces informations servent en cas d'oubli du mot de passe lié au compte. Cliquez ou appuyez sur **Suivant**.

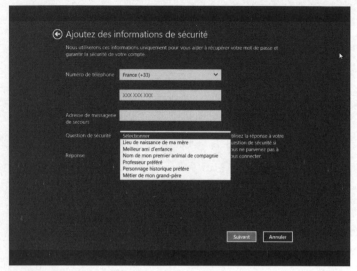

Figure 4.21 : Les informations de sécurité liées au compte

4 Finissez de remplir les derniers renseignements nécessaires (date de naissance, sexe, etc.) dans la section **Compléter la procédure** puis cliquez ou appuyez sur **Suivant**.

Figure 4.22 : Derniers renseignements à fournir

5 Un rappel du compte créé apparaît. Remarquez qu'il vous est possible de définir que ce compte est le compte d'un enfant et que vous souhaitez activer le contrôle parental si tel est le cas.

Figure 4.23 : Le rappel du nouveau compte créé

6 Cliquez ou appuyez sur **Terminer**. Le compte se crée et vous pouvez ouvrir une session avec.

Une fois sur l'écran d'accueil, le nom du compte connecté apparaît en haut à droite. En appuyant dessus vous accéderez à des fonctions de base, telles *Modifier l'avatar du compte*, *Verrouiller* ou *Se déconnecter*.

Créer un compte Microsoft depuis Windows 8

À tout moment sous Windows 8, vous avez la possibilité de créer un nouveau compte Microsoft. Pour cela :

1 Activez la barre latérale à droite.

2 Cliquez ou appuyez sur **Modifier les paramètres du PC** en bas à droite.

Figure 4.24 : Modifier les paramètres du PC

3 La fenêtre **Paramètres du PC** s'ouvre.

4 Cliquez ou appuyez sur **Utilisateurs** dans la liste de gauche.

5 Puis sur **Ajouter un utilisateur**.

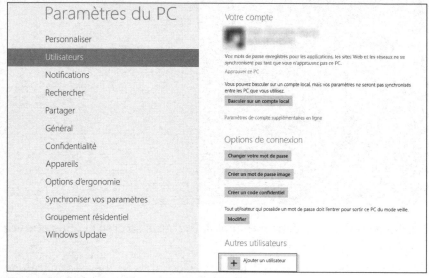

Figure 4.25 : Fenêtre Paramètres du PC, section Utilisateurs

À partir de là, la procédure est identique à celle qu'il vous faut suivre au premier démarrage :

1 À l'écran **Se connecter à votre ordinateur**, cliquez ou appuyez sur le lien en bleu *S'inscrire* pour obtenir une nouvelle adresse de messagerie.

2 L'écran **Créer une nouvelle adresse de messagerie** apparaît. Remplissez les différents champs. Vous choisirez une adresse en @hotmail.fr ou en @live.fr. Cliquez ou appuyez sur **Suivant**.

3 Ensuite, remplissez les informations de sécurité dans la section **Ajouter des informations de sécurité**. Ces informations servent en cas d'oubli du mot de passe lié au compte. Cliquez ou appuyez sur **Suivant**.

4 Finissez de remplir les derniers renseignements nécessaires (date de naissance, sexe, etc.) dans la section **Compléter la procédure** puis cliquez ou appuyez sur **Suivant**.

5 Un rappel du compte créé apparaît. Remarquez qu'il vous est possible de définir que ce compte est le compte d'un enfant et que vous souhaitez activer le contrôle parental si tel est le cas.

6 Cliquez ou appuyez sur **Terminer**. Le compte se crée.

7 Vous devez alors fermer la session actuelle et ouvrir une autre session avec le compte fraîchement créé. Cliquez ou appuyez alors sur le nom du compte utilisateur avec lequel vous êtes logué actuellement et qui se trouve en haut à droite de l'écran. Puis cliquez ou appuyez sur **Se déconnecter**.

8 Ouvrez alors une nouvelle session avec le nouveau compte.

Créer un compte Microsoft depuis Internet

Depuis n'importe quel ordinateur connecté à Internet, vous pouvez créer un compte Microsoft en vous rendant à l'adresse Internet suivante : https://signup.live.com.

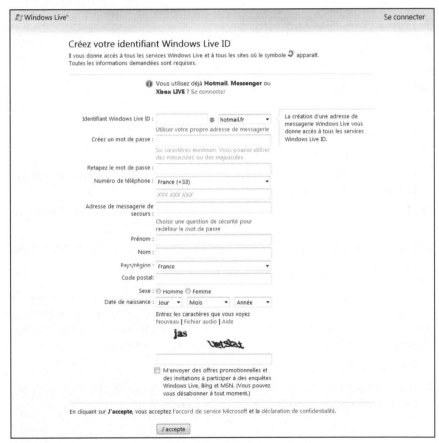

Figure 4.26 : Création d'un compte Microsoft depuis le Web

Il vous suffit de remplir les différents champs nécessaires à la création de compte. Cela ne vous rappelle rien ? C'est quasi identique aux champs à remplir lors de la création d'un compte Microsoft depuis Windows 8.

1 Entrez un identifiant Windows Live ID.

2 Choisissez l'extension entre `@live.fr` et `@hotmail.fr`.

3 Créez un mot de passe.

4 Retapez le mot de passe.

5 Entrez votre numéro de téléphone.

6 Sélectionnez une question de sécurité dans la liste déroulante si jamais vous deviez oublier le mot de passe et entrez la réponse associée.

7 Entrez votre prénom.

8 Votre nom.

9 Votre pays/région.

10 Votre code postal.

11 Votre sexe.

12 Votre date de naissance.

13 Ensuite, entrez les caractères que vous voyez à l'écran.

14 Cochez ou décochez la case afin de recevoir des offres promotionnelles et invitations par e-mail.

15 Une fois terminé, cliquez ou bien appuyez sur le bouton **J'accepte**.

Modifier son compte Microsoft pour le synchroniser avec les comptes de réseaux sociaux

Comme évoqué, pour que les tuiles Windows 8 soient dynamiques et affichent les contacts, photos et événements des réseaux sociaux, il faut que le compte Microsoft soit unifié avec vos comptes de réseaux sociaux. Pour ce faire ou le vérifier, cela se passe sur le Web :

1 Rendez-vous à l'adresse http://www.live.com.

2 Vous devez commencer par vous authentifier avec votre compte Microsoft récemment créé ou déjà existant.

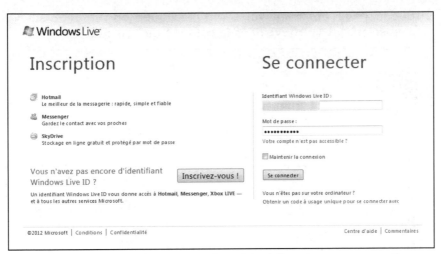

Figure 4.27 : Page de connexion à son compte Microsoft depuis live.com

3 Une fois l'authentification passée, vous arrivez sur la page d'accueil http://www.live.com.

4 Cliquez ou appuyez sur **Profil** en haut à droite de la page, juste en dessous de votre nom d'utilisateur.

Figure 4.28 : Page d'accueil connectée à son compte avec live.com

5 Sur la page précisant votre profil, cliquez ou appuyez sur **Se connecter**, qui se trouve dans la colonne de gauche.

Figure 4.29 : Page de configuration du profil

6 Vous arrivez alors sur la page qui vous permet de connecter les services associés à votre compte. Vous reconnaissez quelques-uns des logos de réseaux sociaux parmi les plus connus comme Facebook, LinkedIn, Youtube, Flickr.

Figure 4.30 : Page d'association du compte aux réseaux sociaux

7 Cliquez ou appuyez sur le logo du réseau social à associer. Prenons l'exemple de Facebook. Vous devez au préalable avoir un compte valide sur le réseau social en question avant de pouvoir l'associer à votre compte Microsoft.

8 Sur la page **Connecter Facebook à Windows Live**, sélectionnez et personnalisez votre niveau d'association des comptes. Simplement, cochez ou décochez les options. Vous pouvez personnaliser le niveau de détail suivant :

- Partager sur Windows Live ;
- Voir mes amis Facebook et leurs mises à jour dans Messenger ;
- Discuter avec mes amis Facebook dans Messenger ;
- Partager mon statut et mes mises à jour sur Facebook avec mes amis Messenger Afficher les autorisations ;
- M'autoriser à publier des photos et des vidéos sur Facebook et à y identifier mes amis Facebook ;
- Partager mon message de statut Messenger avec mes amis Facebook.

9 Ensuite, cliquez ou appuyez sur **F Connect with Facebook**.

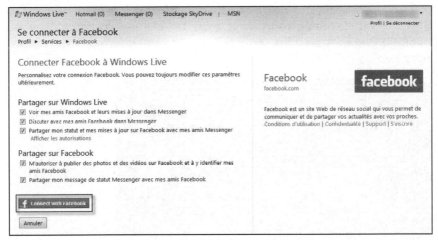

Figure 4.31 : Page de sélection du niveau de détail d'association des deux comptes

10 Une fenêtre Facebook vous demande de bien vouloir vous connecter avec votre compte Facebook, cette fois-ci pour valider l'association. Ensuite, le tour est joué, les comptes sont associés. Une coche verte sous le logo signifie que le réseau social en question est associé à votre compte.

11 Répétez l'opération pour tous les réseaux sociaux que vous souhaitez associer à votre compte Microsoft.

Figure 4.32 : Facebook est associé à votre compte

Les tuiles dynamiques de Windows 8

Plus vous aurez de réseaux sociaux associés à votre compte Microsoft et plus vous profiterez de l'interactivité des tuiles de Windows 8. Depuis l'écran de démarrage, vous avez un œil sur le contenu et les évolutions sur les réseaux sociaux. Vous êtes au courant. Vous pouvez réagir en conséquence.

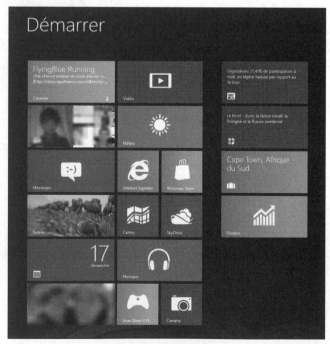

Figure 4.33 : Les tuiles dynamiques de Windows 8

Petite astuce, toutefois. Si vous êtes amené à utiliser votre ordinateur devant des personnes à qui vous ne souhaitez pas montrer les vignettes de photos ou autres photos de contacts issues de vos réseaux sociaux, vous pouvez effacer les informations personnelles des vignettes pour plus de confidentialité. Voici comment il vous faut procéder :

1 À partir de l'écran de démarrage de Windows 8, activez la barre des Charms à droite.

2 Appuyez sur **Paramètres**.

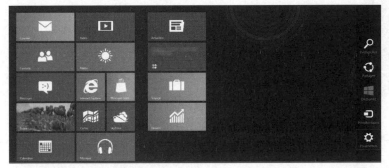

Figure 4.34 : Paramètres dans la barre des Charms

3 Dans le menu qui apparaît maintenant dans la barre des Charms, appuyez sur **Mosaïques**.

Figure 4.35 : Option Mosaïques

4 Puis appuyez sur le bouton **Effacer**, qui valide l'action d'effacer les informations personnelles de vos vignettes.

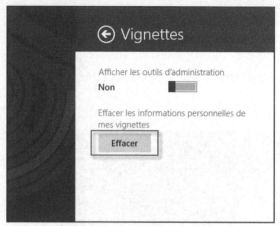

Figure 4.36 : Effacer les informations personnelles de ses vignettes

5 Vous retrouvez alors un écran de démarrage qui n'affiche plus d'informations ni de photos personnelles.

Figure 4.37 : Revoici un écran de démarrage vierge de toute information personnelle

Attention ! Cet effacement des informations personnelles des tuiles n'est que temporaire. En effet, au fur et à mesure que vous réutiliserez les applications connectées comme **Courrier, Contacts, Photos**, etc., les vignettes et les informations dynamiques réapparaîtront sur les tuiles.

4.3. En bref

Sous Windows 8, on distingue deux types de comptes utilisateurs pour un usage domestique (en laissant de côté le monde de l'entreprise et l'utilisateur de domaine) : il s'agit du compte local et du compte Microsoft.

Le compte local est classique sous Windows. Il est vraiment local à la machine et ne peut fédérer ses informations. Le compte Microsoft est hébergé sur Internet.

Avec ce type de compte, il est possible de rendre l'affichage de l'écran de démarrage de Windows 8 plus dynamique grâce aux tuiles des applications. En effet, celles-ci sont capables d'afficher les contenus des réseaux sociaux sous forme de vignettes en mouvement qui se mettent à jour en fonction des nouveautés.

La condition *sine qua non* à cela est d'ouvrir une session sous Windows 8 avec un compte Microsoft. Il s'agit d'un compte hébergé sur Internet, chez Microsoft, et qui a pour particularité d'être associé avec vos comptes de réseaux sociaux tels Facebook et consorts.

SÉCURISER L'ORDINATEUR

Les menaces sur la sécurité sont en constante évolution. Or, chacun le sait, la sécurité est une préoccupation majeure. Pour rester protégé contre les menaces sur Internet et les réseaux sans fil, le système d'exploitation client doit également évoluer. Par le biais de plusieurs fonctionnalités, vous allez voir comment Windows 8 poursuit les améliorations en matière de sécurité de manière significative en atténuant les menaces et la vulnérabilité.

Windows 8 reprend nombre des avancées introduites avec Windows Vista et Windows 7 déjà esquissées avec le Service Pack 2 de Windows XP (mais cela remonte déjà !), même si dans l'approche Microsoft cherche à simplifier plus que jamais les notions de paramétrages et autres pour que l'utilisateur puisse se concentrer uniquement sur les scénarios d'usages. Il n'empêche qu'avec ce changement de cap et le changement d'interface vous allez devoir vous accommoder à gérer des paramètres de sécurité qui se retrouvent à deux endroits :

■ Depuis la nouvelle interface, longtemps connue sous le nom de Metro ; cela vous permet de simplifier et de mieux gérer le monde des tablettes.

■ Depuis le bureau Windows et le Panneau de configuration ; cela vous permet de pouvoir garder les habitudes de Windows 7.

Toutefois, on retrouve *DEP*, qui arrête automatiquement un programme dès que celui-ci effectue une opération non conforme en mémoire, mais aussi le pare-feu logiciel intégré au système. On retrouve également dans Windows 8 des modifications apportées au mode d'exécution automatique, afin de limiter l'utilisation de cette fonctionnalité pour propager des virus. L'une des grandes nouveautés liées à l'arrivée de Windows 8 est le changement de cap sur la sécurité des machines. Microsoft intègre à présent un antivirus et vous propose des mises à jour régulières, ce qui lui permet de s'engager encore un peu plus dans la sécurité de votre machine au quotidien.

Beaucoup d'évolutions ont aussi eu lieu au niveau des paramètres liés à la sécurité dans les entreprises, mais elles ne seront pas abordées dans cet ouvrage. Nous allons nous concentrer sur les paramètres standard.

Nous allons maintenant détailler un peu plus le Centre de maintenance, Windows Update, l'antivirus et le pare-feu ; c'est-à-dire la brique obligatoire sur un ordinateur de nos jours.

5.1. Le Centre de maintenance pour la sécurité

Windows 8 collecte et remonte toutes les informations et alertes de sécurité dans le Centre de maintenance. Cela a le grand avantage de regrouper en un seul endroit facilement accessible tous les messages importants liés à la sécurité.

Pour découvrir le Centre de maintenance de Windows 8, procédez comme suit :

1 Depuis la nouvelle interface graphique, cliquez sur l'icône **Bureau**.

2 Cliquez sur le drapeau blanc situé dans la zone de notification de la barre des tâches, puis sur **Ouvrir Centre de Maintenance**.

3 Ouvrez la section *Sécurité*.

Figure 5.1 : Les informations de sécurité du Centre de maintenance de Windows 8

Dans la fenêtre **Centre maintenance**, section **Sécurité**, vous retrouvez principalement les rubriques suivantes :

■ La rubrique *Pare-feu* comprend les paramètres qui protègent activement votre ordinateur sur les flux réseau entrants et sortants.

- La rubrique *Protection contre les logiciels espions et autres programmes indésirables* comprend l'état des logiciels antispywares.

- La rubrique *Contrôle de compte utilisateur* comprend l'état de la fonctionnalité UAC et permet d'accéder aux paramètres.

- La rubrique *Paramètres de sécurité Internet* comprend l'état de sécurité d'Internet Explorer. Si le niveau de sécurité des zones change, une notification apparaît.

- La rubrique *Protection d'accès réseau* vous informe si votre ordinateur est relié à un réseau de protection avec détection du niveau de santé (état antivirus, pare-feu, etc.) avec réparation automatique si le niveau de santé n'est pas le bon (utilisé en entreprise).

- La rubrique *Compte Microsoft* comprend la liste de vos périphériques et machines approuvés ainsi que les paramètres liés au compte.

- La rubrique *Windows Smartscreen* comprend les paramètres qui protègent votre ordinateur des applications non reconnues et des fichiers téléchargés sur Internet.

5.2. Windows Update

Vous devez considérer la sécurité comme toujours en mouvement : il n'y a pas d'état sécurisé indéfiniment. Il se peut que votre ordinateur soit sécurisé à un certain moment mais que, quelques semaines plus tard, des failles de sécurité soient détectées. À partir de cet instant, votre ordinateur court de nouveau des risques.

Pour autant, une fois ce constat établi, un thème revient très souvent lorsque l'on parle de Windows Update : les perturbations liées aux redémarrages requis après les mises à jour automatiques. Tous les utilisateurs, qu'ils soient particuliers ou professionnels, s'en plaignent à juste titre, car ces redémarrages peuvent les obliger à interrompre des tâches importantes.

Évidemment, il faut commencer par se poser une question simple : pourquoi l'installation de mises à jour nécessite-t-elle un redémarrage ? Dans l'idéal, nous aimerions tous que toutes les installations de mises à jour puissent être effectuées de façon transparente en arrière-plan, sans qu'un redémarrage ne s'impose. Malheureusement, dans certaines situations, le programme d'installation ne peut pas mettre à jour les fichiers car ils sont en cours d'utilisation. Dans ce cas, Windows doit redémarrer votre ordinateur pour terminer l'installation.

Malheureusement, il faut bien comprendre que pour de nombreuses mises à jour, même si nous pouvons continuer à exécuter le code existant chargé en mémoire, ce code continue justement à laisser des vulnérabilités sur l'ordinateur et par conséquent, les risques liés à la sécurité ou à la fiabilité de l'ordinateur restent présents jusqu'au redémarrage.

Microsoft et Windows Update en quelques chiffres

Microsoft a publié sur différents sites et blogs des chiffres que nous avons consolidés ; le résultat reste très impressionnant. Actuellement, Windows Update met à jour plus de 350 millions de PC exécutant Windows 7 et plus de 800 millions de PC, si l'on prend en compte toutes les plateformes Windows prises en charge. En réalité, le nombre de PC mis à jour indirectement par Windows Update serait encore plus élevé si l'on prend en compte Windows Software Update Server, ainsi que les ordinateurs (ou clients) qui souhaitent, pour différentes raisons, appliquer les mises à jour manuellement.

Point positif qu'il faut bien reconnaitre, depuis sa création, il y a maintenant plus de dix ans, Windows Update a évolué de façon significative pour s'adapter à un écosystème en évolution permanente, notamment sur le plan des exigences de sécurité. Windows Update s'est révélé plutôt efficace pour mettre à jour les PC avant que les opérations malveillantes de grande ampleur n'aient le temps d'attaquer Windows.

Windows Update et gestion des redémarrages sous Windows 8

Windows Update regroupe tous les redémarrages du mois en se synchronisant avec la mise à jour de sécurité mensuelle. Par conséquent, votre PC redémarrera uniquement lorsque des mises à jour de sécurité sont installées et nécessitent un redémarrage. Grâce à cette amélioration, peu importe à quel moment du mois les mises à jour nécessitant un redémarrage sont publiées, car les redémarrages seront mis en attente jusqu'à la publication de la mise à jour de sécurité. Les mises à jour de sécurité étant publiées par lot le deuxième mardi de chaque mois, Windows 8 n'appliquera au final qu'un seul redémarrage par mois. Cette simplification a trois avantages : le système est sécurisé, le nombre de redémarrages est réduit et ces derniers sont davantage prévisibles.

Toutefois, Il existe une exception à la règle consistant à attendre la mise à jour de sécurité mensuelle : les mises à jour de sécurité critiques visant à corriger une vulnérabilité liée à un ver (comme par exemple le ver Blaster). Dans ce cas, Windows Update n'attend pas, mais procède automatiquement au téléchargement et à l'installation de la mise à jour, puis au redémarrage du système. Cette solution est employée uniquement dans des cas extrêmes de menaces de sécurité.

Voici comment se présente le déroulement précis du processus :

1 Un message signalant qu'un redémarrage est en attente s'affiche sur l'écran de connexion pendant trois jours ou jusqu'au redémarrage du PC, s'il survient pendant ces trois jours. Par conséquent, vous disposez de trois jours pour redémarrer votre PC au moment qui vous convient. Pour cela, il vous suffit de voir l'écran de connexion une fois en trois jours pour afficher le message signalant le redémarrage. Par défaut, l'écran de verrouillage s'affiche après 15 minutes d'inactivité.

2 En plus de la notification de redémarrage affichée dans l'écran de connexion, les options d'alimentation de l'écran de verrouillage changent de nom et deviennent **Mettre à jour et redémarrer**, et ce, dès la mise à jour. Les deuxième et troisième jours, le libellé devient **Mettre à jour et arrêter**, pour que le message soit encore plus évident. Ainsi, vous pouvez redémarrer votre PC au moment qui vous convient.

3 Au terme des trois jours, si le redémarrage n'a pas eu lieu, Windows Update procède automatiquement au redémarrage de votre PC. Dans ce cas, le redémarrage automatique a lieu soit au terme du délai de trois jours ou, pour empêcher toute perte de données si Windows Update détecte que des applications critiques sont ouvertes au terme de ce délai, au moment de la prochaine ouverture de session.

4 Une fois le redémarrage terminé, le message affiché sur l'écran de connexion disparaît et les options d'alimentation d'origine reprennent leur place. Nous sommes conscients que les utilisateurs préféreraient que l'ouverture de session Windows soit effectuée automatiquement après le redémarrage, mais nous vous recommandons vivement d'éviter cette configuration, en raison des problèmes de sécurité potentiels qu'elle pose.

Pour remettre votre ordinateur en conformité, Microsoft met gratuitement à disposition des correctifs. Pour vous procurer les mises à jour, vous devez utiliser Windows Update.

Nous en avions parlé dans l'introduction : avec Windows 8, les para-métrages de sécurité peuvent se retrouver à deux endroits et Windows Update en est le parfait exemple.

Lancer Windows Update

Pour lancer Windows Update, deux méthodes sont envisageables.

Méthode 1 : depuis la nouvelle interface graphique (notez que cette méthode est essentiellement destinée aux personnes qui disposent d'une tablette).

1 Depuis la nouvelle interface graphique, déplacez votre doigt ou votre souris en bas à droite de l'écran pour faire apparaître la barre latérale droite.

2 Cliquez sur **Paramètres**, puis sur **Modifier les paramètres du PC**.

3 Cliquez sur **Windows Update**.

Figure 5.2 : Windows Update depuis la nouvelle interface graphique

Méthode 2 : depuis le bureau Windows.

1 Depuis la nouvelle interface graphique, cliquez sur l'icône **Bureau**.

2 Utilisez la combinaison de touches ⌈Windows⌉+⌈X⌉. Dans le menu contextuel, cliquez sur **Panneau de configuration, Système et sécurité** et sélectionnez **Windows Update**.

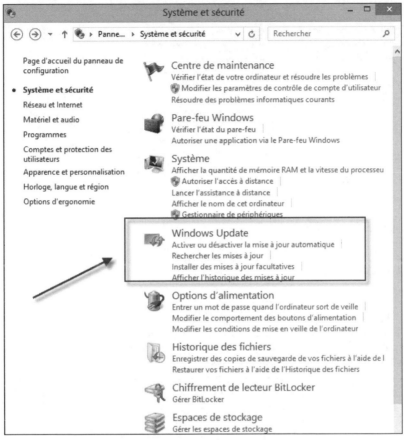

Figure 5.3 : Windows Update depuis le Panneau de configuration

Savoir si son ordinateur est à jour

Nous savons à présent qu'il est nécessaire de s'informer sur le niveau de mise à jour de Windows. Voyons comment procéder. Dans un premier temps, vous devez disposer d'une connexion à Internet, puis vous devez vous connecter à Windows Update. Pour cela, procédez ainsi :

1 Depuis la nouvelle interface graphique, cliquez sur l'icône **Bureau**.

2 Utilisez la combinaison de touches ⌈Windows⌉+⌈X⌉. Dans le menu contextuel, cliquez sur **Panneau de configuration**, **Système et sécurité** et sélectionnez **Windows Update**.

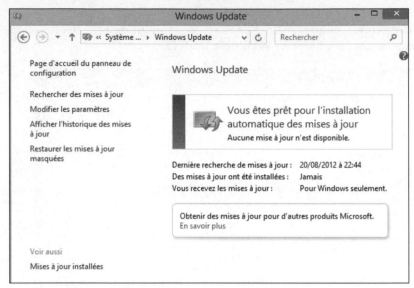

Figure 5.4 : Windows Update

3 Dans le volet gauche de **Windows Update**, sélectionnez **Rechercher les mises à jour**.

REMARQUE

Windows Update

Vous pouvez aussi lancer Windows Update depuis la nouvelle interface graphique en utilisant la méthode 1 ci-dessus puis en sélectionnant **Rechercher maintenant les mises à jour**.

Windows Update

Vous êtes prêt pour l'installation automatique des mises à jour

Aucune mise à jour importante n'est disponible.
La dernière recherche a été effectuée aujourd'hui.
Nous continuerons à rechercher quotidiennement des mises à jour plus récentes.

> Rechercher maintenant les mises à jour

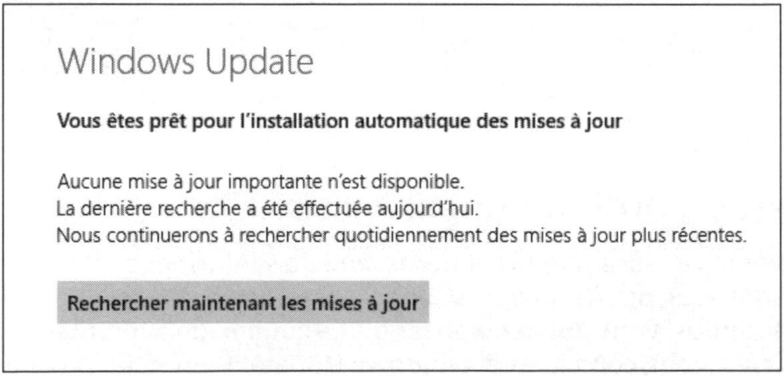

Figure 5.5 : Recherche de mises à jour

Lorsque des mises à jour sont disponibles, Windows Update vous propose de les installer. Installez-les puis, si nécessaire, redémarrez votre ordinateur.

Effectuer des mises à jour automatiques

Vous venez de voir que vous devez mettre régulièrement à jour votre ordinateur. Cependant, cela peut rapidement devenir une tâche fastidieuse, ou nous pouvons tout simplement à la longue oublier de le faire. Pour répondre à ce problème, Windows 8 propose d'effectuer des mises à jour automatiquement. Avec les mises à jour automatiques, il n'est plus nécessaire de rechercher des mises à jour en ligne ou de se préoccuper des correctifs critiques de Windows qui pourraient éventuellement faire défaut sur l'ordinateur. Windows recherche automatiquement les mises à jour les plus récentes pour votre ordinateur. Selon les paramètres de Windows Update que vous choisissez, Windows peut installer les mises à jour automatiquement ou vous signaler leur mise à disposition. Pour activer l'installation automatique de correctifs, procédez de la façon suivante :

1 Depuis la nouvelle interface graphique, cliquez sur l'icône **Bureau**.

2 Utilisez la combinaison de touches ⌨Windows+⌨X. Dans le menu contextuel, cliquez sur **Panneau de configuration**, **Système et sécurité** et sélectionnez **Windows Update**.

3 Sélectionnez **Modifier les paramètres**.

4 Dans la fenêtre **Sélectionner les paramètres de Windows Update**, vérifiez que l'option *Installer les mises à jour automatiquement (recommandé)* est sélectionnée. Autrement, activez-la.

5 Cliquez sur OK.

Modifier ses paramètres

Pour modifier les paramètres et les mises à jour automatiquement, procédez comme suit :

1 Depuis la nouvelle interface graphique, cliquez sur l'icône **Bureau**.

2 Utilisez la combinaison de touches ⌨Windows+⌨X. Dans le menu contextuel, cliquez sur **Panneau de configuration**, **Système et sécurité** et sélectionnez **Windows Update**.

3 Dans le volet gauche de **Windows Update**, sélectionnez **Modifier les paramètres**.

4 Dans la fenêtre **Sélectionner les paramètres de Windows Update**, choisissez l'heure de mise à jour en cliquant sur *Les mises à jour vont être installées automatiquement pendant la période de maintenance.*

Dans les paramètres modifiables, vous avez quatre sélections possibles :

- *Installer les mises à jour automatiquement (recommandé)* ;
- *Télécharger des mises à jour mais me laisser choisir s'il convient de les installer* ;
- *Rechercher des mises à jour mais me laisser choisir s'il convient de les télécharger et de les installer* ;
- *Ne jamais rechercher des mises à jour (non recommandé).*

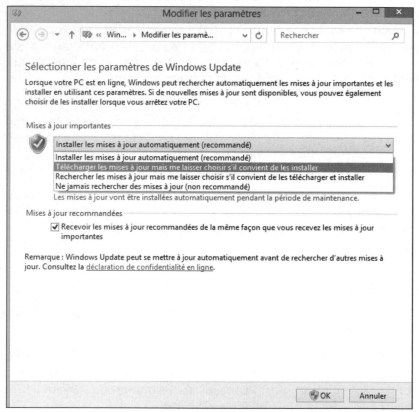

Figure 5.6 : Activer la mise à jour automatique des correctifs

Cette option permet de modifier le jour et l'heure auxquels Windows 8 contrôlera la disponibilité des nouvelles mises à jour.

Désactiver les mises à jour automatiques standard

Si vous souhaitez désactiver la mise à jour automatique des correctifs, procédez comme suit :

1 Depuis la nouvelle interface graphique, cliquez sur l'icône **Bureau.**

2 Utilisez la combinaison de touches [Windows]+[X]. Dans le menu contextuel, cliquez sur **Panneau de configuration, Système et sécurité** et sélectionnez **Windows Update.**

3 Dans le volet gauche de **Windows Update**, sélectionnez **Modifier les paramètres.**

4 Dans la fenêtre **Sélectionner les paramètres de Windows Update,** sélectionnez la case *Recevoir les mises à jour recommandées de la même façon que vous recevez les mises à jour importantes.*

5 Cliquez sur OK.

REMARQUE

Paramétrages des mises à jour

Si vous avez l'habitude de gérer les paramètres de mises à jour de sécurité, vous pourrez constater que Microsoft a fait le choix de laisser moins d'autonomie aux utilisateurs standard.

L'option *Désactiver les mises à jour* a disparu au profit de mises à jour standard, ce qui laisse entendre qu'il n'y a plus le choix pour les mises à jour importantes. Cependant, cela va dans le bon sens.

Consulter la liste des mises à jour installées

Il arrive que nous ayons besoin de vérifier la liste des mises à jour installées sur notre ordinateur. Si cela devait être votre cas, procédez de la façon suivante :

1 Depuis la nouvelle interface graphique, cliquez sur l'icône **Bureau.**

2 Utilisez la combinaison de touches [Windows]+[X]. Dans le menu contextuel, cliquez sur **Panneau de configuration, Système et sécurité** et sélectionnez **Windows Update.**

3 Au niveau du volet droit de la fenêtre **Windows Update** se trouve un résumé concernant Windows Update.

4 Dans le champ *Des mises à jour ont été installées*, cliquez sur **Afficher l'historique des mises à jour.**

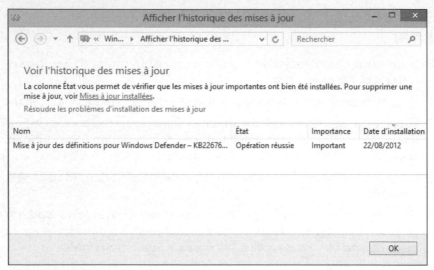

Figure 5.7 : Historique des mises à jour installées

5.3. Windows Defender

Pour introduire le sujet, les attaques criminelles continuent à évoluer et les programmes malveillants sont devenus une arme générique visant tous les internautes, qu'ils utilisent des ordinateurs classiques ou des appareils mobiles (tablettes, téléphones, etc.). Les programmes malveillants ciblent désormais tous les systèmes d'exploitation et tous les navigateurs, et ces dernières années, les attaques criminelles visant les applications ont beaucoup augmenté.

Windows Defender est un antispyware intégré à Windows 8 et destiné à un usage domestique. Il faut entendre par "usage domestique" l'absence de fonctionnalités d'administration. Avec Windows 8, Windows Defender évolue et reprend les fonctionnalités d'antivirus de Microsoft Security Essential.

Windows Defender est le logiciel de Microsoft pour lutter contre les malwares et autres virus ; il est intégré à Windows 8 et a commencé à faire son apparition depuis Vista. Il rassemble des fonctions de détection, de nettoyage et blocage en temps réel des spywares et autres virus. Parmi ces actions, Windows Defender est ainsi capable de surveiller Internet Explorer et les composants logiciels chargés dans le navigateur, de vérifier les téléchargements. Windows Defender surveille aussi un certain nombre de points d'entrée fréquemment utilisés sur la machine par les spywares et autres virus. Il peut s'agir par exemple de la clé de registre `HKLM\......\RUN`, qui permet à des logiciels de se maintenir à chaque redémarrage. La technologie de Windows Defender repose sur plusieurs agents de surveillance. Il offre la possibilité de réaliser une analyse du système rapide ou complète.

Windows 8 intègre des améliorations en matière de prévention, qui réduisent encore davantage les risques liés aux attaques courantes. Voici quelques-unes de ces améliorations :

- **Address Space Layout Randomization** (ASLR). La technologie ASLR introduite dans Windows Vista modifie de façon aléatoire l'emplacement en mémoire de la plupart du code et des données, de sorte que le code malveillant ne puisse pas connaître à l'avance l'adresse du code et des données sur tous les PC. Dans Windows 8, Microsoft a étendu la protection ASLR à d'autres parties de Windows et introduit différentes améliorations. L'une d'entre elles accroît l'aléatoirité des adresses, ce qui permet de repousser de nombreuses techniques d'attaque connues visant à contourner la protection ASLR.

- **Le noyau Windows.** Dans Windows 8, de nombreuses mesures de prévention qui auparavant s'appliquaient uniquement aux applications en mode utilisateur s'appliquent désormais au noyau Windows. Elles renforcent la protection contre certains types courants de menaces. Par exemple, Microsoft empêche désormais les processus exécutés en mode *utilisateur* d'allouer les premiers 64 Ko de la mémoire de traitement, empêchant ainsi l'exploitation d'une classe complète de failles de sécurité liées au déréférencement de *NULL* en mode noyau. Microsoft a également ajouté des contrôles d'intégrité au dispositif d'allocation de la mémoire de réserve du noyau, afin de prévenir les attaques visant à endommager la mémoire de réserve du noyau.

- **Tas binaire de Windows.** Une certaine quantité de mémoire est allouée de façon dynamique aux applications à partir du tas binaire du mode *utilisateur* de Windows. Le tas binaire de Windows 8 a été revu en profondeur, ce qui renforce significativement la protection, car de nouveaux contrôles d'intégrité sont mis en œuvre pour assurer la protection contre de nombreuses techniques exploitant les failles de sécurité. Par ailleurs, le tas binaire de Windows modifie désormais de façon aléatoire l'ordre des allocations, de sorte que le code malveillant exploitant des failles de sécurité ne puisse pas prévoir la position des objets. Le principe est le même qu'avec la fameuse technologie ASLR. Microsoft a également ajouté des pages de garde à certains types d'allocations de tas binaire, pour mieux faire face aux techniques d'exploitation de failles de sécurité s'appuyant sur les dépassements de tas binaire.

■ **Internet Explorer.** Au cours de ces deux dernières années, près de 75 % des vulnérabilités signalées dans Internet Explorer étaient des vulnérabilités de type *use-after-free*. Pour Windows 8, Microsoft a mis en place différents dispositifs de protection supplémentaires dans Internet Explorer afin d'empêcher l'assaillant de créer une table de fonctions virtuelles non valide, ce qui rend les attaques plus difficiles. Internet Explorer profitera également des améliorations apportées à la technologie ASLR et introduites dans Windows 8.

Pour lancer Windows Defender, procédez comme suit :

1 Depuis la nouvelle interface graphique, cliquez sur l'icône **Bureau**.

2 Utilisez la combinaison de touches [Windows]+[X]. Dans le menu contextuel, cliquez sur **Panneau de configuration**, **Système et sécurité** et dans la fenêtre de recherche tapez defender. Un résultat s'affiche avec **Windows Defender** ; cliquez dessus.

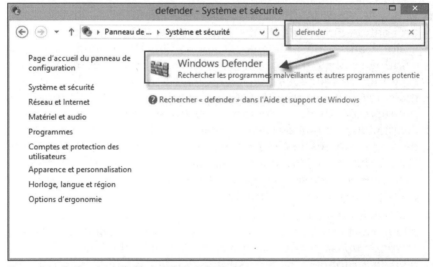

Figure 5.8 : Recherche de l'utilitaire Windows Defender

3 Pour simplifier les manipulations à venir, effectuez un clic droit sur l'icône de **Windows Defender**, puis sélectionnez **Épingler ce programme à la barre de tâches**.

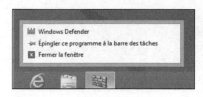

Figure 5.9 : Épingler Windows Defender dans la barre des tâches

Dans la partie supérieure de la fenêtre Windows Defender, vous voyez les onglets proposés :

- **Accueil** affiche l'état général de Windows Defender. Vous y retrouvez la date de la dernière recherche, l'état de la protection en temps réel et la version des signatures utilisées par Windows Defender.

- **Mettre à jour.** C'est à partir d'ici que vous pouvez regarder si des mises à jour sont disponibles. Plusieurs autres informations y figurent comme :

  — la date des définitions virales ;

  — la dernière mise à jour des définitions ;

  — la version des définitions de virus ;

  — la version des définitions de logiciels espions.

- **Historique** affiche l'historique de toutes les activités de Windows Defender.

- **Paramètres** regroupe plusieurs paramètres et outils et se décompose comme suit :

  — *Protection en temps réel ;*

  — *Fichiers et emplacements exclus ;*

  — *Processus exclus ;*

  — *Paramètres avancés ;*

  — *MAPS ;*

  — *Administrateur.*

REMARQUE

Utilisation de Windows Defender

Les utilisateurs visés par Windows Defender se limitent aux particuliers. Windows Defender n'entre pas dans le cadre de la gestion d'entreprise, c'est-à-dire qu'il n'exploite pas les stratégies de groupe ni la console d'administration centralisée. Il sera possible d'utiliser une version d'entreprise pour la gestion des malwares et autres virus, mais cela sera proposé dans une version payante du produit nommée Microsoft ForeFront Client Protection. Cette version ne se limitera pas à la simple gestion de spywares, elle intégrera également l'antivirus de Microsoft et sera administrable sous forme de solution.

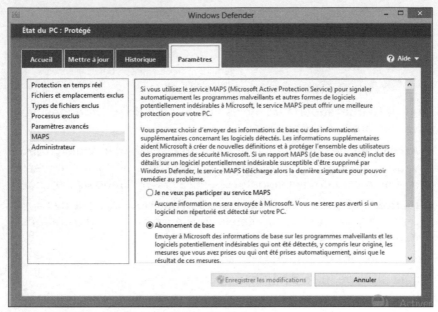

Figure 5.10 : Affichage des options de Windows Defender

Utiliser Windows Defender

Même si Windows Defender n'est pas un logiciel d'entreprise car il ne possède pas de fonctions d'administration centralisées, il possède plusieurs fonctions. Il est possible de paramétrer des analyses automatiques et il est nécessaire de le mettre à jour. Pour mettre à jour Windows Defender :

1 Depuis la nouvelle interface graphique, cliquez sur l'icône **Bureau** puis sur l'icône **Windows Defender** précédemment épinglée dans la barre des tâches.

2 Cliquez sur l'onglet **Mettre à jour**. Vérifiez dans vos informations :

— la date des définitions virales ;

— la dernière mise à jour des définitions ;

— la version des définitions de virus ;

— la version des définitions de logiciels espions.

S'il est nécessaire de mettre Windows Defender à jour, cliquez tout simplement sur **Mettre à jour**.

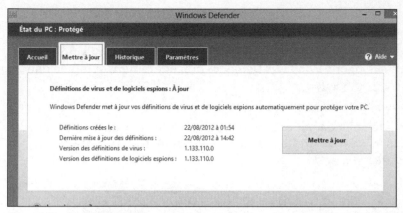

Figure 5.11 : Onglet de mise à jour

Pour lancer une analyse, procédez comme suit :

1 Depuis la nouvelle interface graphique, cliquez sur l'icône **Bureau** puis cliquez sur l'icône **Windows Defender** précédemment épinglée dans la barre des tâches.

2 Sélectionnez l'option d'analyse. Le volet droit vous propose trois options d'analyse :

— *Rapide* ;

— *Complète* ;

— *Personnaliser.*

3 Choisissez une des options d'analyse proposées puis cliquez sur **Analyser maintenant**.

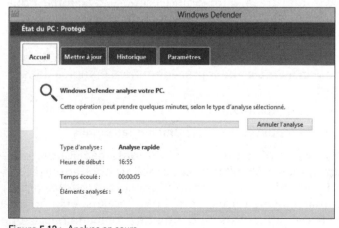

Figure 5.12 : Analyse en cours

Pour désactiver ou activer la protection en temps réel de Windows Defender, procédez comme suit :

1 Depuis la nouvelle interface graphique, cliquez sur l'icône **Bureau** puis sur l'icône **Windows Defender** précédemment épinglée dans la barre des tâches.

2 Cliquez sur l'onglet **Paramètres**.

3 Dans le volet de gauche, sélectionnez *Protection en temps réel* puis, dans le volet de droite, décochez la case *Activer la protection temps réel (recommandé)*.

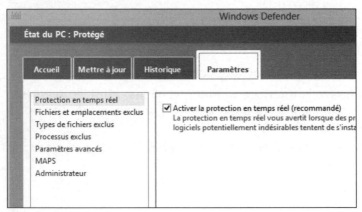

Figure 5.13 : Désactivation de la protection temps réel

Consulter l'historique

Vous pouvez si vous le souhaitez connaître l'activité de Windows Defender ; il garde une trace d'un grand nombre d'actions. Pour afficher l'historique de Windows Defender, procédez de la façon suivante :

1 Depuis la nouvelle interface graphique, cliquez sur l'icône **Bureau** puis sur l'icône **Windows Defender** précédemment épinglée dans la barre des tâches.

2 Cliquez sur l'onglet **Historique**.

3 Sélectionnez l'option puis cliquez sur **Afficher les détails**.

Windows Defender vous offre une protection renforcée contre tous les types de programmes malveillants. Les améliorations apportées à Windows Defender contribuent à vous protéger contre tous les types de programmes malveillants (virus, vers, bots, rootkits, etc.) en exploitant l'ensemble des signatures du Centre de protection Microsoft contre les programmes malveillants. Ces signatures sont obtenues régulièrement via Windows Update, en même temps que la dernière version du moteur anti-programmes malveillants de Microsoft. Cet ensemble étendu de signatures constitue une amélioration significative par rapport aux versions précédentes, qui incluaient uniquement les signatures des logiciels espions, des logiciels de publicité et des logiciels potentiellement indésirables.

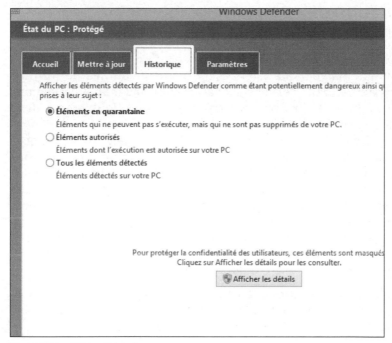

Figure 5.14 : Afficher l'historique

Par ailleurs, Windows Defender assure désormais la détection en temps réel des menaces issues de programmes malveillants, ainsi que la protection contre ces menaces, par le biais d'un filtre de système de fichiers. Il s'intègre au dispositif de démarrage sécurisé de Windows, autre nouveauté de Windows 8 en matière de protection. Ce qui vous permet de ne pas avoir besoin d'installer une solution complémentaire.

Lorsque vous utilisez un PC prenant en charge le démarrage sécurisé UEFI (défini dans la spécification UEFI 2.3.1), le démarrage sécurisé de Windows assure la sécurité de tous les microprogrammes et de toutes leurs mises à jour, et garantit que le chemin de démarrage de Windows n'a pas été falsifié, jusqu'au chargement du pilote de la solution anti-programmes malveillants. Pour ce faire, seul le code correctement signé et validé est chargé dans le chemin de démarrage. Ainsi, le code malveillant ne peut pas être chargé lors du démarrage ou de la reprise du système, et vous êtes mieux protégé contre les virus de secteur de démarrage et les virus du chargeur de démarrage, mais aussi contre les bootkits et rootkits qui essaient de se charger sous forme de pilotes.

L'amélioration des performances avec Windows Defender

Les technologies traditionnelles utilisées par les solutions anti-programmes malveillants ralentissent bien souvent les performances du système. Dans certains scénarios courants (copie de fichiers, démarrage, etc.), il n'est pas rare de constater un doublement de la durée de l'opération lorsqu'une telle solution est installée. À ce titre, Windows Defender améliore significativement les performances dans la plupart des principaux scénarios, par rapport aux solutions anti-programmes malveillants courantes utilisées sous Windows 7, tout en assurant une protection renforcée. Par exemple, lorsque toutes les fonctions de protection de Windows Defender sont activées, le temps de démarrage n'est allongé que de 4 %. Le temps processeur lors du démarrage est réduit de 75 %, les transferts d'entrée-sortie sur les disques sont réduits d'environ 50 Mo et la plage de travail maximale d'environ 100 Mo.

Ces améliorations contribuent à améliorer l'efficacité énergétique du système. Par conséquent, Windows Defender consomme moins d'électricité et optimise l'autonomie de votre batterie.

SmartScreen pour Internet Explorer, mais aussi pour Windows

Les solutions anti-programmes malveillants traditionnelles jouent un rôle essentiel dans la protection préventive et réactive face aux attaques. Cependant, les technologies basées sur la réputation peuvent elles aussi s'avérer très efficaces dans la protection contre les attaques par ingénierie sociale, avant la publication des signatures anti-programmes malveillants traditionnelles, en particulier lorsque les programmes malveillants tentent de se faire passer pour des logiciels légitimes.

Windows 8 contribue à vous protéger en exploitant des technologies basées sur la réputation, aussi bien lors du lancement d'applications que lors de la navigation avec Internet Explorer.

Depuis sa publication, le filtre SmartScreen a utilisé la réputation des URL pour mieux protéger les utilisateurs d'Internet Explorer contre plus de 1,5 milliard de tentatives d'attaques opérées par des programmes malveillants et plus de 150 millions de tentatives d'attaques par hameçonnage. La nouvelle fonctionnalité de réputation des applications, ajoutée au filtre SmartScreen d'Internet Explorer 9, offre une couche de protection supplémentaire, pour vous permettre de prendre les bonnes décisions lorsque les dispositifs de réputation des URL et les solutions anti-programmes malveillants traditionnelles ne permettent pas de détecter l'attaque.

Dans Windows 8, le filtre SmartScreen vous avertit uniquement lorsque vous exécutez une application pour laquelle aucune réputation n'a été établie pour le moment et qui présente donc un risque plus important.

Lorsque vous exécutez des applications dont la réputation a été établie, le fonctionnement est très simple : il vous suffit de cliquer dessus et de l'exécuter. Le message qui s'affichait dans Windows 7 dans ce type de situation ne s'affiche dorénavant plus.

SmartScreen utilise un marqueur placé sur les fichiers lors du téléchargement afin de déclencher un contrôle de réputation. Les principaux navigateurs Web ainsi que de nombreux clients de messagerie et services de messagerie instantanée ajoutent déjà ce marqueur, appelé MOTW (*Mark of the Web*) aux fichiers téléchargés.

En moyenne, les utilisateurs verront le message SmartScreen moins de deux fois par an.

5.4. Le pare-feu de Windows 8

Le pare-feu de Windows 8 vous aide à empêcher les utilisateurs ou logiciels non autorisés (comme les vers) d'accéder à votre ordinateur depuis un réseau ou Internet. Un pare-feu peut également empêcher votre ordinateur d'envoyer des éléments logiciels nuisibles à d'autres ordinateurs.

Le pare-feu vient en complément d'un antivirus. Par défaut, il est activé. Néanmoins, regardons d'un peu plus près comment le configurer.

Utiliser le pare-feu standard de Windows 8

Pour lancer le pare-feu Windows, procédez de la façon suivante :

1 Depuis la nouvelle interface graphique, cliquez sur l'icône **Bureau**.

2 Utilisez la combinaison de touches [Windows]+[X]. Dans le menu contextuel, cliquez sur **Panneau de configuration**, **Système et sécurité** puis sur **Pare-feu Windows**.

Figure 5.15 : Le pare-feu Windows 8

Cette interface montre l'état du pare-feu réseau par réseau. Les paramètres peuvent être différents. En cliquant sur le lien *Activer ou désactiver le pare-feu Windows* dans la colonne de gauche de la fenêtre, vous pouvez contrôler finement le statut du pare-feu réseau par réseau.

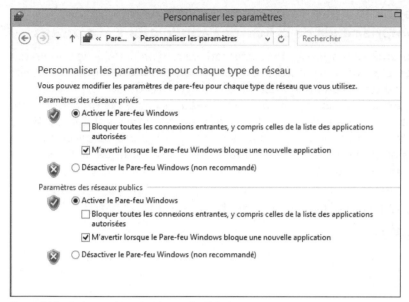

Figure 5.16 : Activer ou désactiver le pare-feu Windows

Voici ce que vous pouvez faire avec ces paramètres et quand les utiliser.

L'option Activer le pare-feu Windows

Ce paramètre est sélectionné par défaut. Lorsque le pare-feu Windows est activé, la communication est bloquée pour la plupart des programmes. Si vous souhaitez débloquer un programme, vous pouvez l'ajouter à la liste des exceptions. Par exemple, vous ne pourrez peut-être pas envoyer des photos à l'aide d'un programme de messagerie instantanée avant d'avoir ajouté ce programme sur la liste des exceptions.

L'option Désactiver le pare-feu Windows

Évitez d'utiliser ce paramètre à moins qu'un autre pare-feu ne soit exécuté sur votre ordinateur. La désactivation du pare-feu Windows peut rendre votre ordinateur (et votre réseau si vous en utilisez un) plus vulnérable à des attaques de pirates informatiques ou de logiciels malveillants tels que des vers.

Parfois, en entreprise, il peut être judicieux de laisser le pare-feu actif sur le réseau de domaine de l'entreprise mais, par contre, de désactiver le pare-feu sur un réseau privé de test, comme les réseaux privés créés par les outils de virtualisation comme VMware ou Virtual PC.

L'option Bloquer toutes les connexions entrantes, y compris celles de la liste des applications autorisées

Ce paramètre bloque toutes les tentatives non sollicitées de connexion entrante à votre ordinateur. Utilisez ce paramètre lorsque vous avez besoin d'une protection maximale pour votre ordinateur, par exemple lorsque vous vous connectez à un réseau public dans un hôtel ou un aéroport ou lorsqu'un ver dangereux se répand sur Internet. Si ce paramètre est activé, vous n'êtes pas averti lorsque le pare-feu Windows bloque tous les programmes, et les programmes de la liste des exceptions sont ignorés.

Autoriser une fonctionnalité via le pare-feu Windows

Comme avec le pare-feu Vista ou XP, vous avez la possibilité d'autoriser spécifiquement une application à communiquer au travers du pare-feu. Pour cela :

1 Depuis la nouvelle interface graphique, cliquez sur l'icône **Bureau**.

2 Utilisez la combinaison de touches ⌨Windows+X. Dans le menu contextuel, cliquez sur **Panneau de configuration**, **Système et sécurité** puis sur **Pare-feu Windows**.

3 Dans le volet gauche de la fenêtre, cliquez sur *Autoriser une application ou une fonctionnalité via le pare-feu Windows*.

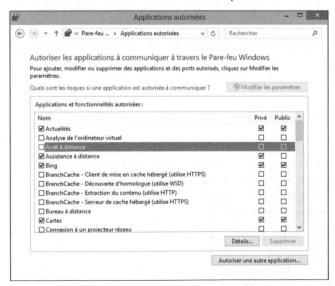

Figure 5.17 : Autorisation de programmes dans le pare-feu Windows 8

4 Cliquez sur **Modifier les paramètres**, puis cochez les réseaux des programmes à laisser communiquer et cliquez sur OK.

La nouveauté est que vous pouvez autoriser un programme ou une fonctionnalité à communiquer au travers du pare-feu réseau par réseau. Simplement en cochant une ou plusieurs cases en regard des noms des applications ou fonctionnalités. Vous pouvez même cocher plusieurs réseaux pour une même application.

5.5. En bref

La sécurité de votre ordinateur et, par extension, de vos données est capitale. Vous vous devez de protéger correctement votre ordinateur. Pour cela, Windows 8 vous propose un pare-feu, Windows Defender, contre les spywares et les virus, ainsi que Windows Update pour maintenir votre système à jour. Pour les utilisateurs de Windows 7, il n'y a pas de grands changements. Le constat que l'on peut faire est que Microsoft a mis un tour de vis supplémentaire sur les libertés de sécurité pour tout ce qui touche à son système d'exploitation.

GÉRER LA CONNEXION RÉSEAU

Vous avez découvert Windows 8. Après avoir passé un temps d'adaptation à l'interface utilisateur et compris les nouveaux gestes et raccourcis, vous devez connecter votre ordinateur au réseau, à Internet, pour profiter à 100 % de tous les scénarios connectés de Windows 8. La connexion à Internet est indispensable de nos jours. Besoin de connexion quasi permanente, besoin de collaboration, de fiabilité et de protection. Dans ce chapitre, vous allez découvrir comment gérer la connexion à votre réseau.

6.1. Le Centre Réseau et partage

Avec la démocratisation des connexions réseau (sans fil et filaire), Microsoft a souhaité simplifier la connexion au réseau au travers d'une interface de connexion automatique, intuitive et visuelle. Microsoft a souhaité également fortifier sensiblement les protocoles de communication et renforcer la sécurité.

Pour cela, Windows 8 reprend le *Centre Réseau et partage* déjà présent sous Windows Vista et Windows 7, un seul outil pour gérer tous vos besoins en matière de réseau. Il vous indique à quel réseau votre ordinateur est connecté, vérifie s'il peut accéder correctement à Internet, affiche ces informations graphiquement pour vous aider à déterminer l'état de votre connexion au réseau et à Internet et diagnostique le réseau afin de vous aider à identifier la cause d'un éventuel problème et à y remédier à l'aide de solutions proposées. C'est un outil aussi bien destiné au débutant en informatique, par son aspect visuel et par ses tâches automatiques, qu'à l'administrateur d'entreprise, par la puissance de ces options.

Pour ouvrir le *Centre Réseau et partage* :

1 À partir de l'interface Windows 8, cliquez ou appuyez sur la tuile **Bureau**.

2 Appelez la barre de fonctions à droite en mettant le pointeur de votre souris à droite de l'écran ou en balayant le bord droit de l'écran avec le doigt.

3 Cliquez ou appuyez sur **Paramètres**.

4 Cliquez ou appuyez sur **Panneau de configuration**.

5 Cliquez ou appuyez sur **Réseau et Internet** puis sur **Centre Réseau et partage**.

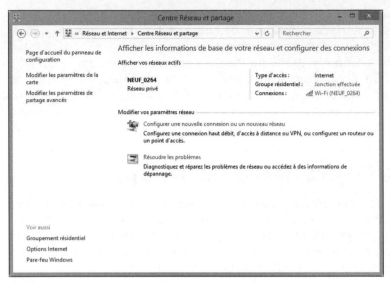

Figure 6.1 : Premier contact avec le Centre Réseau et partage

Le *Centre Réseau et partage* est divisé en trois parties dans une seule interface :

■ La colonne à gauche contient des liens vers des options de configuration du réseau.

■ Une partie représente votre connexion réseau active.

■ Une partie vous permet de modifier vos paramètres réseau.

6.2. La reconnaissance du réseau

Le Centre Réseau et partage possède de puissantes fonctionnalités de reconnaissance du réseau. Il y a de fortes chances pour que votre connexion réseau, qu'elle soit filaire ou sans fil, s'établisse automatiquement sans que vous ayez à paramétrer quoi que ce soit dans le Centre Réseau et partage. Et ce que ce soit pour votre connexion à Internet pour la maison ou pour votre connexion au réseau de l'entreprise.

En plus, Windows 8 utilise une fonction de reconnaissance du réseau qui signale aux applications tout changement dans la connectivité réseau afin d'éviter au maximum les interruptions. Par exemple, si vous possédez un ordinateur portable, lorsque vous vous connectez à différents réseaux cette modification est communiquée aux applications prises en charge par la reconnaissance du réseau. Celles-ci peuvent alors se reconfigurer automatiquement pour se connecter au nouveau réseau. Lorsque vous passez de votre réseau à la maison connecté à Internet au réseau d'entreprise, les paramètres du pare-feu peuvent être configurés pour ouvrir les ports nécessaires à l'utilisation des logiciels de votre entreprise.

De plus, si votre entreprise a configuré une *Stratégie de groupe* qui valide des fonctionnalités réseau filaires ou sans fil, celle-ci peut détecter la reconnexion au réseau d'entreprise et lancer automatiquement le traitement des modifications associées à votre profil, au lieu d'attendre le cycle de détection suivant.

Au rang des autres fonctionnalités de reconnaissance du réseau, vous pouvez ajouter des avancées sur le sans-fil. En effet, les données sont également mieux protégées grâce à la prise en charge avancée des protocoles de sécurité sans fil, y compris WPA2 (*Wi-Fi Protected Access 2*). Windows 8 vous empêche de vous connecter à des réseaux pirates qui paraissent légitimes, mais ne le sont pas. Windows 8 permet aussi de créer facilement des réseaux sans fil *ad hoc*.

Vous pouvez vérifier simplement que la reconnaissance et la découverte réseau a fonctionné. Pour cela :

1 À partir de l'interface Windows 8, appelez la barre de fonctions à droite en mettant le pointeur de votre souris à droite de l'écran ou en balayant le bord droit de l'écran avec le doigt.

2 Cliquez ou appuyez sur **Paramètres**.

Figure 6.2 : Visualisation
de la reconnaissance au réseau

3 Vous visualisez si vous êtes connecté au réseau.

REMARQUE

Connexion au réseau sans fil

La connexion sous-entend que vous avez entré votre mot de passe complexe de connexion au réseau sans fil. Vous devez toujours associer un mot de passe complexe à votre réseau sans fil. Contactez votre fournisseur Internet pour savoir comment faire. Le nombre de barrettes blanches symbolise la puissance du signal.

---

4 Cliquez ou appuyez sur l'icône de votre réseau.

Figure 6.3 : Reconnaissance des réseaux

5 Vous accédez alors à tous les réseaux reconnus et pouvez vous y connecter si vous connaissez les mots de passe associés. Vous avez aussi accès au mode avion.

REMARQUE

Le mode avion

Très utile sur tablette, le mode avion vous permet de couper instantanément toute possibilité de connexion à un réseau, surtout les réseaux sans fil

---

REMARQUE

qui émettent des ondes. Comme son nom l'indique, il est très utile en avion pour pouvoir se servir de sa tablette Windows 8 pendant le vol.

6.3. La découverte réseau

La découverte réseau est un paramètre réseau qui :

- affecte la visibilité des autres ordinateurs et périphériques à partir de votre ordinateur et permet aux autres ordinateurs du réseau de voir votre ordinateur ;

- influe sur votre accès à des périphériques et des fichiers partagés sur d'autres ordinateurs sur le réseau et si des personnes utilisant d'autres ordinateurs sur le réseau peuvent accéder à des périphériques et fichiers partagés sur votre ordinateur ;

- aide à fournir le niveau de sécurité et l'accès adéquats à votre ordinateur, en fonction de l'emplacement des réseaux auxquels vous vous connectez.

Il existe deux états de découverte réseau :

- *Activé*. Cet état vous permet d'afficher d'autres ordinateurs et périphériques sur le réseau à partir de votre ordinateur et permet à des personnes d'autres ordinateurs du réseau de voir votre ordinateur. Vous pouvez aussi accéder à des fichiers et à des périphériques partagés, tandis que d'autres personnes peuvent accéder aux périphériques et fichiers partagés sur votre ordinateur.

- *Désactivé*. Cet état vous empêche d'afficher d'autres ordinateurs et périphériques sur le réseau à partir de votre ordinateur et empêche les personnes d'autres ordinateurs du réseau de voir votre ordinateur. Vous ne pouvez pas accéder à des fichiers et à des périphériques partagés sur d'autres ordinateurs, tandis que les autres personnes ne peuvent pas accéder aux périphériques et fichiers partagés sur votre ordinateur.

Lorsque vous vous connectez à un réseau, vous devez choisir un emplacement réseau. En fonction de l'emplacement réseau que vous choisissez, Windows affecte un état de découverte réseau au réseau et ouvre les ports appropriés du pare-feu Windows pour cet état.

6.4. Configuration du réseau

Dans certains cas, il se peut que vous soyez amené à configurer votre connexion réseau. Windows 8 opère une distinction entre le réseau, l'endroit où vous vous connectez (par exemple le réseau d'entreprise, le réseau de votre domicile, etc.) et l'adaptateur réseau, la carte réseau, qu'elle soit filaire ou sans fil, associée à un réseau. Plusieurs adaptateurs peuvent être associés au même réseau. Dans le Centre Réseau et partage, de nombreuses informations et des liens sont mis à votre disposition pour vous permettre de configurer votre réseau comme vous le souhaitez.

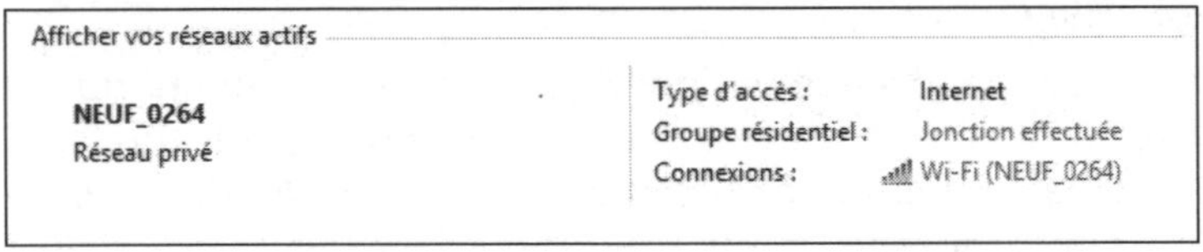

Afficher vos réseaux actifs			
NEUF_0264 Réseau privé		Type d'accès : Groupe résidentiel : Connexions :	Internet Jonction effectuée ⏶⏶⏶ Wi-Fi (NEUF_0264)

Figure 6.4 : Les informations de la connexion réseau du Centre Réseau et partage

Profil réseau

Dans la section adéquate, vous remarquez de nombreuses informations comme le nom de la connexion réseau, le type de connexion réseau ou la catégorie. Qu'est-ce qu'une catégorie de réseau ? Windows 8 offre la possibilité de classer les connexions au réseau par catégories, afin de définir le périmètre d'action de la connexion réseau, donc son niveau de sécurité. Trois catégories existent :

- *Réseau privé* désigne un réseau privé, destiné à un usage à domicile ou en petite entreprise et dédié aux personnes que vous connaissez. La fonction de découverte d'autres périphériques sur le réseau est activée.

- *Réseau public* désigne un réseau public, destiné aux bornes Internet ou aux cybercafés et dédié à tous. Cette catégorie est plus restrictive que la précédente et la fonction de découverte d'autres périphériques sur le réseau est désactivée.

- *Réseau de domaine* désigne un réseau d'entreprise. Cette catégorie est automatiquement appliquée lorsque vous rejoignez le domaine dont votre ordinateur fait partie.

Lorsque vous vous connectez à un réseau, Windows 8 crée automatiquement un profil réseau et le stocke sur votre ordinateur. Comme cela, votre ordinateur pourra se connecter automatiquement au réseau et rendre disponibles vos préférences pour ce réseau.

Si un réseau sans fil auquel vous souhaitez vous connecter n'apparaît pas dans la liste des réseaux disponibles, le cas échéant vous pouvez créer un profil pour le réseau qui vous permettra de vous connecter automatiquement à ce réseau à tout moment.

Si vous souhaitez créer un profil réseau, procédez de la sorte :

1 À partir de l'interface Windows 8, cliquez ou appuyez sur la tuile **Bureau**.

2 Appelez la barre de fonctions à droite en mettant le pointeur de votre souris à droite de l'écran ou en balayant le bord droit de l'écran avec le doigt.

3 Cliquez ou appuyez sur **Paramètres**.

4 Cliquez ou appuyez sur **Panneau de configuration**.

5 Cliquez ou appuyez sur **Réseau et Internet** puis sur **Centre Réseau et partage**.

6 Cliquez ou appuyez sur **Configurer une nouvelle connexion ou un nouveau réseau**.

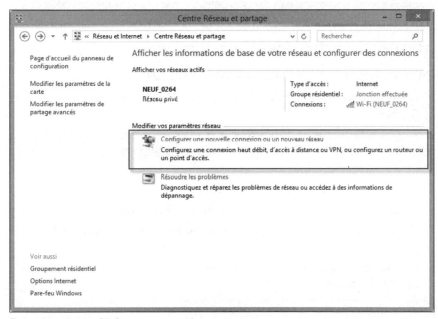

Figure 6.5 : Accès à Configurer une connexion réseau

7 Puis sur **Se connecter manuellement à un réseau sans fil**, et suivez les instructions à l'écran. Si vous enregistrez le réseau, un profil sera créé pour le réseau et stocké sur votre ordinateur.

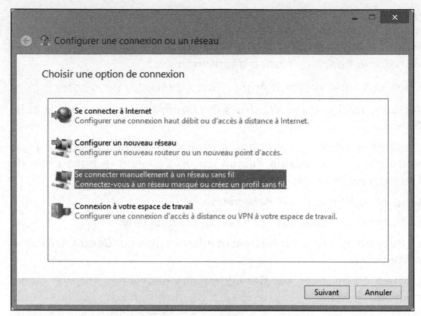

Figure 6.6 : Connexion manuelle à un réseau sans fil

Configuration de l'état de connexion

Pour accéder à l'état de la connexion, procédez comme suit :

1 À partir de l'interface Windows 8, cliquez ou appuyez sur la tuile **Bureau**.

2 Appelez la barre de fonctions à droite en mettant le pointeur de votre souris à droite de l'écran ou en balayant le bord droit de l'écran avec le doigt.

3 Cliquez ou appuyez sur **Paramètres**.

4 Cliquez ou appuyez sur **Panneau de configuration**.

5 Cliquez ou appuyez sur **Réseau et Internet** puis sur **Centre Réseau et partage**.

6 Cliquez ou appuyez sur le nom de votre connexion dans la partie droite de la fenêtre.

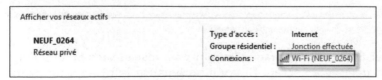

Figure 6.7 : Accéder à l'état de la connexion

7 Dans la fenêtre à l'écran, cliquez sur **Propriétés**.

Figure 6.8 : Fenêtre état de la connexion

8 Vous accédez à la fenêtre de configuration de l'adaptateur réseau, qui vous est aussi familière.

Figure 6.9 : La fenêtre des propriétés de l'adaptateur réseau

Dorénavant, quatre protocoles sont installés par défaut :

- *Internet Protocol Version 4 (TCP/IPv4)* est le protocole de connexion le plus utilisé et le plus connu. Vous connaissez le format des adresses IP à base de 4 octets (par exemple 192.168.100.1). Vous configurez l'utilisation ou non de DHCP, WINS, DNS, etc.

Figure 6.10 : La fenêtre des propriétés du protocole IPv4

- *Internet Protocol Version 6 (TCP/IPv6)* est une nouveauté. Maintenant, le protocole IPv6 est activé par défaut. C'est l'évolution du protocole IPv4 comme vous le connaissez aujourd'hui avec un nouveau format d'adressage.

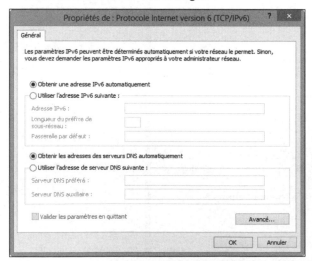

Figure 6.11 : La fenêtre des propriétés du protocole IPv6

- *Pilote d'E/S du mappage de découverte de topologie de la couche de liaison* est utilisé pour découvrir et localiser des ordinateurs ou les équipements réseau sur le réseau. Il est aussi employé pour déterminer la bande passante du réseau.

- *Répondeur de découverte de topologie de la couche de liaison* est utilisé pour la détection et la localisation de votre ordinateur sur le réseau.

Paramètres de partage avancés

Dans la section *Modifier les paramètres de partage avancés*, vous pouvez régler les paramètres de découverte et de partage sur le réseau, et ce pour tous les profils. Pour cela :

1 À partir de l'interface Windows 8, cliquez ou appuyez sur la tuile **Bureau**.

2 Appelez la barre de fonctions à droite en mettant le pointeur de votre souris à droite de l'écran ou en balayant le bord droit de l'écran avec le doigt.

3 Cliquez ou appuyez sur **Paramètres**.

4 Cliquez ou appuyez sur **Panneau de configuration**.

5 Cliquez ou appuyez sur **Réseau et Internet** puis sur **Centre Réseau et partage**.

6 Cliquez ou appuyez sur **Modifier les paramètres de partage avancés**.

Figure 6.12 : Paramètres de partage avancés

Vous pouvez activer ou désactiver votre visibilité sur le réseau en cliquant sur le bouton du menu déroulant pour obtenir les renseignements de toutes les options et choisir *Activé* ou *Désactivé*.

6.5. Diagnostics réseau

En plus des fonctionnalités que nous venons de décrire, Windows 8 inclut des fonctionnalités de diagnostic et de réparation automatiques du réseau.

La résolution de problèmes de connexion réseau peut s'avérer très complexe car il existe de nombreuses causes possibles. Une des premières actions à mener en cas de problème est de lancer l'outil de Diagnostics réseau inclus à Windows 8. Pour cela :

1 À partir de l'interface Windows 8, cliquez ou appuyez sur la tuile **Bureau**.

2 Appelez la barre de fonctions à droite en mettant le pointeur de votre souris à droite de l'écran ou en balayant le bord droit de l'écran avec le doigt.

3 Cliquez ou appuyez sur **Paramètres**.

4 Cliquez ou appuyez sur **Panneau de configuration**.

5 Cliquez ou appuyez sur **Réseau et Internet** puis sur **Centre Réseau et partage**.

6 Cliquez ou appuyez sur **Résoudre les problèmes**.

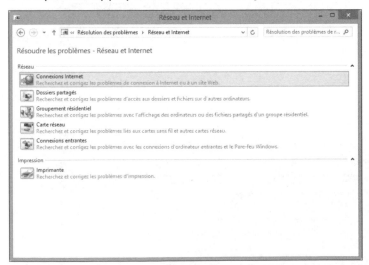

Figure 6.13 : La fonction Résoudre les problèmes

7 Dans les sections proposées, sélectionnez la section qui correspond le mieux au problème que vous souhaitez résoudre. Par exemple un problème de connexion à Internet. Suivez les instructions à l'écran.

Windows 8 déroule alors une batterie de tests qui va du test de connectivité de type *ping* à un équipement réseau jusqu'au renouvellement de l'adresse IP.

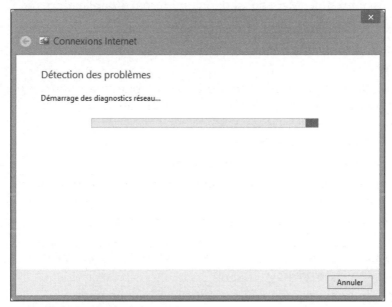

Figure 6.14 : Déroulement du diagnostic

À la fin du diagnostic, Windows 8 vous annonce que le problème est réparé s'il a réussi à le réparer ; mais, si ce n'est pas possible, il vous donne des pistes à suivre pour la résolution :

- Vérifiez que tous les câbles sont connectés.
- Si vous essayez de vous connecter à un autre ordinateur, vérifiez que cet ordinateur est allumé.
- Si le problème s'est présenté après l'installation d'un nouveau logiciel, vérifiez vos paramètres de connexion, pour découvrir s'ils ont été modifiés.

Lorsque vous exécutez des diagnostics réseau de Windows 8, tout problème rencontré ainsi que les solutions correspondantes s'affichent dans la boîte de dialogue **Diagnostics réseau** de Windows 8. Si des informations plus détaillées ou techniques et des solutions potentielles sont disponibles, elles sont enregistrées dans un ou plusieurs journaux d'événements. Les administrateurs réseau et les membres du support technique peuvent utiliser les informations contenues dans les journaux d'événements pour analyser les problèmes de connectivité et simplifier l'interprétation des conclusions.

Les journaux d'événements *Diagnostics réseau* peuvent être consultés dans l'*Observateur d'événements*. Ils sont enregistrés en tant qu'événements *système* dans le dossier *Journaux Windows*, et l'ID de l'événement est `6100`. Mais aussi dans un journal d'application.

Pour accéder à l'*Observateur d'événements*, procédez comme suit :

1 À partir de l'interface Windows 8, cliquez ou appuyez sur la tuile **Bureau**.

2 Appelez la barre de fonctions à droite en mettant le pointeur de votre souris à droite de l'écran ou en balayant le bord droit de l'écran avec le doigt.

3 Cliquez ou appuyez sur **Paramètres**.

4 Cliquez ou appuyez sur **Panneau de configuration**.

5 Cliquez ou appuyez sur **Système et sécurité** puis sur **Outils d'administration**.

6 Cliquez ou appuyez sur **Observateur d'événements**.

7 Une fois l'*Observateur d'événements* ouvert, développez l'arborescence **Journaux des applications et des services**, **Microsoft**, **Windows**, **Diagnostics-Networking**.

8 Dans le journal *Operationnel*, consultez les événements.

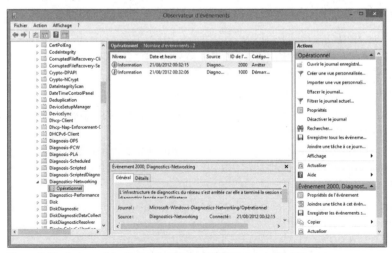

Figure 6.15 : Le journal de diagnostics réseau de l'Observateur d'événements

9 Dans la zone de description de l'événement, les problèmes sont signalés en tant que causes racine et les solutions en tant qu'options de réparation.

Lorsque la fonctionnalité de diagnostics réseau identifie un problème sur un réseau sans fil, elle enregistre des informations dans les journaux d'événements en tant qu'événements de classe d'assistance ou événements de niveau informatif. Une session de diagnostics peut comprendre un ou plusieurs événements de classe d'assistance, mais un seul événement de niveau informatif.

Qu'est-ce qu'un événement de classe d'assistance ? Ces événements fournissent un résumé des résultats de diagnostics et peuvent reprendre certaines informations affichées dans la boîte de dialogue **Diagnostics réseau**, mais ils peuvent également fournir des informations supplémentaires pour la résolution de problèmes, telles que des informations sur la connexion faisant objet du diagnostic, les résultats de diagnostics ainsi que les capacités du réseau sans fil et de l'adaptateur diagnostiqués.

Qu'est-ce qu'un événement système ? Ces événements peuvent inclure des informations sur la connexion diagnostiquée, les paramètres du réseau sans fil sur l'ordinateur et le réseau, les réseaux visibles et les routeurs ou les points d'accès à portée au moment du diagnostic, la liste des réseaux sans fil préférés de l'ordinateur, l'historique des connexions et les statistiques de connexion, notamment des statistiques de paquet, ainsi que l'historique d'utilisation en itinérant. Ils fournissent également un résumé des tentatives de connexion et leur état, ainsi que les phases de la connexion réussie, échouée ou non démarrée.

6.6. En bref

La connexion réseau et surtout à Internet est, de nos jours, la condition *sine qua non* à l'utilisation d'un PC. Celle-ci doit être transparente mais robuste et puissante. Windows 8 vous propose une découverte du réseau et une connexion automatique qui fonctionne dans la plupart des cas. Donc, il y a de grandes chances pour que votre connexion réseau fonctionne de façon simple. Néanmoins, il est important de savoir comment cela fonctionne, les paramètres de réglage et l'outil de diagnostic.

Windows 8 propose une interface simple et reprend le Centre Réseau et partage existant depuis Windows Vista. Un endroit unique pour configurer, paramétrer et diagnostiquer son réseau.

GÉRER LES DOSSIERS ET LES DOCUMENTS

Windows 8, de par son interface de démarrage, offre une nouvelle approche de la productivité personnelle et vous aide à augmenter cette dernière. Pour cela, parmi les axes d'amélioration étudiés on trouve la création et l'amélioration d'outils qui permettent de mieux organiser votre travail. Cela passe par une meilleure utilisation des dossiers et fichiers, et une meilleure recherche et gestion des données, surtout depuis l'explosion des volumétries de disques durs.

L'outil de base incontournable pour la gestion des documents, depuis les toutes premières versions de Windows, s'appelle l'Explorateur Windows. Avec l'interface de Windows 8, il existe plusieurs méthodes d'accès à l'Explorateur Windows.

Par la nouvelle interface utilisateur :

1 À partir de la fenêtre d'accueil, appelez la barre latérale droite en positionnant le pointeur de la souris en bas à droite de l'écran ou en glissant votre doigt du bord droit de l'écran vers le centre.

Figure 7.1 : La barre latérale droite et le bouton Rechercher

2 Cliquez ou tapez sur **Rechercher**.

3 Tapez avec le clavier les premières lettres du mot *Explorateur*, vous verrez apparaître l'icône représentant le programme.

Figure 7.2 : Le résultat de la recherche apparaît au fur et à mesure de la frappe au clavier

4 Cliquez ou tapez sur l'icône **Explorateur Windows** pour qu'il s'ouvre.

REMARQUE

Épingler l'Explorateur Windows sur la fenêtre d'accueil de Windows 8

Si vous souhaitez avoir un accès immédiat à l'Explorateur Windows depuis la fenêtre d'accueil Windows 8, recherchez le programme comme indiqué dans la procédure précédente (jusqu'à l'étape numéro 3). Puis faites un clic du bouton droit de la souris sur l'icône du programme (ou laissez le doigt appuyé quelques secondes). Enfin, cliquez ou appuyez sur **Épingler** à l'écran d'accueil.

Figure 7.3 : Épingler l'Explorateur Windows sur la fenêtre d'accueil de Windows 8

Par le bureau Windows :

1 À partir de la fenêtre d'accueil, cliquez sur le **Bureau Windows**.

Figure 7.4 : Icône du Bureau

2 Une fois le Bureau lancé, cliquez sur l'icône **Explorateur Windows**, par défaut ancré dans la barre des tâches.

Figure 7.5 : L'Explorateur Windows épinglé par défaut dans la barre des tâches du Bureau

Par le raccourci clavier : à tout moment, que vous soyez sur la fenêtre d'accueil Windows 8 ou le Bureau Windows, vous pouvez utiliser le clavier pour accéder directement à l'Explorateur Windows. Pour cela, tapez la combinaison de touches Windows+E. L'Explorateur Windows s'ouvre dans le Bureau (voir fig. 7.6).

Vous allez, à partir de cet outil, apprendre les composants vous facilitant la gestion des documents.

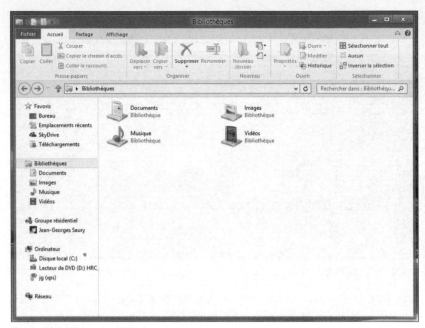

Figure 7.6 : L'Explorateur Windows

7.1. L'Explorateur Windows de Windows 8

Si vous utilisiez des versions précédentes de Windows, vous vous apercevrez immédiatement des changements de l'Explorateur Windows, notamment avec l'arrivée du ruban. Cette nouvelle version de l'Explorateur vise à remplir trois grands objectifs :

- **Optimiser l'Explorateur pour les tâches de gestion des fichiers**. Il s'agit de revenir aux racines de l'Explorateur en améliorant son efficacité pour la gestion des fichiers, et de faciliter l'accès à certaines commandes extrêmement pratiques et jusque-là peu visibles, des commandes déjà disponibles dans l'Explorateur, mais dont peu d'utilisateurs connaissent l'existence.

- **Optimiser le confort d'utilisation des commandes**. Les commandes les plus utilisées sont placées dans les sections les plus visibles de l'interface et à des endroits logiques et fiables, pour permettre d'y accéder plus facilement. Elles sont organisées dans des sections prévisibles et regroupées de façon logique en fonction du contexte, et les informations pertinentes sont affichées là où elles sont nécessaires.

- **Respecter l'héritage de l'Explorateur.** On conserve la puissance et la richesse fonctionnelle de l'Explorateur, et on réintègre les fonctionnalités les plus demandées et les plus utiles de l'ère Windows XP, dans les limites du cadre imposé par l'architecture actuelle et le modèle de sécurité de Windows.

Microsoft a évalué la possibilité de plusieurs commandes de l'interface utilisateur, notamment les versions étendues de la barre de commandes de Windows Vista/Windows 7, les menus et barres d'outils de la période Windows 95/Windows XP, plusieurs approches totalement nouvelles en matière d'interface, ainsi que le ruban tel qu'on le connaît dans Office. Parmi ces différentes approches, le ruban est le plus en adéquation avec les objectifs :

- Il permet de placer les commandes les plus importantes à des endroits très visibles, à l'avant et au milieu de l'interface.

- Il permet de trouver les commandes de façon intuitive et fiable, ainsi que d'affecter une place précise à chaque commande importante de gestion des fichiers : vous savez donc à tout moment où rechercher ces commandes.

- Il permet de présenter de nombreuses commandes (environ 200) sous une forme cohérente et simple d'accès, et de les organiser en groupes axés autour d'un scénario d'utilisation précis, sans passer par des menus imbriqués, des fenêtres contextuelles, des boîtes de dialogue ou des menus contextuels accessibles uniquement par clic droit.

- Il facilite l'identification des commandes grâce au regroupement, aux différentes tailles de boutons et aux icônes, et permet d'afficher plus d'informations sur les fichiers, grâce aux aperçus instantanés et aux info-bulles étendues.

- Il offre une approche semblable à celle d'Office, de Microsoft Paint et de Windows Live, déjà connue et maîtrisée par bon nombre d'utilisateurs.

- Il offre une interface utilisateur cohérente et fiable, qui ne perd pas ses qualités au fil du temps, contrairement aux interfaces classiques, axées autour de barres d'outils et de menus.

Tous ces avantages s'adaptent parfaitement aux objectifs : le ruban permet de créer un gestionnaire de fichiers optimisé, dans lequel les commandes ont une place fiable et logique, offrant un meilleur confort d'utilisation. Grâce à l'extrême flexibilité du ruban (nombreuses possibilités en matière d'icônes, onglets, présentation flexible, regroupements de commandes, etc.), l'héritage de l'Explorateur est respecté. Le ruban propose un large éventail de commandes, sans pour autant compliquer l'accès à celles jusque-là disponibles dans la barre supérieure. En pratique, bien qu'il ne soit pas conçu comme tel, le ruban constitue également une interface tactile bien plus fiable et confortable que des menus déroulants ou contextuels. L'intérêt pour les interfaces tactiles est grandissant, mais que les choses soient claires : en matière de gestion des fichiers, le binôme clavier et souris reste important pour tous les utilisateurs.

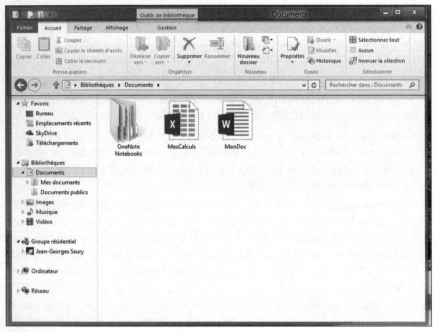

Figure 7.7 : Le ruban de l'Explorateur Windows

Les avantages du ruban

Forcément, l'apparition de ce ruban dans l'Explorateur suscite le scepticisme de certains utilisateurs car cela casse nos habitudes, ancrées depuis des années. Toutefois, le ruban présente des avantages à plusieurs niveaux :

- Il présente des fonctions masquées déjà utilisées par les utilisateurs avancés, mais qui nécessitent des programmes complémentaires tiers pour pouvoir être exploitées dans l'interface de l'Explorateur, telle que nous la connaissons dans les versions précédentes de Windows.
- Il offre des raccourcis clavier pour chaque commande du ruban.

- Il permet de personnaliser l'interface utilisateur, grâce à une barre d'outils **Accès rapide** offrant des possibilités de personnalisation comparables à ce que l'on pouvait trouver dans Windows XP.

Grâce au ruban, vous disposez de nombreuses possibilités en termes de présentation. Le ruban s'articule autour de trois onglets principaux : **Accueil**, **Partage** et **Affichage**. Ces onglets sont accompagnés d'un menu **Fichier** et de différents onglets contextuels.

Le nouveau ruban

L'onglet Accueil

L'onglet **Accueil** est axé autour des tâches essentielles de gestion des fichiers. Les principales commandes sont placées à des endroits visibles : **Copier, Coller, Supprimer, Renommer, Couper** et **Propriétés**. Vous trouvez également mis en évidence deux fonctionnalités héritées des versions précédentes, **Déplacer vers** et **Copier dans**, ainsi qu'une fonctionnalité fantastique jusque-là masquée, **Copier le chemin d'accès**. Elle est particulièrement utile lorsque vous devez coller le chemin d'accès d'un fichier dans une boîte de dialogue ou lorsque vous souhaitez envoyer à quelqu'un un lien vers un fichier stocké sur un serveur.

Figure 7.8 : L'onglet Accueil

L'onglet **Accueil** constitue le cœur de l'expérience utilisateur offerte par l'Explorateur Windows, optimisée comme jamais auparavant. Les commandes représentant 84 % des actions réalisées dans l'Explorateur par les utilisateurs sont désormais toutes disponibles dans cet onglet.

L'onglet Partage

L'onglet **Partage** permet de partager des fichiers en utilisant des méthodes courantes : création d'un fichier ZIP et envoi par courrier électronique, gravure sur disque, etc. Il permet également de partager rapidement des fichiers avec d'autres personnes de votre groupe résidentiel ou de votre domaine réseau. Enfin, il offre un accès en un clic aux listes de contrôles d'accès (droits fins) du fichier sélectionné par le bouton **Sécurité avancée**.

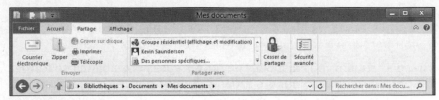

Figure 7.9 : L'onglet Partage

L'onglet Affichage

L'onglet **Affichage** permet d'accéder aux options de personnalisation de l'affichage. Désormais, il est possible d'afficher et de masquer en un clic seulement le volet de navigation, le volet de visualisation et le volet d'informations, ainsi qu'une galerie d'aperçu instantané des différentes tailles d'affichage des icônes. Cet onglet permet aussi d'accéder rapidement aux fonctions de tri et de regroupement par colonne, d'ajouter des colonnes et d'accéder facilement à trois fonctionnalités masquées, offrant la possibilité d'afficher les extensions des noms de fichiers, d'afficher les éléments masqués et de masquer les éléments sélectionnés.

Figure 7.10 : L'onglet Affichage

Les options de personnalisation du volet de navigation sont en outre plus faciles d'accès : vous pouvez y accéder en un clic dans le menu déroulant et vous disposez d'une nouvelle option permettant d'afficher ou de masquer les favoris.

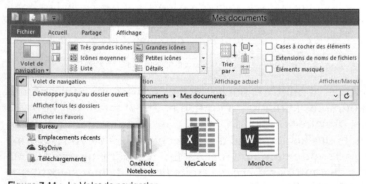

Figure 7.11 : Le Volet de navigation

Le menu Fichier et les autres outils

Le menu **Fichier** vous permet d'ouvrir rapidement de nouvelles fenêtres de l'Explorateur, d'accéder à vos raccourcis, et de modifier les
options de recherche et les options des dossiers. Il comprend également une fonctionnalité masquée très appréciable, **Ouvrir une invite
de commandes**, ainsi qu'une nouvelle commande particulièrement
utile, **Ouvrir une invite de commandes en tant qu'administrateur**. Ces
deux fonctionnalités permettent d'ouvrir une invite de commandes
dans laquelle le chemin d'accès correspond au dossier sélectionné.

Figure 7.12 : Le menu Fichier

Il existe également différents onglets contextuels qui s'activent en
fonction des fichiers et dossiers sélectionnés, et qui permettent d'effectuer des recherches, de gérer les bibliothèques, d'afficher des
images ou d'écouter de la musique. À titre d'exemple, vous disposez
d'un nouvel onglet contextuel **Outils de recherche**, qui s'active automatiquement lorsque vous cliquez dans la zone de recherche.

Figure 7.13 : L'onglet Recherche

L'onglet **Recherche** offre toute une série de fonctionnalités que peu de
gens connaissent, mais qui peuvent vous aider à résoudre certains
problèmes. Ainsi, vous pouvez régler rapidement l'étendue d'une

recherche, filtrer par période, par type de fichier, par taille ou en fonction d'autres propriétés telles que l'auteur ou le nom de fichier. Ces recherches peuvent être enregistrées en vue d'une réutilisation.

Voici quelques exemples illustrant les autres onglets contextuels de l'Explorateur.

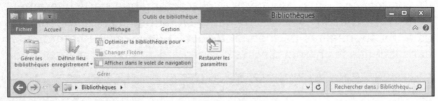

Figure 7.14 : L'onglet contextuel Outils de bibliothèque

Figure 7.15 : L'onglet contextuel Outils d'image

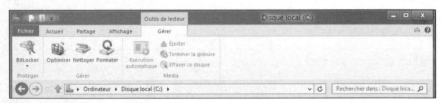

Figure 7.16 : L'onglet contextuel Outils de lecteur

> **REMARQUE** **Le retour du bouton Dossier parent**
> Remarquez le bouton en forme de flèche bleue vers le haut à gauche de la barre d'adresse. C'est le bouton **Dossier parent** qui fait son retour. Il permet de remonter au dossier parent en cliquant dessus.

7.2. Utilisation des dossiers et des fichiers

Un fichier ressemble beaucoup à un document tapé que l'on peut trouver sur un Bureau ou dans un classeur. C'est un élément contenant un ensemble d'informations associées. Sur un ordinateur, des fichiers peuvent être des documents texte, des feuilles de calcul, des images numériques et même des morceaux de musique. Chaque image prise avec un appareil photo numérique, par exemple, est un fichier distinct, et un CD audio peut contenir une dizaine de fichiers audio individuels.

L'ordinateur représente les fichiers sous forme d'icônes. En regardant l'icône d'un fichier, vous pouvez rapidement déterminer de quel type de fichier il s'agit ; l'aspect d'une icône vous permet de savoir quel type de fichier elle représente.

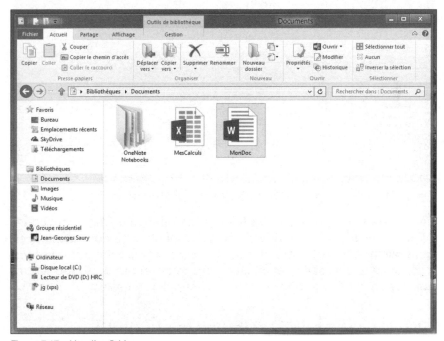

Figure 7.17 : Vue d'un fichier

Un dossier est assimilé davantage à un conteneur dans lequel vous pouvez stocker des fichiers. Si vous placez des milliers de fichiers au format papier sur un Bureau, il sera pratiquement impossible de retrouver un fichier spécifique au moment voulu. C'est pourquoi il est souvent d'usage de stocker des fichiers dans des dossiers, à l'intérieur d'un classeur. L'organisation de fichiers en groupes logiques facilite la recherche d'un fichier spécifique.

Les dossiers de votre ordinateur fonctionnent de la même manière. Ainsi, un dossier standard a l'aspect suivant.

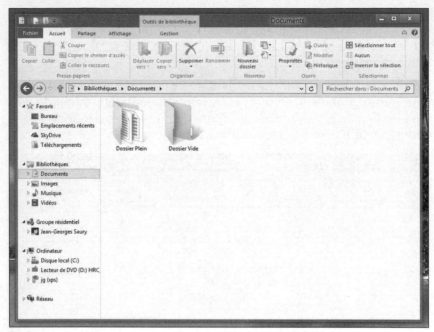

Figure 7.18 : Un dossier vide (à droite), un dossier contenant des fichiers (à gauche)

Les dossiers comprennent des fichiers mais peuvent également contenir d'autres dossiers. Un dossier se trouvant dans un autre dossier est généralement appelé sous-dossier. Vous pouvez créer autant de sous-dossiers que nécessaire et chacun peut comprendre un nombre quelconque de fichiers et de sous-dossiers supplémentaires.

Comment Windows organise les fichiers et dossiers

Concernant l'organisation de vos fichiers, vous n'êtes pas obligé de partir de zéro. En effet, Windows est fourni avec un ensemble de dossiers communs que vous pouvez utiliser comme points de départ pour commencer à organiser vos fichiers.

Voici quelques-uns des dossiers communs dans lesquels vous pouvez stocker vos fichiers et dossiers :

- **Documents**. Utilisez ce dossier pour stocker vos fichiers de traitement de texte, feuilles de calcul, présentations et autres fichiers à caractère professionnel ou personnel.

- **Images**. Utilisez ce dossier pour stocker toutes vos images numériques, qu'elles proviennent de votre appareil photo numérique, de votre scanner ou d'un courrier électronique reçu.

- **Musique**. Utilisez ce dossier pour stocker tous vos fichiers audio numériques, tels que des morceaux copiés d'un CD audio ou téléchargés sur Internet.

- **Vidéos**. Utilisez ce dossier pour stocker vos vidéos, telles que des clips de votre appareil photo numérique ou des fichiers vidéo que vous avez téléchargés sur Internet.

- **Téléchargement**. Utilisez ce dossier pour stocker des fichiers et des programmes téléchargés sur Internet.

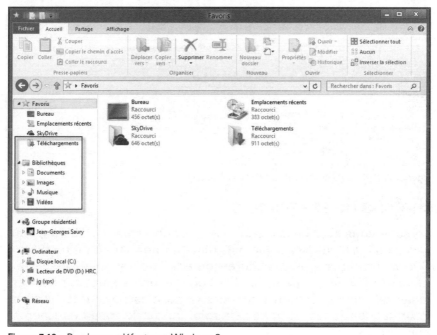

Figure 7.19 : Dossiers par défaut sous Windows 8

N'oubliez pas que vous pouvez créer des sous-dossiers dans ces dossiers, afin d'améliorer l'organisation de vos fichiers. Dans le dossier *Images*, par exemple, vous pouvez créer des sous-dossiers afin d'organiser les images par dates, par événements, par noms des personnes présentes sur les images ou selon la classification qui vous permettra de travailler plus efficacement.

Affichage de ses fichiers dans un dossier

Lorsque vous ouvrez un dossier et que les fichiers s'affichent, vous pouvez choisir des grandes (ou petites) icônes, ou une organisation des fichiers qui vous permette de voir différents types d'informations sur chaque fichier. Pour effectuer ce type de changement, utilisez l'onglet **Affichage** du ruban, rubrique *Disposition*.

Vous avez le choix entre différentes dispositions. Chaque fois que vous cliquez sur une disposition, l'affichage des icônes de fichiers et de dossiers dans la fenêtre de dossiers est modifié, alternant entre des grandes icônes, des icônes plus petites appelées *Mosaïques* et un mode appelé **Détails** qui affiche plusieurs colonnes d'informations sur le fichier.

Figure 7.20 : Dispositions d'affichage de l'onglet Affichage

Recherche de ses fichiers

Lorsque vous avez besoin de rechercher un fichier spécifique, vous savez qu'il est situé quelque part dans un dossier commun tel que *Documents* ou *Images*. Malheureusement, l'opération qui consiste à rechercher ce fichier peut signifier l'obligation de parcourir des centaines de fichiers et de sous-dossiers, ce qui n'est pas une tâche aisée. Pour gagner du temps et de l'énergie, utilisez la zone de recherche afin de localiser votre fichier.

La zone de recherche se trouve dans la partie supérieure de chaque dossier. Pour rechercher un fichier, ouvrez le dossier contenant ce fichier, cliquez sur la zone de recherche et commencez à taper votre texte. La zone de recherche filtre la vue active en fonction du texte que vous avez saisi. Les fichiers sont affichés dans la zone de résultats de la recherche si le terme recherché correspond au nom du fichier, aux mots-clés ou à toute autre propriété du fichier. Les documents textes sont affichés si le terme recherché est présent dans une partie du texte de ces documents. Votre recherche parcourt le dossier actif ainsi que tous les sous-dossiers.

Figure 7.21 : La zone de recherche

Si vous n'avez aucune idée de l'endroit où rechercher un fichier, vous pouvez élargir votre recherche pour inclure l'intégralité de l'ordinateur et non uniquement un seul dossier.

Copie et déplacement de fichiers et de dossiers

Vous pouvez modifier l'emplacement de stockage des dossiers sur votre ordinateur. Vous pouvez déplacer des fichiers dans un dossier différent, les copier sur un support amovible (tel qu'une clé USB ou une carte mémoire) pour les partager avec d'autres personnes.

La méthode la plus utilisée pour copier et déplacer des fichiers est le glisser-déplacer.

1 Ouvrez le dossier contenant le fichier ou le dossier à déplacer. Ouvrez le dossier vers lequel vous souhaitez le déplacer.

2 Positionnez les fenêtres de dossier sur le Bureau afin de voir le contenu des deux fenêtres.

3 Faites glisser le fichier ou le dossier du premier dossier vers le second dossier.

Figure 7.22 : Glisser-déplacer

Lorsque vous utiliserez la méthode de glisser-déplacer, vous remarquerez que parfois le fichier ou le dossier est copié et que parfois il est déplacé. Pourquoi ? Si vous faites glisser un élément entre des dossiers situés sur le même disque dur, les éléments sont déplacés pour éviter que des doublons du même fichier ou dossier ne soient créés sur un disque dur. Si vous faites glisser un élément vers un dossier situé sur un autre disque dur (tel qu'un emplacement réseau) ou un support amovible tel qu'un CD, l'élément est copié. Ainsi, le fichier ou le dossier n'est pas supprimé de son emplacement d'origine.

Création et suppression de fichiers

La méthode la plus courante pour créer des fichiers consiste à utiliser un programme. À cet effet, vous pouvez créer un document texte dans un programme de traitement de texte ou un fichier vidéo dans un programme de montage vidéo.

Certains programmes créent un fichier à leur ouverture. Lorsque vous ouvrez WordPad, par exemple, il démarre avec une page blanche, qui représente un fichier vide (et non enregistré).

1 Commencez à saisir du texte. Lorsque vous êtes prêt à enregistrer votre travail, cliquez sur **Fichier** dans la barre de menus puis sur **Enregistrer sous.**

2 Dans la boîte de dialogue qui s'affiche, tapez un nom de fichier qui vous permettra de retrouver le fichier ultérieurement puis cliquez sur **Enregistrer.**

Par défaut, la plupart des programmes enregistrent les fichiers dans des dossiers communs tels que *Documents*, *Images* et *Musique*, ce qui facilite la recherche ultérieure de fichiers.

Lorsque vous n'avez plus besoin d'un fichier, vous pouvez le supprimer du disque dur de votre ordinateur pour libérer de l'espace et éviter de surcharger celui-ci avec des fichiers inutiles.

Pour supprimer un fichier :

1 Ouvrez le dossier qui contient ce fichier puis sélectionnez le fichier.

2 Appuyez sur ⏏Suppr. Dans la boîte de dialogue **Supprimer le fichier**, cliquez sur **Oui.**

Lorsque vous supprimez un fichier, il est stocké temporairement dans la Corbeille. Considérez la Corbeille comme un dossier de sécurité qui vous permet de récupérer les fichiers ou les dossiers que vous avez accidentellement supprimés. Vous devez parfois vider la Corbeille pour libérer l'espace occupé par ces fichiers indésirables sur le disque dur.

REMARQUE

Options de suppression dans l'onglet Accueil du ruban

Dans l'onglet **Accueil** du ruban, vous trouvez le bouton de suppression. Mais, en cliquant sur la petite flèche en dessous de **Supprimer**, vous avez accès à des options avancées telles que la suppression définitive ou l'affichage ou pas du message de confirmation de la suppression.

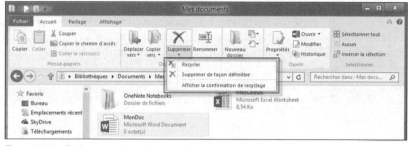

Figure 7.23 : Options avancées de suppression

Ouverture d'un fichier existant

Pour ouvrir un fichier, double-cliquez dessus. Le fichier s'ouvre dans le programme que vous avez utilisé pour le créer ou le modifier. S'il s'agit d'un fichier texte, il s'ouvre dans votre programme de traitement de texte.

Ce n'est pas toujours le cas. Si vous double-cliquez sur une image numérique, c'est généralement une visionneuse d'images qui s'ouvre. Pour modifier l'image, vous devez utiliser un autre programme. Cliquez du bouton droit sur le fichier, cliquez sur **Ouvrir avec** puis sur le nom du programme que vous souhaitez utiliser.

7.3. Efficacité personnelle, recherche et organisation

La recherche et l'organisation des données ont toujours été très compliquées à gérer. Et plus la volumétrie des disques durs grandit, plus nous avons tendance à stocker énormément, et plus les tâches de recherche et d'organisation deviennent complexes, prennent du temps et nous confrontent à nous poser la question de savoir si la donnée stockée nous est utile.

Windows 8 apporte des réponses à nos interrogations en offrant plus de souplesse pour la recherche et l'organisation des fichiers au sein de l'Explorateur Windows. Les bibliothèques, la recherche rapide et les mots-clés facilitent la gestion de grandes quantités de données et améliorent votre efficacité personnelle.

Bibliothèques

Windows 8 reprend au sein de l'Explorateur Windows le concept de bibliothèques de documents introduit par Windows 7. Ce sont des conteneurs, des répertoires virtuels vous facilitant la tâche d'organisation des données.

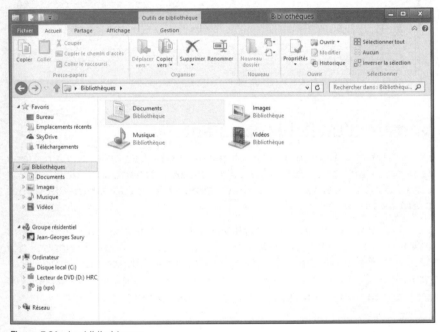

Figure 7.24 : Les bibliothèques

On distingue quatre catégories de bibliothèques par défaut : *documents*, *musique*, *images* et *vidéos*. La particularité des bibliothèques vient du fait qu'elles récupèrent automatiquement leur contenu depuis des dossiers que vous aurez pris soin d'indiquer au préalable. Par exemple, par défaut la librairie *documents* inclut le répertoire *Mes documents* du profil utilisateur.

Rien ne vous empêche d'ajouter d'autres répertoires comme faisant partie de votre bibliothèque *documents*. Ainsi, en un seul endroit, vous concaténez toutes les données localisées sur plusieurs répertoires ou périphériques (disque externe USB, etc.). Pour cela :

1 Dans l'Explorateur Windows, cliquez sur votre bibliothèque.

2 Cliquez sur l'onglet contextuel **Outil de bibliothèque**.

3 Cliquez sur **Gérer les bibliothèques**.

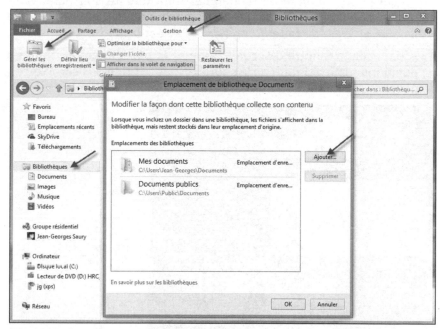

Figure 7.25 : Ajout d'emplacements dans la bibliothèque

4 Cliquez sur **Ajouter** pour ajouter des emplacements qui feront désormais partie de votre bibliothèque.

Leur contenu est donc généré automatiquement, vous permettant de retrouver rapidement vos médias numériques. Tout est mis en œuvre dans Windows 8 pour encourager l'usage des bibliothèques.

Fonction de recherche rapide

Avec la masse d'informations contenue de nos jours sur les disques durs, se rappeler où trouver un fichier en particulier organisé dans une arborescence complexe de répertoires pouvait devenir pénible. Surtout que l'accès à une zone de recherche n'était pas facilement accessible.

Windows 8 facilite la recherche de fichiers ; il n'est plus nécessaire de se rappeler où vous avez stocké chaque fichier. Pour le retrouver, il suffit désormais de vous souvenir d'un élément le concernant, par exemple un mot contenu dans le document. Cette puissante fonctionnalité de recherche intégrée vous aide à trouver rapidement tout ce que vous souhaitez sur votre ordinateur, sans avoir à parcourir tous les dossiers.

La façon la plus simple de rechercher quoi que ce soit dans Windows 8 est de faire appel à la barre latérale droite. Peu importe ce que vous êtes en train de faire. Cherchez… Et c'est trouvé.

1 À partir de la fenêtre d'accueil, appelez la barre latérale droite en positionnant le pointeur de la souris en bas à droite de l'écran ou en glissant votre doigt du bord droit de l'écran vers le centre.

Figure 7.26 : La barre latérale droite et le bouton Rechercher

2 Cliquez ou tapez sur **Rechercher**.

3 Tapez avec le clavier les premières lettres de ce que vous recherchez (fichier, dossier, programme, etc.) et vous verrez apparaître le résultat au fur et à mesure.

Mais, comme vous utilisez aussi l'Explorateur Windows, cette fonctionnalité est disponible depuis n'importe quelle fenêtre d'Explorateur, pour un accès facile, quand vous le souhaitez. Par exemple :

1 Ouvrez l'Explorateur Windows.

2 Vous visualisez la barre de recherche rapide en haut à droite de la fenêtre. Tapez un mot contenu dans un document. Dans notre exemple, saisissez `MonDoc`.

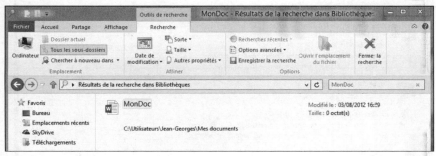

Figure 7.27 : Résultat d'une recherche rapide

3 Non seulement le résultat vous renvoie les fichiers dont le nom contient le mot `MonDoc` mais il peut aussi vous renvoyer à des fichiers dont le contenu contient le mot en question. L'étendue des fichiers est importante : du document au message de newsgroup en passant par des images. Ensuite, sélectionnez le document qui correspond le mieux à vos attentes.

Autre exemple, cette fois-ci à partir du Panneau de configuration :

1 Ouvrez le **Panneau de configuration**.

2 Vous visualisez la barre de recherche rapide en haut à droite de la fenêtre. Tapez par exemple le mot `installer` (voir fig. 7.28).

3 Tous les liens du Panneau de configuration relatifs à l'installation sont listés. Vous n'avez plus qu'à sélectionner le plus approprié à ce que vous voulez faire.

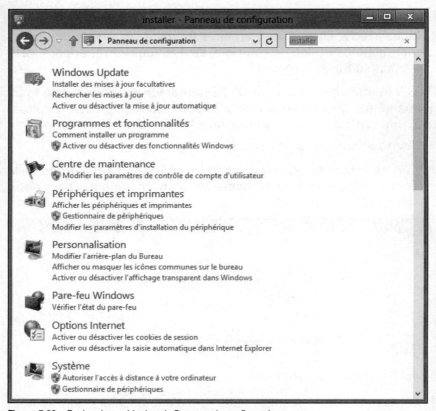

Figure 7.28 : Recherche rapide dans le Panneau de configuration

Vues personnalisées des fichiers

En terme d'organisation, vous avez certainement remarqué, quand vous avez ouvert l'Explorateur Windows de Windows 8, la présence des bibliothèques contenant les raccourcis vers *Documents*, *Images*, *Musique* et *Vidéos*.

En plus de ces répertoires, Windows 8 vous permet de créer des vues personnalisées de vos fichiers en combinant la fonctionnalité de recherche rapide et la possibilité d'organiser les fichiers par noms, types, auteurs ou marques descriptives.

Par exemple, vous pouvez demander l'affichage de vos données classées par dates de modification :

1 Ouvrez l'Explorateur.

2 Naviguez jusqu'au répertoire souhaité.

3 Cliquez sur l'onglet **Affichage**.

4 Cliquez sur **Trier par** et choisissez votre type préféré de classement.

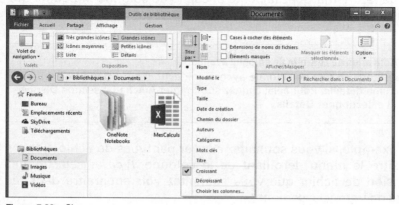

Figure 7.29 : Classement

En-tête de colonne avancé

Pour classer encore plus finement vos données lorsque vous choisis-sez de les trier par types ou par auteurs, par exemple, chaque colonne de classement de l'Explorateur Windows contient un menu déroulant offrant des fonctions d'organisation.

Par exemple, si vous souhaitez classer par dates, cliquez sur l'en-tête de colonne pour faire apparaître le menu déroulant. Vous voyez qu'un minicalendrier fait son apparition. Sélectionnez vraiment les dates que vous voulez pour effectuer votre classement :

1 Ouvrez l'Explorateur Windows.

2 Naviguez jusqu'au répertoire souhaité et cliquez sur la flèche de menu à droite de la colonne *Modifié le*.

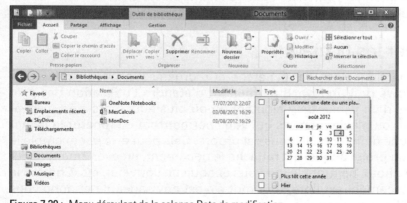

Figure 7.30 : Menu déroulant de la colonne Date de modification

3 Utilisez le minicalendrier pour affiner le classement comme vous le souhaitez. Remarquez la petite encoche de colonne indiquant que vous avez effectué un filtre dans votre classement.

⚠ **ATTENTION**

Activation de l'en-tête de colonne avancé

Pour que l'en-tête de colonne avancé soit actif, il vous faut être en mode d'affichage détaillé. Pour cela, cliquez sur l'onglet **Affichage**, section **Disposition**, et sélectionnez **Détails**.

Autre exemple, si vous souhaitez classer par types de fichiers, faites apparaître le menu déroulant de la colonne *Type* et sélectionnez l'extension de fichier que vous souhaitez voir apparaître dans les fichiers de votre classement :

1 Ouvrez l'Explorateur Windows.

2 Naviguez jusqu'au répertoire souhaité et cliquez sur la flèche de menu à droite de la colonne *Type*.

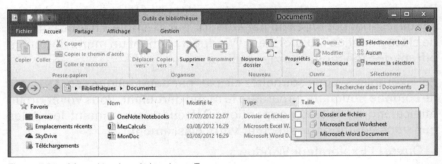

Figure 7.31 : Menu déroulant de la colonne Type

3 Sélectionnez l'extension pour affiner le classement comme vous le souhaitez.

Marquer les fichiers

Les fonctionnalités de recherche et d'organisation de l'Explorateur Windows de Windows 8 permettent d'étendre l'utilisation des propriétés d'un fichier en y ajoutant un ou plusieurs mots-clés, c'est-à-dire un ou plusieurs mots qui vous permettront de repérer le fichier avec une définition qui vous est propre. Cela peut être par exemple le nom du projet auquel est rattaché le document, un événement relatif à une photo, un mot-clé qui vous évoque un souvenir, etc. Comme le référencement est libre, tout mot-clé est envisageable et donc vous simplifie le classement.

Par exemple, lorsque vous sauvegardez un document Word, l'application renseigne certains champs dont la date, le nom de l'auteur, etc. À ce moment-là, vous pouvez y ajouter des mots-clés ; ou, lorsque vous importez des photos de votre appareil photo numérique, marquer les photos avec les souvenirs qu'elles vous évoquent. Vous pouvez ajouter ces mots-clés facilement, soit sur un fichier à la fois, soit sur un groupe de fichiers.

Pour marquer les fichiers en utilisant le Panneau de prévisualisation de l'Explorateur Windows :

1 Ouvrez l'Explorateur Windows.

2 Naviguez jusqu'au répertoire souhaité et sélectionnez le document que vous désirez marquer.

3 Dans l'onglet **Affichage**, cliquez sur **Volet d'informations**.

4 Dans le Panneau de prévisualisation, cliquez sur **Ajouter un mot clé**.

5 Entrez le ou les mots-clés que vous souhaitez et cliquez sur **Enregistrer**.

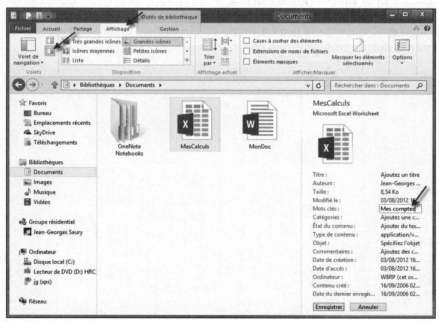

Figure 7.32 : Mots-clés du document

Pour marquer plusieurs fichiers en même temps :

1 Ouvrez l'Explorateur Windows.

2 Naviguez jusqu'au répertoire souhaité et sélectionnez les documents que vous désirez marquer.

3 Dans l'onglet **Affichage**, cliquez sur **Volet d'informations**.

4 Dans le Panneau de prévisualisation, cliquez sur **Ajouter un mot clé**.

5 Entrez le ou les mots-clés que vous souhaitez et cliquez sur **Enregistrer**.

Vous pouvez également coupler l'application de mots-clés en argument de recherche. Vous vous apercevez alors de toute la puissance et de la flexibilité de ces outils de recherche et d'organisation de Windows 8. Vous verrez à quel point ils peuvent vous rendre la gestion de documents plus facile.

7.4. En bref

Windows 8 remanie et améliore encore la gestion des dossiers et l'efficacité personnelle. Microsoft propose un Explorateur Windows encore plus simple grâce à la notion de ruban, de bibliothèques et de recherche. Le but avoué est que vous vous sentiez tout de suite à l'aise et efficace dans la gestion de vos données, locales ou distantes, même sur de très grandes volumétries.

CONFIGURER LE CONTRÔLE PARENTAL

De nos jours, les enfants grandissent avec Internet. Ils utilisent des ordinateurs pour faire leurs devoirs, jouer, communiquer avec leurs amis et accéder à toutes sortes d'informations disponibles sur le Web. Grâce aux ordinateurs, les enfants ont accès à de nombreux outils très utiles. Néanmoins, les parents ont du mal à savoir ce que leurs enfants consultent, avec qui ils communiquent et quelles informations ils partagent.

Windows 8 aide les parents à bâtir un environnement informatique toujours plus sain pour leurs enfants. Microsoft et de nombreux organismes de protection des enfants recommandent également de placer l'ordinateur familial dans une pièce commune du foyer, de façon que les parents puissent observer les activités en ligne de leurs enfants et mieux les comprendre. Aussi importantes soient-elles, les techniques de ce type peuvent être difficiles à mettre en place si votre foyer possède plusieurs PC ou si vos enfants utilisent des ordinateurs portables ou des tablettes. En outre, la surveillance directe des adolescents est souvent peu commode, tant pour les parents que pour les enfants.

Grâce à Windows 8, vous pouvez surveiller les activités de vos enfants, qu'ils utilisent ou non leur PC habituel. Pour cela, il vous suffit de créer un compte d'utilisateur Windows pour chaque enfant, de cocher la case permettant d'activer le contrôle parental, puis de consulter les rapports hebdomadaires décrivant comment vos enfants utilisent l'ordinateur. Ainsi, vous n'avez plus besoin d'installer des applications supplémentaires ni de suivre des assistants d'installation ou des étapes de configuration. Une simple case à cocher, c'est tout !

8.1. Une approche préventive

Par le passé, bon nombre des solutions logicielles de contrôle parental (dont celles de Microsoft) s'appuyaient sur un filtrage web et sur d'autres restrictions logicielles. Cette approche nécessitait une configuration généralement complexe et engendrait un flux constant de demandes d'approbation parentale qui devenait parfois difficilement gérable. Au final, de nombreux parents ont abandonné les produits de contrôle parental et ont décidé de reprendre une surveillance plus directe. Avec la mobilité croissante des ordinateurs, cette tactique a toutefois perdu de son efficacité.

Windows 8 vous propose une approche préventive qui vous permet de disposer de rapports d'activité pour chaque enfant. L'ouverture de session sous Windows 8 à l'aide d'un compte Microsoft facilite grandement la configuration : il vous suffit ainsi de créer un compte d'utilisateur pour chaque enfant, puis de cocher la case permettant d'activer le contrôle parental. Dès lors, vous recevez un courrier électronique de bienvenue, puis des rapports hebdomadaires résumant les activités informatiques de votre enfant. Ces rapports d'activité constituent un outil pour apprendre à vos enfants à utiliser les ordinateurs de façon responsable. Bien évidemment, vous pouvez facilement ajouter des restrictions en cliquant simplement sur un lien dans le rapport d'activité. Grâce à la simplicité des rapports d'activité, de plus en plus de parents adopteront le contrôle parental et contribueront ainsi à sécuriser l'environnement informatique des enfants.

Avec un compte Microsoft, vous pouvez entreprendre des actions où que vous soyez, à partir de n'importe quel appareil, car les rapports sont livrés directement dans votre boîte de réception. Toutes les modifications que vous apportez aux paramètres de contrôle parental sont stockées dans le Cloud, sur le site https://familysafety.microsoft.com. Ces modifications sont ensuite appliquées automatiquement à tous les PC Windows sur lesquels la fonctionnalité Contrôle parental est activée.

Nous recommandons aux parents de se connecter en tant qu'administrateur de l'ordinateur et de créer des comptes standard distincts pour chaque enfant. Dans Windows 8, les comptes créés par l'administrateur (appelé aussi le parent) sont créés automatiquement en tant que comptes standard. Cette approche offre plusieurs avantages. Ainsi, les enfants :

- ne peuvent pas accéder à la messagerie de leurs parents, à leurs comptes en ligne ni à leurs documents ;
- peuvent personnaliser leurs propres paramètres de compte sans affecter les comptes de leurs parents ;
- ne peuvent pas télécharger des programmes malveillants ni d'autres fichiers douteux, car le service SmartScreen de réputation des applications les bloque automatiquement.

8.2. Créer un compte utilisateur protégé par le contrôle parental

L'approche du contrôle parental Windows 8 est de créer un compte utilisateur par enfant et d'activer le contrôle parental à la création du compte.

RENVOI

Pour plus d'informations concernant la création d'un compte utilisateur, reportez-vous au chapitre *Gérer les comptes utilisateurs*.

Pour créer un compte protégé par le contrôle parental, connectez-vous avec votre compte Microsoft qui est administrateur et procédez comme suit. Dans cet exemple, vous créez un compte Microsoft pour votre enfant :

1 Activez la barre latérale à droite en passant votre souris sur le bord droit (haut ou bas) de votre ordinateur ou en passant votre doigt sur le bord droit de votre tablette.

2 Cliquez ou appuyez sur **Modifier les paramètres du PC** en bas à droite.

3 La fenêtre **Paramètres du PC** s'ouvre.

4 Cliquez ou appuyez sur **Utilisateurs** dans la liste de gauche.

5 Puis sur **Ajouter un utilisateur**.

6 À l'écran **Se connecter à votre ordinateur**, cliquez ou appuyez sur le lien en bleu *S'inscrire* pour obtenir une nouvelle adresse de messagerie.

7 L'écran **Créez une nouvelle adresse de messagerie** apparaît. Remplissez les différents champs. Vous choisirez une adresse en `@hotmail.fr` ou en `@live.fr`. Cliquez ou appuyez sur **Suivant**.

8 Ensuite, remplissez les informations de sécurité dans la section **Ajoutez des informations de sécurité**. Ces informations servent en cas d'oubli du mot de passe lié au compte. Cliquez ou appuyez sur **Suivant**.

9 Finissez de remplir les derniers renseignements nécessaires (date de naissance, sexe, etc.) dans la section **Complétez la procédure** puis cliquez ou appuyez sur **Suivant**.

10 Un rappel du compte créé apparaît. C'est ici qu'il vous est possible de définir que ce compte est le compte d'un enfant et que vous souhaitez activer le contrôle parental si tel est le cas. Cliquez/appuyez alors sur la case à cocher **S'agit-il du compte d'un enfant ? Activez Contrôle parental pour obtenir des rapports de son utilisation du PC**.

11 Cliquez ou appuyez sur **Terminer**. Le compte se crée.

Ajouter un utilisateur

L'utilisateur suivant pourra se connecter à cet ordinateur.

Benjamin

☑ S'agit-il du compte d'un enfant ? Activez Contrôle parental pour obtenir des rapports de son utilisation du PC.

Terminer

Figure 8.1 : Activer la protection d'un compte utilisateur par le contrôle parental

Le compte utilisateur de votre enfant est dorénavant protégé. Lorsque le contrôle parental bloque l'accès à une page Internet ou un jeu, un message s'affiche et indique que la page web ou le programme a été bloqué. Ainsi, votre enfant peut cliquer sur un lien dans la notification pour demander l'autorisation d'accéder à cette page web ou à ce programme. Vous pouvez autoriser l'accès en entrant les informations relatives à votre compte.

Vous allez maintenant découvrir comment régler le contrôle parental.

8.3. Régler le contrôle parental

Le niveau de protection du compte de votre enfant dépend des réglages que vous appliquez. Régler le contrôle parental est donc crucial à la réussite de la protection du compte. Pour régler le contrôle parental, cela se passe au niveau du Bureau de Windows 8.

Pour accéder aux différents réglages :

1 Accédez au Bureau Windows en cliquant ou en appuyant sur la tuile **Bureau** de l'interface Windows 8.

2 Une fois sur le Bureau, activez la barre latérale à droite en passant votre souris sur le bord droit (haut ou bas) de votre ordinateur ou en passant votre doigt sur le bord droit de votre tablette.

3 Cliquez ou appuyez sur **Paramètres**.

4 Puis cliquez ou appuyez sur **Panneau de configuration**.

Figure 8.2 : Accéder au Panneau de configuration

5 Le Panneau de configuration s'ouvre. Cliquez sur **Comptes et protection des utilisateurs**, puis sur **Contrôle parental** (vcir fig. 8.3).

À partir de cette fenêtre de sélection des comptes, vous retrouvez votre compte avec le statut Administrateur, ainsi que tous les autres comptes. D'un seul coup d'œil, vous voyez quels sont les comptes protégés par le contrôle parental.

Figure 8.3 : Fenêtre de sélection des comptes du contrôle parental

REMARQUE

Activer le contrôle parental depuis la fenêtre de sélection des comptes du contrôle parental

Depuis cette fenêtre, il vous est possible d'activer le contrôle parental sur des comptes non protégés encore, en cliquant sur le compte en question et en cliquant sur **Activé**.

Cliquez alors sur un compte protégé pour accéder aux différents réglages. Vous arrivez sur la fenêtre d'accès aux différents réglages du contrôle parental pour le compte en question (voir fig. 8.4).

REMARQUE

Accès à la fenêtre d'accès aux différents réglages du contrôle parental pour un compte

Bien sûr, pour pouvoir accéder à la fenêtre d'accès aux différents réglages du contrôle parental pour un compte donné, vous devez avoir un compte administrateur, non protégé par le contrôle parental.

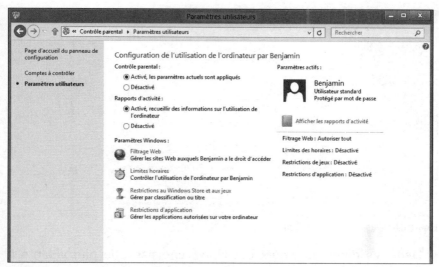

Figure 8.4 : Fenêtre d'accès aux différents réglages du contrôle parental pour un compte

Le filtrage du Web

Une fonction primordiale du contrôle parental est de pouvoir filtrer le Web pour ne présenter qu'un contenu adapté à l'enfant. Pour cela, depuis la fenêtre d'accès aux différents réglages du contrôle parental, procédez comme suit :

1 Cliquez ou appuyez sur **Filtrage Web**.

2 Cliquez ou appuyez sur **L'utilisateur peut utiliser uniquement les sites Web que j'autorise**.

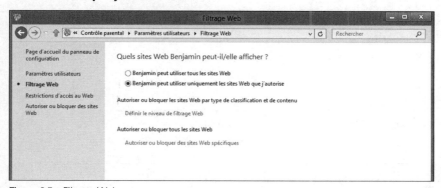

Figure 8.5 : Filtrage Web

3 Ensuite, dans la fenêtre, cliquez ou appuyez sur **Définir le niveau de filtrage Web** pour définir les niveaux d'accès.

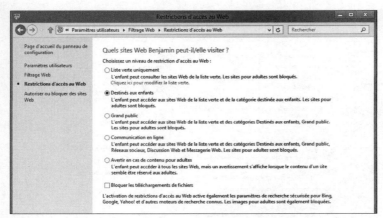

Figure 8.6 : Définir le niveau de filtrage Web

4 Dans les différents choix possibles, choisissez le plus adapté à l'enfant selon son âge.

5 Revenez à la fenêtre précédente, cliquez ou appuyez sur **Autoriser ou bloquer des sites Web spécifiques**.

6 Si nécessaire, remplissez manuellement certains sites web à autoriser ou à bannir.

Figure 8.7 : Autoriser ou bloquer un site web en particulier

REMARQUE

La recherche web et le contrôle parental

Lorsque le filtrage Web est activé, la recherche sécurisée est verrouillée en mode **Strict** pour les moteurs de recherche populaires tels que Bing, Google et Yahoo. Ainsi, le texte, les images et les vidéos pour adultes ne figurent pas dans les résultats de recherche.

Les limites de durée

Vous pouvez définir des limites horaires pour contrôler quand vos enfants sont autorisés à se connecter à Internet. Ces limites permettent d'empêcher les enfants de se connecter aux heures spécifiées. Vous pouvez définir différentes heures de connexion chaque jour de la semaine. S'ils sont connectés au moment où le temps qui leur est alloué prend fin, ils sont déconnectés automatiquement.

Depuis la fenêtre d'accès aux différents réglages du contrôle parental, procédez comme suit :

1 Cliquez ou appuyez sur **Limites horaires** pour activer. Par défaut, il n'y a pas de limitation horaire.

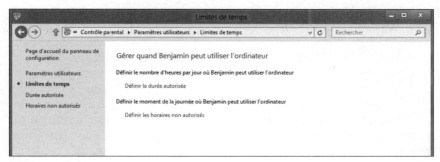

Figure 8.8 : Définition des limites horaires

2 Dans la fenêtre, cliquez ou appuyez sur **Définir la durée autorisée** pour définir combien de temps vous permettez l'utilisation de l'ordinateur, sur une semaine et sur un week-end. Définissez les meilleurs réglages pour votre enfant.

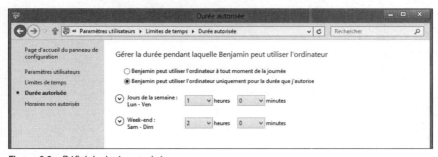

Figure 8.9 : Définir la durée autorisée

3 Revenez à la fenêtre précédente. Cliquez ou appuyez sur **Définir les horaires non autorisés** pour définir à quels horaires l'enfant n'a pas le droit de se connecter. Définissez les meilleurs réglages pour votre enfant.

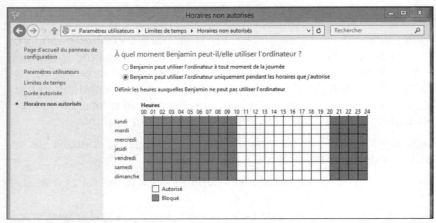

Figure 8.10 : Définir les horaires non autorisés

Empêcher les enfants de jouer à des jeux inadaptés

Vous pouvez contrôler l'accès aux jeux, choisir des catégories, des types de contenus à bloquer et décider si vous souhaitez autoriser ou bloquer des jeux spécifiques. Vous pouvez également contrôler l'installation de jeux provenant du Windows Store.

Pour cela, depuis la fenêtre d'accès aux différents réglages du contrôle parental, procédez comme suit :

1 Cliquez ou appuyez sur **Restrictions au Windows Store et aux jeux**.

Figure 8.11 : Réglages des restrictions au Windows Store et aux jeux

2 Cliquez ou appuyez sur **Définir la classification des jeux et du Windows Store**. Réglez si vous souhaitez autoriser ou refuser les jeux sans classification, puis réglez la classification appropriée selon l'âge de votre enfant.

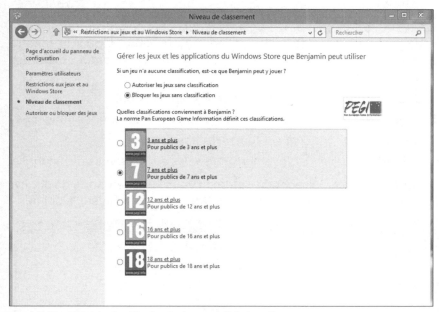

Figure 8.12 : Définir la classification des jeux et du Windows Store

3 Revenez à la fenêtre précédente, puis cliquez ou appuyez sur **Autoriser ou bloquer des jeux**. Vous pouvez alors régler jeu par jeu celui ou ceux que vous souhaitez bloquer.

Figure 8.13 : Autoriser ou bloquer des jeux

Si l'utilisateur venait à lancer les jeux, cela ne serait pas possible et il recevrait un message d'interdiction. Les rapports d'activité indiquent les derniers téléchargements effectués sur le Windows Store.

Les autorisations ou les blocages de programmes spécifiques

Vous pouvez empêcher les enfants d'exécuter des programmes que vous ne souhaitez pas qu'ils utilisent. Pour cela, depuis la fenêtre d'accès aux différents réglages du contrôle parental, procédez comme suit :

1 Cliquez ou appuyez sur **Restrictions d'application**.

2 Dans la fenêtre suivante, choisissez entre les deux options suivantes :

— *L'utilisateur peut utiliser toutes les applications* ;

— *L'utilisateur peut uniquement utiliser les applications que j'autorise*.

Si vous choisissez la seconde option, il vous sera demandé de choisir les programmes autorisés à travers une liste et des cases à cocher.

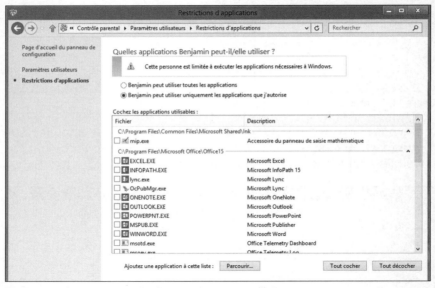

Figure 8.14 : Sélection des applications autorisées à être utilisées

8.4. Les rapports et réglages du contrôle parental sur le Web

Dans l'approche préventive du contrôle parental sous Windows 8, les rapports et réglages sont aussi disponibles sur le Web, à tout moment, à l'adresse https://familysafety.microsoft.com. Vous devez posséder un compte Microsoft pour pouvoir y accéder.

Les rapports d'activité, activés automatiquement dans la nouvelle fonctionnalité de contrôle parental, constituent la solution idéale pour de nombreux parents. Cependant, si vous souhaitez profiter de possibilités de contrôle plus approfondies, vous pouvez si nécessaire définir des restrictions plus sophistiquées et plus personnalisables, directement à partir des liens figurant dans les courriers électroniques des rapports d'activité ou sur le site.

Voici un exemple de courrier électronique reçu.

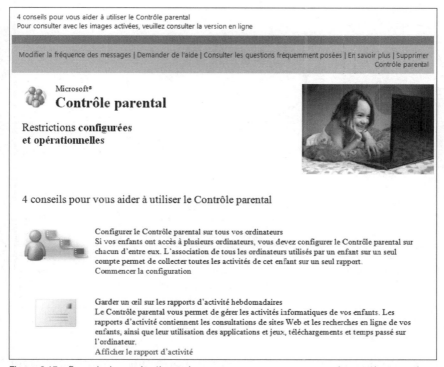

Figure 8.15 : Exemple de courrier électronique contenant astuces et rapports du contrôle parental

Pour accéder au site web du contrôle parental depuis Windows 8 :

1 Accédez au Bureau Windows en cliquant ou en appuyant sur la tuile **Bureau** de l'interface Windows 8.

2 Une fois sur le Bureau, activez la barre latérale à droite en passant votre souris sur le bord droit (haut ou bas) de votre ordinateur ou en passant votre doigt sur le bord droit de votre tablette.

3 Cliquez ou appuyez sur **Paramètres**.

4 Puis cliquez ou appuyez sur **Panneau de configuration**.

5 Le Panneau de configuration s'ouvre. Cliquez sur **Comptes et protection des utilisateurs,** puis sur **Contrôle parental.**

6 Cliquez sur **Gérer les paramètres sur le site Web contrôle parental.**

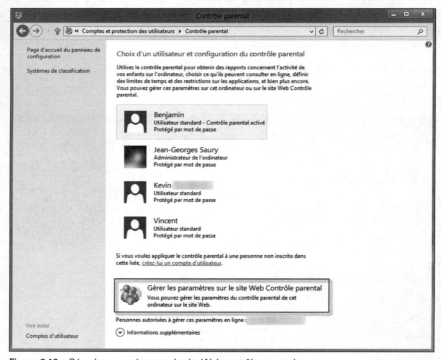

Figure 8.16 : Gérer les paramètres sur le site Web contrôle parental

8.5. En bref

Le contrôle parental de Windows 8 apporte une bonne base pour permettre une utilisation d'Internet plus sûre pour vos enfants. Compte tenu de la facilité avec laquelle des informations choquantes peuvent arriver aux enfants lorsqu'ils sont sur Internet, il vaut mieux protéger leur navigation.

Le contrôle parental de Windows 8 et son approche préventive vous permettent de filtrer le Web, de gérer les créneaux horaires d'utilisation de l'ordinateur, de restreindre l'usage de jeux et de programmes. Les réglages sont accessibles à tout moment sur le Web et les rapports vous sont envoyés par courrier électronique pour vous inciter à un meilleur contrôle.

CHAPITRE 9

INSTALLER ET UTILISER DES APPLICATIONS DU WINDOWS STORE

Parmi les changements majeurs et les nouveautés apportés par Windows 8, nous pouvions passer à côté des applications de la nouvelle interface Modern UI (anciennement nommée Metro) et du Windows Store.

En effet, c'est ici que votre tablette prend toute sa valeur dans son utilisation et rivalise pleinement avec les autres du marché, avec toujours le même et unique avantage de pouvoir retransformer votre tablette Windows 8 en PC à tout moment.

 Figure 9.1 : Icône Windows Store

Durant tout ce chapitre, nous nous concentrerons sur les coins et recoins de la partie Windows Metro, car le fonctionnement des applications dans un mode Bureau n'a pas vraiment changé.

9.1. Maîtriser l'installation de ses applications

L'univers des applications de la nouvelle interface utilisateur de Windows 8 (Modern UI) ressemble pleinement à celui des applications téléphoniques. Cela se passe au travers d'une boutique en ligne. À l'instar de l'Apple Store, le magasin Microsoft se nomme Windows Store. Les applications y sont regroupées par famille et l'on y retrouve des applications payantes et gratuites.

9.2. Le Windows Store

Le Windows Store est réalisé autour de plusieurs composants : page d'arrivée, pages thématiques éditoriales, listes générées par les utilisateurs, pages de description des applications et fonctionnement des processus de recherche, de navigation, d'installation et de mise à jour.

La découverte des applications est au cœur du Windows Store. Sur la page d'arrivée de ce dernier, Microsoft propose systématiquement des contenus récents et intéressants. Elle est modifiée fréquemment, de façon que vous découvriez toujours plus d'applications à chaque nouvelle visite du Windows Store. La page d'arrivée intègre ainsi le contenu **Actualité** aux côtés du contenu de navigation (catégories, listes d'applications, etc.).

9.3. Les applications pour la nouvelle interface utilisateur

La page d'arrivée regroupe les applications par catégorie afin de simplifier votre navigation dans le Windows Store. La catégorie **Actualité** est une catégorie à part, car elle se compose de quatre icônes en plus des applications proposées.

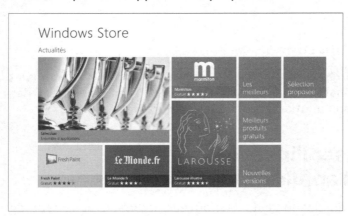

Figure 9.2 : Page d'arrivée, catégorie Actualité

Les autres catégories se composent de deux ou trois icônes.

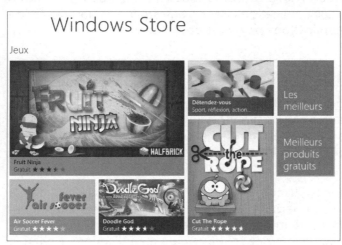

Figure 9.3 : Page d'arrivée, catégorie Jeux

Dans la catégorie, vous pouvez naviguer au travers de quatre icônes en plus des icônes à la une de cette catégorie.

Figure 9.4 : Icône Les meilleurs

La rubrique **Les meilleurs** présente un ensemble de meilleures applications du moment. Tout comme la section **Actualité**, la rubrique **Les meilleurs** change et évolue en permanence. Donc, un conseil : n'hésitez pas à y faire régulièrement une petite visite pour vous tenir au goût du jour.

Figure 9.5 : Rubrique Les meilleurs

Figure 9.6 : Icône Sélection proposée

La rubrique **Sélection proposée** est un ensemble d'applications proposé par Windows Store.

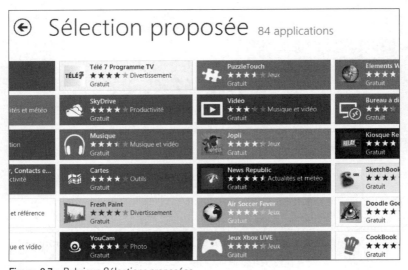

Figure 9.7 : Rubrique Sélections proposées

Il en va de même pour les icônes **Meilleurs produits gratuits** et **Nouvelles versions**.

Les catégories suivantes se composent uniquement des icônes **Meilleurs produits gratuits** et **Meilleurs produits**.

La barre latérale droite et le Windows Store

Comme dans toutes les sections et les applications que vous utilisez, la barre latérale droite se personnalise en fonction du contexte.

Dans la barre latérale droite, sélectionnez l'icône **Paramètres** pour voir apparaître les options du Windows Store.

Figure 9.8 : Les paramètres du Windows Store depuis la barre latérale

L'option *Votre compte* vous permet de voir avec quel compte vous êtes identifié dans le Windows Store ; c'est aussi à partir de cette option que vous pouvez voir le nombre de machines rattachées à votre compte.

Le rattachement de machines à votre compte joue un rôle important pour les applications, car vous pourrez installer une application sur cinq machines au maximum, ce qui est déjà relativement rentable comme investissement.

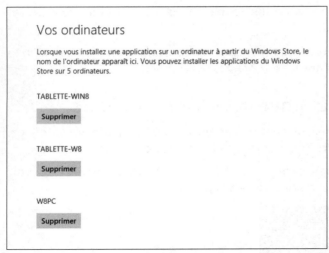

Figure 9.9 : Liste des ordinateurs rattachés à votre compte

C'est toujours dans la même fenêtre **Votre compte** que vous allez pouvoir gérer la partie **Paiement.** Vous pourrez ajouter des coordonnées bancaires et activer l'option de demande de mot de passe avant tout achat.

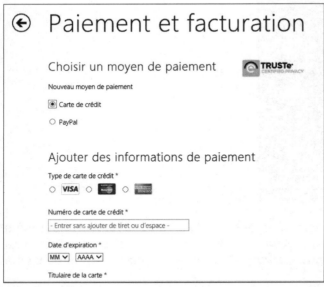

Figure 9.10 : Option Paiement et facturation

Nous vous invitons à vous balader dans chacune des options de la partie **Votre compte.**

Rechercher une application

Pour rechercher une application, baladez-vous dans les catégories du Windows Store ou faites tout simplement une recherche par nom. Une fois que vous avez trouvé l'application de votre choix, cliquez dessus pour qu'une page dédiée et détaillée s'ouvre.

Figure 9.11 : Vue d'ensemble de la page de l'application

Cette page se découpe en quatre parties :

- La synthèse, dans le volet de gauche, vous propose le bouton d'installation ainsi que le nombre de critiques lié à l'application mais aussi la taille de l'application et l'âge minimal d'utilisation.

Figure 9.12 : La synthèse

- La vue d'ensemble vous donne une description de l'application et de ses fonctionnalités ainsi qu'une photo.

Figure 9.13 : La vue d'ensemble

- Le détail vous permet de voir sur quel type de matériel vous allez pouvoir installer l'application et dans quelle langue l'application fonctionne.

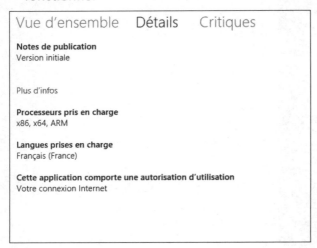

Figure 9.14 : Le détail

- Et, pour terminer, les critiques. Vous allez pouvoir consulter l'ensemble des critiques des utilisateurs en les filtrant par dates, par pertinences ou par consultation.

Figure 9.15 : Les critiques

Installer une application du Windows Store

À présent, nous allons installer une application du Windows Store. Pour installer une application, procédez comme suit :

1 Dans la page d'accueil de la nouvelle interface utilisateur, sélectionnez l'icône Windows Store.

2 Sélectionnez votre catégorie ainsi que votre application et cliquez dessus (voir fig. 9.16).

3 Dans le volet de l'application, sélectionnez l**nstallation**.

4 Appuyez sur la touche (Windows) du clavier tactile ou physique pour retourner au menu **Démarrer** ; vous pourrez constater que l'icône de votre application est instantanément présente.

5 Cliquez sur l'icône pour lancer votre application.

Figure 9.16 : Installation de l'application Marmiton

Figure 9.17 : Application Marmiton avec la nouvelle interface utilisateur

Toutefois, lorsque vous installez des applications beaucoup plus volumineuses, une fenêtre **Installations des applications** s'ouvre en vous affichant le nom de l'application et sa barre de progression pour le téléchargement.

← Installation des applications

Larousse illustré

Téléchargement

Doodle Grub

Téléchargement

Figure 9.18 : Progression de téléchargement d'applications

REMARQUE

Téléchargement d'application

Avec Windows Store, vous avez la possibilité de lancer plusieurs téléchargements d'applications en simultané.

Organiser ses applications

La page d'accueil de la nouvelle interface utilisateur vous offre beaucoup de possibilités dans l'organisation de vos applications. Vous pouvez ainsi les disposer côte à côte en les faisant glisser, et si deux applications ne sont pas de même taille vous avez toujours la possibilité d'en agrandir ou d'en réduire une.

Pour réduire ou agrandir une vignette, il vous suffit d'effectuer un clic-droit sur l'application pour voir un menu apparaître dans le bas de votre écran.

Figure 9.19 : Options liées à l'épinglage de l'application

Pour réduire l'icône, il vous suffit de cliquer sur l'option **Réduire** ou **Agrandir**.

9.4. En bref

Windows 8 dans sa version tablette offre une expérience utilisateur riche et équivalant à celle que vous pouvez retrouver avec l'iPad ou une tablette Android.

Le principe, qui reste simple, est toujours le même : disposer d'un compte avec un identifiant et se connecter sur le Store de l'éditeur. La navigation est ludique et permet de se balader simplement dans Store.

Encore une fois, les interfaces sont très épurées pour laisser place à l'essentiel, c'est-à-dire l'utilisation, qui reste très intuitive. Il faudra retenir l'un des points forts du Windows Store, qui est le triptyque entre l'utilisateur, son nombre de machines et l'application installable sur plusieurs machines.

UTILISER LA MESSAGERIE ÉLECTRONIQUE

De nos jours, la messagerie est devenue un outil du quotidien. Nous recevons tous des e-mails, des messages instantanés, des messages Facebook, des Tweets, etc., que nous soyons au travail, à la maison, avec notre téléphone… La messagerie est une application clé. Sur son ordinateur fixe, ordinateur portable, Smartphone, mais aussi sur la tablette, dont le facteur de forme (poids, design, ergonomie) est très confortable et très adapté à la lecture/écriture de messages. Avec tous ces facteurs de forme, l'application de messagerie se doit d'être bien pensée et efficace.

La présence d'une application de messagerie dans Windows 8 pourrait paraître banale. Il faut cependant rappeler que le dernier logiciel de messagerie livré avec Windows – Windows Mail – remonte à Windows Vista (2007). Windows 7 était dépourvu de tout logiciel de messagerie, les utilisateurs étant simplement invités à installer le client mail de leur choix (comme **Windows Live Mail**).

Windows 8 intègre à nouveau une application de messagerie : **Courrier** pour les courriers électroniques. Cette application est présente par défaut, sous forme de tuile présente sur l'écran de démarrage.

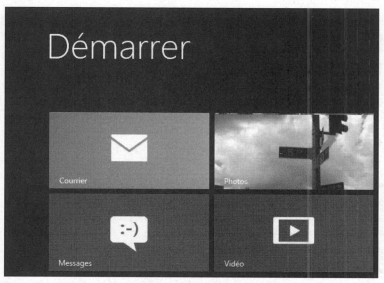

Figure 10.1 : Les applications Courrier et Messages sur l'écran de démarrage Windows 8

Le message, et plus particulièrement l'e-mail, fait donc son retour dans Windows 8. Et, rien que pour cela, c'est déjà un événement. Pour le reste également, d'ailleurs. Passage en revue de l'application.

10.1. L'application Courrier

Les tablettes ainsi que les Smartphone et ordinateurs hybrides, tactiles, etc. font évoluer nos besoins en terme de messagerie. La messagerie électronique existe depuis des décennies. Elle a beaucoup évolué, et nos attentes également.

- **Avoir plusieurs comptes de messagerie est devenu fréquent.** L'utilisateur moyen possède deux ou trois comptes de messagerie. Un est destiné au travail, un autre est personnel et un autre encore peut être utilisé principalement pour les listes de diffusion, ou n'est pas utilisé fréquemment.

- **Nous recevons un grand nombre de messages électroniques.** Les statistiques montrent que ceux que l'on considère comme des utilisateurs non intensifs de la messagerie électronique reçoivent plus de 180 messages par semaine, tandis que les utilisateurs intensifs de la messagerie reçoivent plus de 2 100 messages par semaine. Ces nombres augmentent alors que de plus en plus de services sont en ligne et proposent des bulletins d'informations, des bons de réduction, des reçus et d'autres types de messages par courrier électronique.

- **Les dossiers ne sont pas utilisés si souvent.** Cela est probablement une surprise pour les nombreuses personnes qui utilisent couramment les dossiers, ce qui est fréquent dans un grand nombre d'entreprises, et chez les passionnés. Dans certaines entreprises, les utilisateurs ont plus de 50 dossiers, tandis qu'une majorité de gens qui utilisent Exchange et Hotmail ont beaucoup moins de dossiers. Le juste équilibre pour **Courrier** a été de rendre les dossiers faciles à utiliser, mais pas de l'optimiser pour 50 dossiers et plus ni pour des hiérarchies avec beaucoup de niveaux d'imbrication.

- **La messagerie électronique doit fonctionner en temps réel.** Alors que la messagerie électronique est souvent utilisée pour une communication asynchrone, dans laquelle vous n'attendez pas une réponse immédiate, les utilisateurs attendent de plus en plus souvent une réponse immédiate en temps réel.

- **Les gens souhaitent une expérience homogène avec leur téléphone mobile.** De nombreuses personnes utilisent leur téléphone en plus de leur PC. De fait, elles utilisent leur téléphone pour trier, lire et classer leurs messages (entre autres). L'importance de l'homogénéité entre les vues des messages électroniques depuis leur téléphone ou leur PC est plus grande que jamais.

Ces tendances ont influencé la conception de **Courrier** pour gérer les e-mails, écrire des messages et rester à jour.

Configurer un compte de messagerie

Étape obligée : commencez par configurer votre compte de messagerie. Mais, tout de même, cette étape est grandement simplifiée si vous ouvrez une session avec votre compte Microsoft. Celui-ci configure automatiquement votre compte de messagerie Hotmail.

Néanmoins, si vous souhaitez configurer un compte :

1 Cliquez ou appuyez sur la tuile **Courrier** sur l'écran de démarrage. L'application se lance rapidement. Vous arrivez directement à la fenêtre principale de gestion des messages électroniques.

2 Activez la barre latérale droite des commandes système en passant votre souris sur le bord droit (haut ou bas) de votre ordinateur ou en balayant l'écran à partir du bord droit.

3 Cliquez ou appuyez sur **Paramètres** puis **Comptes**.

4 Cliquez ou appuyez sur **Ajouter un compte**.

Figure 10.2 : Ajout d'un compte de messagerie

5 Sélectionnez le type de compte.

6 Enfin, entrez l'adresse e-mail et le mot de passe, appuyez sur **Connecter** et le tour est joué.

> **REMARQUE**
>
> **Se connecter à son compte Office 365**
>
> **Courrier** de Windows 8 peut se connecter à un compte Office 365, par la même procédure que précédemment décrite. C'est très pratique pour les professionnels. Vous pouvez utiliser l'application **Courrier** pour envoyer/recevoir vos messages par l'intermédiaire de votre compte de messagerie Office 365, l'application **Calendrier** pour gérer vos rendez-vous et réunions et l'ap-

plication **Contacts** pour gérer vos contacts. Ces applications seront automatiquement synchronisées avec votre compte de messagerie Office 365 et systématiquement maintenues à jour sans aucune intervention de votre part. Voilà toute la magie d'Exchange ActiveSync, intégré à Windows 8. Profitez-en !

Gestion des messages électroniques

Commencez par ouvrir une session avec votre compte Microsoft. Celui-ci configure automatiquement votre compte de messagerie Hotmail.

Pour ouvrir l'application **Courrier**, appuyez sur la tuile **Courrier** sur l'écran de démarrage. L'application se lance rapidement. Vous arrivez directement à la fenêtre principale de gestion des messages électroniques.

Figure 10.3 : Fenêtre principale de gestion des messages électroniques de Courrier

Un des objectifs de **Courrier** est de mettre l'accent sur le contenu de l'application, et de limiter l'importance des commandes d'interface utilisateur ou de navigation que vous utilisez rarement. L'objectif de l'application **Courrier** est de vous permettre de vous concentrer sur les aspects les plus importants de la messagerie électronique. Les proportions 16:9 de Windows 8 permettent d'intégrer confortablement tous les composants de contenu essentiels que nous utilisons chaque jour : comptes, dossiers, messages et un volet de lecture. Cela vous permet facilement d'appréhender rapidement tous vos messages électroniques sans changer de vue.

Le volet gauche contient la liste des comptes et la liste des dossiers du compte sélectionné (Hotmail). Le volet central contient la liste des messages. Le volet droit affiche le contenu du message sélectionné, ainsi que les commandes **Nouveau**, **Répondre** et **Supprimer**.

Cette conception montre vos différents comptes, ce qui vous permet de passer de l'un à l'autre en un seul appui. Le nombre de messages non lus sur chaque compte vous permet de voir facilement si vous avez de nouveaux messages à consulter dans ce compte. Il en va de même pour les dossiers. Même si la plupart des utilisateurs ne possèdent pas un grand nombre de dossiers, ils sont importants dans la manière dont les gens utilisent leur messagerie électronique, et **Courrier** est fait de telle sorte qu'il soit facile de passer rapidement de l'un à l'autre. Une liste de dossiers toujours présente est particulièrement utile si vous utilisez des règles pour filtrer automatiquement leurs messages dans des dossiers spécifiques.

Commandes de Courrier

Comme vous le constatez, l'interface de **Courrier** est très épurée. Seules sont présentes les commandes qui doivent toujours rester visibles dans l'application afin que la plupart des gens ne soient pas distraits par des commandes qu'ils n'utilisent jamais.

Courrier n'inclut que les commandes correspondant aux tâches que toutes les personnes utilisent pratiquement à chaque fois qu'elles lancent l'application **Courrier**. À savoir créer, supprimer des messages et y répondre. Toutes les commandes de réponse sont regroupées en une seule commande de niveau supérieur, car leur fonction est similaire. La commande de suppression se trouve dans l'angle et s'aligne sur la commande d'annulation lors de la rédaction d'un message électronique.

La suppression d'un message, la rédaction d'un nouveau message et le fait de répondre à un message sont clairement des tâches prédominantes et sont dans **Courrier** visibles en permanence.

Figure 10.4 : Les boutons d'action de la messagerie regroupés en trois catégories

Les autres commandes sont toujours présentes et sont rapidement accessibles *via* la barre de l'application, qui se trouve au bas de l'écran. Pour activer cette barre de menu contextuelle, faites un clic du bouton droit de la souris ou faites glisser votre doigt à partir du bas de l'écran.

L'aspect dynamique de Windows 8 apparaît là aussi : si vous sélectionnez plusieurs messages, il est probable que vous utiliserez les commandes **Marquer comme lu(s)** ou **Déplacer**. Windows 8 affiche par conséquent automatiquement la barre de l'application pour vous.

Figure 10.5 : La barre de l'application s'affiche automatiquement lorsque vous sélectionnez plusieurs messages

Quatre messages peuvent être sélectionnés dans le volet central ; la barre de l'application au bas de l'écran compte les commandes suivantes : **Déplacer, Commentaires, Épingler sur l'écran d'accueil, Marquer comme non lu(s), Synchroniser.**

Rédiger un message électronique

Pour rédiger un message électronique dans **Courrier**, il suffit de cliquer ou d'appuyer sur le symbole **Plus** en haut à droite de l'application.

Figure 10.6 : Nouveau message

L'écran qui apparaît lorsque vous écrivez un message se compose de deux volets côte à côte, ce qui vous laisse plus de place pour rédiger votre message. Le clavier tactile limite l'espace vertical disponible, ce qui rend inutile le placement des lignes *À, Cc,* et d'autres informations au-dessus du corps du message. Pour agrandir l'espace consacré à votre contenu, **Courrier** positionne les lignes *À* et *Cc* dans un volet, l'objet et le corps étant dans un autre volet. Ceci permet par ailleurs de regrouper logiquement les informations : toutes les informations concernant l'adressage du message se trouvent dans un groupe, et votre contenu se trouve dans un autre. Les commandes de mise en forme sont masquées par défaut pour laisser plus d'espace à la rédaction de votre message électronique.

Même si la mise en forme n'est pas souvent utilisée dans les messages, elle est primordiale lorsque vous en avez besoin. Pour faciliter la mise en forme des messages, l'application **Courrier** affiche automatiquement les commandes de mise en forme lorsque vous sélectionnez du texte dans le volet du message. Une fois la mise en forme appliquée, les commandes disparaissent pour que vous puissiez vous concentrer sur ce que vous écrivez. L'objectif est de fournir les commandes appropriées au bon moment. Lorsque vous sélectionnez du texte, il est très probable que ce soit pour le copier ou le mettre en forme. Ces options apparaissent par conséquent automatiquement. Un grand nombre des raccourcis clavier de mise en forme que vous utilisiez par exemple dans Outlook (messagerie professionnelle) fonctionnent également.

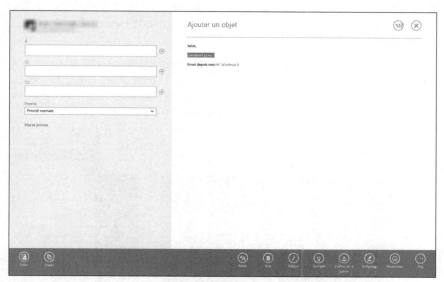

Figure 10.7 : Le menu contextuel apparaît automatiquement lors de la sélection d'un texte

La barre d'outils comporte des boutons pour **coller, copier, polices, mettre en gras, mettre en italique, souligner, modifier la couleur de la police, mettre en surbrillance, ajouter des émoticônes** et accéder à d'autres options.

Figure 10.8 : Le coté gauche de la barre d'outils

Pour l'anecdote, comme sur l'iPhone, le logiciel ajoute une mention *Envoi depuis mon PC Windows 8* à la fin des messages électroniques sortants.

Figure 10.9 : Le coté droit de la barre d'outils

L'aspect dynamique de l'application se révèle efficace au quotidien et particulièrement sur tablette.

Justement, cet aspect dynamique de l'application mérite quelques détails au travers de fonctions intéressantes dans votre usage au quotidien.

Courrier se doit de tirer parti du potentiel de Windows 8. C'est le cas de l'application, qui s'intègre parfaitement dans le système d'exploitation pour faciliter le partage, l'impression et rester à jour de vos messages électroniques.

Ancrer

Vous pouvez ancrer l'application **Courrier** sur le côté d'une autre application afin de pouvoir vous tenir au courant facilement lorsque vous faites autre chose.

Pour cela, sous l'application **Courrier**, cliquez ou appuyez sur le haut de l'écran, maintenez le doigt appuyé sur le bouton gauche de la souris ou laissez votre doigt appuyé puis déplacez l'application vers la droite ou la gauche. Cela donne l'écran suivant.

Figure 10.10 : D'un côté le Windows Store, de l'autre Courrier

Vous voyez ainsi tout de suite si vous avez de nouveaux messages et pouvez y répondre. Vous pouvez supprimer, déplacer ou répondre directement dans le volet ancré de l'application **Courrier**, et ainsi revenir rapidement à ce que vous faisiez. Vous pouvez également changer de compte et de dossier dans l'état ancré, ce qui vous permet de gérer vos dossiers tout en utilisant une autre application. Avec ces mises à jour, il est plus simple de conserver la vue ancrée de **Courrier** toute la journée.

Cela est vraiment utile si vous rédigez un long message électronique et que vous avez besoin d'y copier et d'y coller des éléments provenant de plusieurs applications. Vous pouvez commencer un nouveau message, ancrer **Courrier** sur le côté, puis dans la partie principale de l'écran passer à d'autres applications pour récupérer ce dont vous avez besoin et le coller directement dans le message.

Imprimer

L'impression demeure une activité courante et tous les utilisateurs de Windows s'attendent à ce que l'impression soit une fonction très simple à utiliser.

Dans **Courrier**, il vous suffit de procéder comme suit :

1 Sélectionnez le message électronique à imprimer.

2 Activez la barre latérale droite des commandes système en passant votre souris sur le bord droit (haut ou bas) de votre ordinateur ou en balayant l'écran à partir du bord droit.

3 Appuyez sur **Périphériques** et sélectionnez l'imprimante que vous voulez utiliser.

Figure 10.11 : Le volet d'impression est superposé sur le côté droit de l'application Courrier

Partager

Courrier s'intègre au contrat de partage afin de simplifier le partage dans **Courrier** depuis n'importe quelle application. Le plus souvent, vous ne souhaitez pas envoyer quelque chose à tout votre réseau social. Vous souhaitez en revanche envoyer un lien, quelques photos ou le résultat d'un jeu à certains amis seulement. **Courrier** vous permet d'effectuer un partage privé et ciblé depuis d'autres applications, grâce à l'icône **Partager**. Si vous partagez toujours avec le même groupe de personnes, Windows mémorise ce groupe afin que vous puissiez partager avec lui plus facilement la prochaine fois.

Prenons l'exemple d'un site web que vous souhaitez partager avec des amis. Vous êtes sur Internet Explorer 10.

1 Activez la barre latérale droite des commandes système en passant votre souris sur le bord droit (haut ou bas) de votre ordinateur ou en balayant l'écran à partir du bord droit.

2 Cliquez ou appuyez sur **Partager**.

Figure 10.12 : La page avec le Bouton Partager dans la barre latérale droite

Figure 10.13 : Bouton Partager

REMARQUE

Le volet de partage

Le volet de partage est superposé sur le côté droit d'IE, avec des options permettant de partager avec deux contacts fréquents *via* l'application **Courrier** ou l'application **Contacts**.

Ouvrez l'icône **Partager** dans IE pour voir la liste des contacts avec lesquels vous partagez souvent à l'aide de l'application **Courrier**.

---

3 Cliquez ou appuyez sur **Courrier**. L'application s'ouvre en version réduite et permet d'envoyer l'e-mail. Vous n'avez qu'à sélectionner à qui envoyer.

Figure 10.14 : Envoyer un e-mail directement depuis IE

Courrier prend en charge le partage de texte, de liens et d'images. Si l'application fournit une URL publique, **Courrier** récupère automatiquement une image, un titre et une description de la page web. Vous pouvez ensuite ajouter votre message et l'envoyer à vos amis. L'utilisation de **Courrier** depuis l'icône **Partager** ressemble à ce qu'elle est lorsque vous rédigez un nouveau message dans l'application **Courrier**.

La fenêtre de rédaction d'un message est superposée sur le côté droit d'IE et contient un message sur le partage d'un lien vers la page affichée dans IE.

Vignettes dynamiques

Nous attendons des périphériques modernes qu'ils prennent toujours en compte les informations les plus récentes. C'est le cas de la tuile **Courrier** sur l'écran de démarrage, qui fait apparaître les cinq derniers messages non lus et non vus. Cela vous permet de savoir s'il y a du nouveau depuis la dernière fois que vous avez consulté votre messagerie.

Vous pouvez également créer une tuile secondaire pour un dossier ou un compte de messagerie et l'épingler à l'écran d'accueil pour voir les mises à jour dynamiques des nouveaux messages uniquement dans ce dossier ou compte. Cela est très pratique si vous utilisez des règles sur le serveur pour déplacer automatiquement des messages électroniques vers un autre dossier.

Pour cela, utilisez la fonction **Épingler** depuis **Courrier**.

Par exemple, vous pouvez organiser l'écran d'accueil de façon à avoir des tuiles distinctes pour vos différents comptes de messagerie, ce qui vous permet de savoir facilement si vous recevez un nouveau message dans l'un ou l'autre compte.

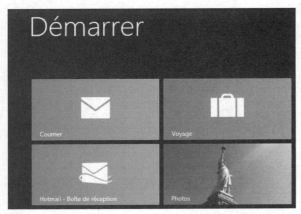

Figure 10.15 : Deux tuiles de messagerie sur l'écran de démarrage

Vous pouvez également placer ces vignettes secondaires sur l'écran de verrouillage afin de voir facilement si vous avez reçu un nouveau message et dans quel dossier il se trouve, sans vous connecter à votre périphérique.

Figure 10.16 : Focus sur l'écran de verrouillage avec le nombre de messages reçus

Bien sûr, tout cela est personnalisable et, si vous préférez, vous pouvez réduire la quantité d'informations qui apparaît sur les vignettes ou sur l'écran de verrouillage. Vous pouvez désactiver chaque vignette dynamique pour chacun de vos dossiers ou comptes épinglés. Les notifications peuvent être contrôlées pour chaque compte à partir de l'icône **Paramètres** et incluent un mode veille avec plusieurs niveaux silencieux.

10.2. Utiliser Windows Live Mail avec Windows 8

Courrier est l'application par défaut de la messagerie sous Windows 8. Comme mentionné en début de chapitre, Windows 7 n'incluait pas d'application de messagerie par défaut mais Microsoft proposait, avec **Windows Live**, de télécharger gratuitement **Windows Live Mail** pour faire office de client de messagerie.

Si vous aviez Windows 7 et Windows Live Mail auparavant et que vous souhaitez continuer à utiliser Windows Live Mail par habitude, sachez qu'il est tout à fait possible d'utiliser Windows Live Mail avec Windows 8.

> **REMARQUE**
>
> **Windows Live Mail et les versions de Windows 8**
> Vous pouvez installer Windows Live Mail sur les versions de Windows 8 à l'exception de **Windows RT** car le processeur de votre ordinateur ou tablette doit être d'architecture *x86* ou *x64* et non *ARM*. En effet, il faut que e Bureau Windows soit présent dans la version de Windows 8.

Dans cette section, voici comment utiliser Windows Live Mail avec Windows 8, si vous souhaitez conserver les habitudes avec Windows 7. Vous pourrez faire une transition vers **Courrier** en douceur, lorsque vous serez prêt.

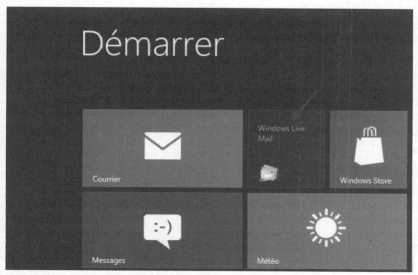

Figure 10.17 : Tuile Windows Live Mail sur Windows 8

Comme Windows Live Mail fait partie de Windows Live, vous devez donc commencer par vous connecter à Windows Live, télécharger et installer Windows Live Mail. Cela se passe à l'adresse http://windows .microsoft.com/fr-FR/windows-live/essentials-home.

Installez Windows Live Mail en suivant les instructions du programme d'installation. Rien de bien compliqué. À noter que le programme d'installation vous crée une tuile Windows Live Mail sur la fenêtre de démarrage de Windows 8.

Configuration de Windows Live Mail

Une fois Windows Live Mail installé, commençons par mettre en service la messagerie en créant un compte de messagerie et en le configurant correctement pour permettre l'envoi et la réception de messages électroniques.

Vous avez la possibilité de configurer toute une série de comptes Windows Live Mail différents. Vous pouvez ainsi créer un compte de messagerie personnel unique, ou y adjoindre votre compte de messagerie du bureau et quelques groupes de discussion. Windows Live Mail facilite la gestion de plusieurs comptes en plaçant chaque compte dans un dossier qui lui est propre.

Windows Live Mail prend en charge trois types de comptes :

- les comptes de messagerie (tel le compte créé par votre fournisseur d'accès à Internet) ;
- les comptes de newsgroups (groupes de discussion) ;
- les comptes de services d'annuaire (les services d'annuaire sont des carnets d'adresses en ligne généralement proposés par des entreprises).

Avant d'ajouter un compte, assurez-vous de disposer des informations de connexion et des informations sur le serveur pour votre compte de messagerie. Contactez votre administrateur réseau favori ou votre fournisseur d'accès à Internet.

Pour ajouter un compte Windows Live Mail, plusieurs cas peuvent se présenter. Si vous lancez Windows Live Mail pour la première fois, l'Assistant d'ajout d'un nouveau compte de messagerie se lance automatiquement.

Autrement, effectuez la procédure suivante :

1 Cliquez ou appuyez sur la tuile Windows Live Mail à partir de la fenêtre de démarrage de Windows 8.

2 Dans la colonne de gauche, cliquez sur **Ajouter un compte de messagerie**.

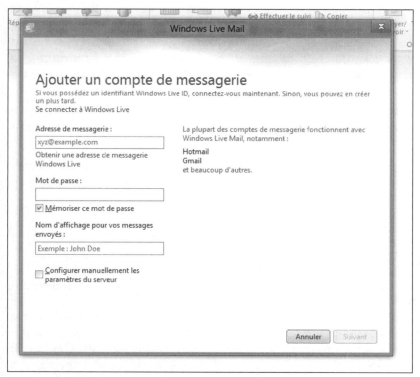

Figure 10.18 : Fenêtre Ajouter un compte de messagerie de Windows Live Mail

3 Suivez les instructions qui s'affichent d'entrée sur votre nom et la configuration des serveurs du compte de messagerie.

Lorsque vous renseignez l'Assistant d'ajout de compte de messagerie, vous devez préciser le type de serveur de messagerie que votre compte utilise. Windows Live Mail prend en charge les types de serveurs de messagerie suivants. Si vous n'êtes pas certain du type employé, contactez votre fournisseur de messagerie électronique.

■ **Les serveurs POP3** (*Post Office Protocol*) conservent les messages électroniques entrants jusqu'au moment où, en relevant votre courrier, vous déclenchez leur transfert sur votre ordinateur. Le type POP3 est le type de compte le plus répandu pour la messagerie électronique personnelle, c'est-à-dire lorsque vous êtes abonné à un fournisseur d'accès à Internet. En règle générale, les messages sont supprimés du serveur lorsque vous relevez votre courrier électronique.

- **Les serveurs IMAP** (*Internet Message Access Protocol*) vous permettent de gérer votre courrier électronique sans être obligé de télécharger préalablement les messages sur votre ordinateur. Vous pouvez afficher un aperçu, supprimer et organiser ces messages directement sur le serveur de messagerie, où des copies sont conservées jusqu'à ce que vous décidiez de les supprimer. La technologie IMAP est couramment utilisée pour les comptes de messagerie professionnelle.

- **Les serveurs HTTP** (*Hyper Text Transfer Protocol*) s'occupent de la connexion et synchronisation à des messageries disponibles sur Internet (Hotmail, Gmail, etc.).

Une fois votre compte de messagerie créé et configuré, vous pouvez utiliser Windows Live Mail. Voici les actions à connaître pour une utilisation quotidienne.

Vérifier l'arrivée de nouveaux messages électroniques

Vous pouvez planifier Windows Live Mail pour qu'il vérifie automatiquement l'arrivée de nouveaux messages, ou procéder vous-même manuellement à cette vérification. La vérification manuelle est utile si vous ne voulez pas attendre la prochaine tentative de récupération automatisée des nouveaux messages par Windows Live Mail, ou si vous utilisez un accès réseau à distance pour vous connecter à Internet et ainsi éviter que Windows Live Mail s'y connecte automatiquement.

Pour vérifier automatiquement l'arrivée de nouveaux courriers électroniques :

1 Cliquez ou appuyez sur la tuile Windows Live Mail à partir de la fenêtre de démarrage de Windows 8.

2 Cliquez sur l'onglet **Fichier**, puis **Options** puis **Courrier**.

3 Cliquez sur l'onglet **Général** puis activez la case à cocher *Vérifier l'arrivée de nouveaux messages toutes les X minute(s)* (voir fig. 10.19).

4 Pour modifier la fréquence de vérification des nouveaux messages de Windows Live Mail, entrez un nombre compris entre 1 et 480 dans la zone *Vérifier l'arrivée de nouveaux messages toutes les X minute(s)*.

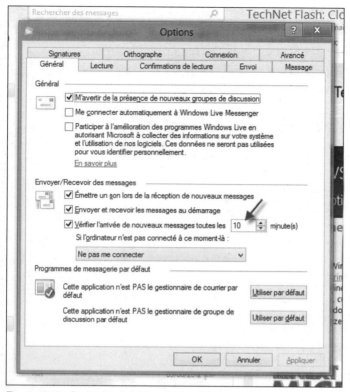

Figure 10.19 : Onglet Général des options de Windows Live Mail

Pour vérifier manuellement l'arrivée de nouveaux courriers électroniques, procédez comme suit :

1 Cliquez ou appuyez sur la tuile Windows Live Mail à partir de la fenêtre de démarrage de Windows 8.

2 Dans la barre en haut, cliquez sur **Envoyer/Recevoir**.

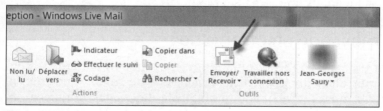

Figure 10.20 : Envoyer et recevoir tous les messages

Windows Live Mail enverra tous les courriers électroniques présents dans votre Boîte d'envoi et téléchargera tous les nouveaux messages.

Pour désactiver le téléchargement automatique des nouveaux courriers électroniques, procédez comme suit :

1 Cliquez sur l'onglet **Fichier**, puis **Options** puis **Courrier**.

2 Cliquez sur l'onglet **Général** et désactivez la case à cocher *Vérifier l'arrivée de nouveaux messages toutes les X minute(s)*.

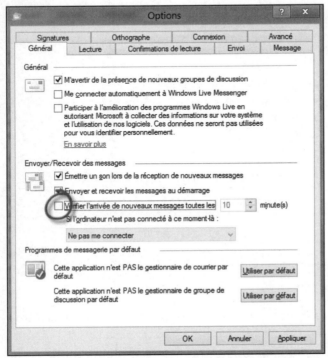

Figure 10.21 : Désactivation du téléchargement automatique des nouveaux courriers électroniques

Vous utiliserez manuellement le bouton **Synchroniser** à partir de la fenêtre d'accueil de Windows Live Mail.

Écrire un message électronique

Composer un message électronique revient tout simplement à rédiger une note dans un logiciel de traitement de texte. Une fois la rédaction du message achevée, il suffit d'indiquer les adresses de messagerie des destinataires, l'objet du message dans les zones appropriées, et le courrier est prêt pour l'envoi.

N'oubliez pas que vous devez créer un compte de messagerie pour vous-même dans Windows Live Mail afin d'être en mesure d'envoyer des messages électroniques.

1 Cliquez ou appuyez sur la tuile Windows Live Mail à partir de la fenêtre de démarrage de Windows 8.

2 Cliquez sur **Message électronique** pour ouvrir la fenêtre de composition du nouveau message.

Figure 10.22 : Création d'un nouveau message électronique

3 Dans la zone *À*, tapez l'adresse de messagerie de chacun de vos principaux destinataires. Dans la zone *Cc*, indiquez l'adresse de messagerie de chacun des destinataires secondaires à qui adresser une copie du courrier. Si vous saisissez plusieurs adresses, séparez-les par des points-virgules. Pour faire apparaître le champ *Cc*, cliquez sur **Afficher les champs Cc et Cci**.

Figure 10.23 : Adresse du destinataire

4 Dans la zone *Objet*, tapez le titre de votre message.

5 Cliquez dans la zone principale du message et saisissez votre texte.

6 Lorsque votre message vous donne entière satisfaction, pour envoyer le message immédiatement cliquez sur le bouton **Envoyer**.

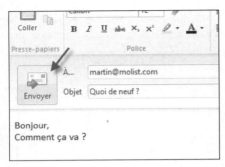

Si vous écrivez un long message et que vous souhaitiez y revenir plus tard pour le terminer, vous pouvez l'enregistrer à tout moment. Pour ce faire, cliquez sur **Enregistrer comme brouillon** (logo de la disquette). Les messages enregistrés qui ne sont pas envoyés sont stockés dans le dossier *Brouillons*.

Ouvrir ou enregistrer une pièce jointe dans Windows Live Mail

Grâce à l'utilisation de Windows Live Mail, vous envoyez des documents, des images et d'autres fichiers sous forme de pièces jointes avec vos messages électroniques. Les messages qui contiennent des pièces jointes sont signalés par une icône représentant un trombone dans la colonne *Pièce jointe* de la liste des messages. Vous pouvez ouvrir des pièces jointes directement à partir de Windows Live Mail, ou les enregistrer dans un dossier sur votre ordinateur afin d'y accéder facilement par la suite sans être obligé de retrouver le message auquel elles étaient attachées.

Pour ouvrir une pièce jointe directement à partir d'un message, procédez comme suit :

1 Cliquez ou appuyez sur la tuile Windows Live Mail à partir de la fenêtre de démarrage de Windows 8.

2 Ouvrez un message qui contient une pièce jointe en double-cliquant dessus dans la liste de messages.

3 En haut de la fenêtre du message, double-cliquez sur l'icône de la pièce jointe dans l'en-tête du message.

Pour enregistrer des pièces jointes dans un dossier sur votre ordinateur, procédez comme suit :

1 Ouvrez un message qui contient une pièce jointe en double-cliquant dessus dans la liste de messages.

2 Dans la fenêtre du message, cliquez sur **Fichier, Enregistrer** puis sur **Enregistrer les pièces jointes**.

3 Sélectionnez le dossier dans lequel vous voulez enregistrer les pièces jointes. Par défaut, Windows Live Mail enregistre les pièces jointes dans votre dossier *Documents*. Si vous voulez enregistrer les pièces jointes dans un autre dossier, cliquez sur **Parcourir** puis sélectionnez un dossier.

4 Sélectionnez les pièces jointes à enregistrer puis cliquez sur **Enregistrer**.

Même si Windows Live Mail bloque les types de fichiers réputés dangereux, faites toujours preuve de vigilance lorsque vous ouvrez des pièces jointes. Soyez sûr et certain de bien connaître la personne qui vous envoie le fichier attaché et soyez sûr et certain d'être protégé par un antivirus.

Recherche rapide

Windows Live Mail fait partie des applications qui intègrent une barre de recherche rapide. En effet, elle se révèle particulièrement utile pour ceux d'entre nous qui ont plusieurs centaines de messages stockés dans leur boîte de réception, ce qui rend difficile toute recherche spécifique. En intégrant la barre de recherche rapide, vous pouvez effectuer presque instantanément une exploration de l'ensemble de votre messagerie, sans quitter Windows Live Mail.

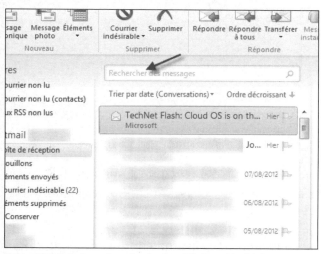

Figure 10.25 : La barre de recherche dans Windows Live Mail

Filtrage du courrier indésirable

Windows Live Mail intègre un filtre antispam paramétré et démarré automatiquement au lancement de Windows Live Mail.

Nous avons tous été confrontés à la réception de messages indésirables (spams) et savons à quel point il est irritant de devoir faire le tri dans tous ces messages inutiles. Nous savons aussi à quel point cela prend du temps. Pour faire face à ce problème, Windows Live Mail est doté d'un filtre intégré qui bloque automatiquement les messages, les identifie et sépare les messages légitimes du courrier indésirable.

1 Cliquez ou appuyez sur la tuile Windows Live Mail à partir de la fenêtre de démarrage de Windows 8.

2 Les e-mails de type spam sont stockés dans *Courrier indésirable* dès leur réception.

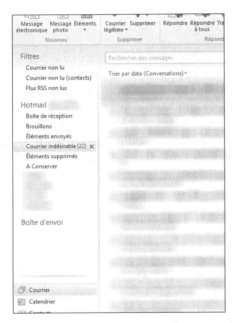

Figure 10.26 : Répertoire Courrier indésirable

Le filtre du courrier indésirable est tout de même configurable :

1 Une fois Windows Live Mail ouvert, cliquez sur **Courrier indésirable** puis sur **Options de sécurité**.

2 Dans la fenêtre de configuration qui apparaît, dans l'onglet **Options**, vous pouvez sélectionner votre niveau de protection. Par défaut, celui-ci est configuré à *élevé* pour protéger très efficacement sans empêcher l'arrivée de courrier qui n'est pas du spam.

Dans cette même fenêtre, vous pouvez également faire en sorte que tout spam soit automatiquement détruit au lieu d'être déposé dans le répertoire **Courrier indésirable**. Veillez cependant à ce que tous ces messages soient des spams.

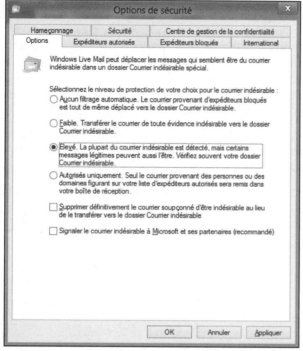

Figure 10.27 : Onglet Options des paramètres du filtre de courrier indésirable

3 Cliquez sur l'onglet **Expéditeurs autorisés** pour ajouter ou modifier la liste des adresses e-mail que vous considérez comme sûres, c'est-à-dire celles dont les e-mails ne doivent pas être considérés comme des spams.

4 *A contrario*, cliquez sur l'onglet **Expéditeurs bloqués** pour renseigner les adresses e-mail dont vous voulez bloquer les messages.

5 Vous avez également, dans l'onglet **International**, la possibilité de bloquer tous les e-mails provenant de certains domaines de premier niveau (c'est-à-dire de certains pays) et également tous ceux écrits avec certains types de caractères en cliquant sur **Liste de chiffrement bloqué**.

Contrairement à d'autres filtres, qui exigent un peu de paramétrage pour identifier les messages indésirables, Windows Live Mail les identifie automatiquement, sans action nécessaire de votre part.

Filtre antihameçonnage

Le phishing (hameçonnage) est un type de fraude informatique destiné à usurper l'identité de l'utilisateur. Dans les escroqueries par phishing, les pirates vous envoient des e-mails et tentent de vous amener à dévoiler des données personnelles précieuses (numéro de carte de crédit, mot de passe, numéro de compte ou autre) en vous faisant croire qu'ils sont des entités légitimes, comme des banques. Les e-mails ainsi envoyés sont toujours très bien formatés et peuvent prêter à confusion. En incluant des liens vers des sites web frauduleux, ces messages présentent toutes les apparences du sérieux pour vous inciter à communiquer des informations personnelles.

Windows Live Mail est doté d'un filtre anti-hameçonnage qui analyse les messages en tentant de détecter ces faux liens, pour vous protéger contre ce type d'escroquerie.

Ce filtre est activé par défaut, dès le premier démarrage de Windows Live Mail. Il est possible de le configurer :

1 Cliquez ou appuyez sur la tuile Windows Live Mail à partir de la fenêtre de démarrage de Windows 8.

2 Cliquez sur **Courrier indésirable** puis sur **Options de sécurité**.

3 Vous avez la possibilité de désactiver le filtre, ce qui n'est pas conseillé, et de déplacer les e-mails frauduleux vers le répertoire des e-mails de spam.

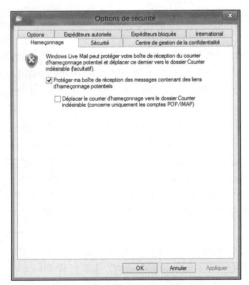

Figure 10.28 : Paramètres du filtre antihameçonnage

10.3. En bref

La messagerie électronique constitue une partie importante de nos activités quotidiennes. L'application **Courrier** de Windows 8 permet une gestion des messages électroniques efficace grâce aux menus contextuels dynamiques et à un design épuré et confortable depuis son ordinateur ou sa tablette grâce à l'ancrage et aux vignettes dynamiques, notamment.

Courrier est aussi intégré aux autres applications de Windows 8 par la barre latérale droite et ses fonctions de partage, périphériques, paramètres. Au début déroutant, son usage devient fluide et efficace au quotidien.

Mais, si vous aviez vos habitudes avec un autre client de messagerie, rien ne vous empêche de l'installer (si toutefois il est compatible Windows 8). C'est le cas de **Windows Live Mail**, qui permet de conserver ses habitudes ou de basculer en douceur vers **Courrier**.

DÉCOUVRIR LES FONCTIONS MULTIMÉDIA

Au cours de ces dernières années, les façons d'obtenir et d'écouter de la musique ont beaucoup évolué. Notre consommation de musique et de vidéos se dématérialise de plus en plus. Si vous continuez peut-être à acheter des CD audio, vous avez certainement acheté de la musique en ligne et commencé à utiliser votre ordinateur pour gérer votre discothèque. Par exemple pour numériser vos CD sur votre ordinateur. Outre votre discothèque personnelle, vous avez peut-être souscrit un abonnement mensuel pour accéder à des catalogues de musique en ligne. Une chose est sûre : les discothèques sont désormais numériques.

La révolution des iPod et autres baladeurs numériques confirme la tendance au tout numérique de votre discothèque personnelle et aussi et surtout sa portabilité.

Windows 8 et ses versions, s'installant à la fois sur ordinateur avec clavier et souris mais aussi sur tablette tactile, apportent des modifications aux fonctions multimédia. Tout d'abord en ajoutant deux nouvelles applications par défaut, qui sont **Musique** et **Vidéo**, plutôt orientées tactile.

Figure 11.1 : Les tuiles Musique et Vidéo

Et en conservant et modifiant les approches des lecteurs multimédia historiques de Windows que sont le **Lecteur Windows Media** et **Windows Media Center**.

Voici un tour d'horizon de ces quatre applications.

11.1. L'application Musique

L'application **Musique** sous Windows 8 est une application Xbox Live qui vous permet de lire vos fichiers multimédia locaux. Elle se présente sous la forme d'une tuile sur l'interface Windows 8. Cliquez ou appuyez dessus pour y accéder (voir fig. 11.2).

Vous avez accès au **Store musique Xbox**, qui vous propose un large choix de morceaux et albums à acheter pour continuer votre discothèque. Pour récupérer d'anciens fichiers musicaux et les rendre disponibles à la lecture, donc pour ajouter de la musique à l'application **Musique** sous Windows 8 :

Figure 11.2 : L'application Musique

1 Dans l'écran Windows 8 par défaut de l'ordinateur, recherchez et cliquez ou appuyez sur la tuile **Bureau**. La vue du Bureau classique s'affiche.

2 Sélectionnez **Explorateur Windows**.

3 Sous *Bibliothèques*, sélectionnez **Musique**.

4 Cliquez du bouton droit sur **Musique**, puis sélectionnez **Propriétés**.

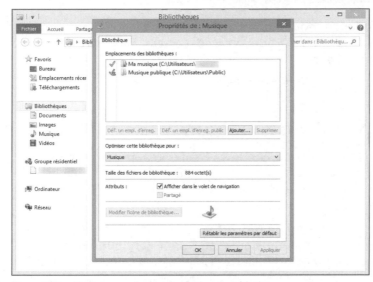

Figure 11.3 : Ajouter manuellement des fichiers dans Musique

5 Cliquez sur **Ajouter**.

6 Incluez les dossiers contenant votre musique.

7 Cliquez sur OK.

Si du contenu musical est stocké de manière externe (par exemple sur une clé USB ou un disque dur externe), copiez ou déplacez le contenu dans un dossier du champ *Emplacements des bibliothèques* ; l'application **Musique** détectera alors les fichiers musicaux.

Vous pouvez naviguer et effectuer des recherches dans le Marché Musique et acheter des morceaux individuels ou des albums entiers. Vous pouvez également consulter les morceaux de musique de votre collection locale et les lire dans une interface élégante, Lecture en cours, qui présente des photos de l'artiste et des informations détaillées sur sa biographie et sa discographie.

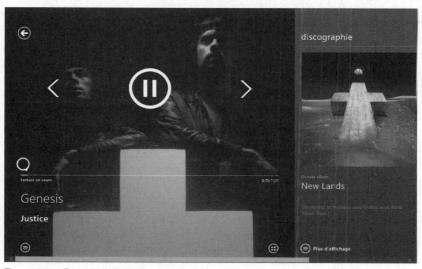

Figure 11.4 : Exemple de lecture en cours

Vous pouvez aussi déplacer l'application **Musique** sur le côté pour écouter de la musique tout en utilisant une autre application.

Vous pouvez également partager une sélection à l'aide de la fonction **Partager**. Pour cela, en cliquant sur un artiste ou en lisant un album, appelez la barre de fonctions à droite en mettant le pointeur de votre souris à droite de l'écran ou en balayant le bord droit de l'écran avec le doigt. Puis cliquez ou appuyez sur **Partager**. Choisissez ensuite avec quel programme vous souhaitez partager.

Figure 11.5 : Exemple de partage

11.2. L'application Vidéo

L'application **Vidéo** sous Windows 8 est une application Xbox Live qui vous permet de lire vos fichiers vidéo locaux. Elle se présente sous la forme d'une tuile sur l'interface Windows 8. Cliquez ou appuyez dessus pour y accéder.

Figure 11.6 : L'application Vidéo

Pour ajouter des vidéos à l'application **Vidéo** sous Windows 8 :

1 Dans l'écran Windows 8 par défaut de l'ordinateur, recherchez et cliquez ou appuyez sur la tuile **Bureau**. La vue du Bureau classique s'affiche.

2 Sélectionnez **Explorateur Windows**.

3 Sous *Bibliothèques*, sélectionnez **Vidéo**.

4 Cliquez du bouton droit sur **Vidéo**, puis sélectionnez **Propriétés**.

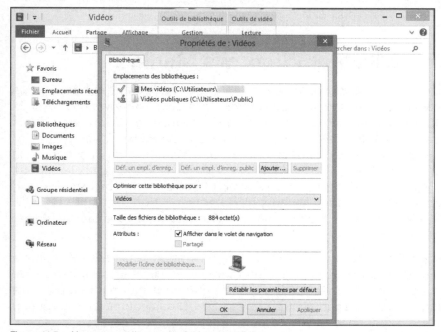

Figure 11.7 : Ajouter manuellement des fichiers dans Vidéo

5 Cliquez sur **Ajouter**.

6 Incluez les dossiers contenant vos vidéos.

7 Cliquez sur OK.

Si du contenu vidéo est stocké de manière externe (par exemple sur une clé USB ou un disque dur externe), copiez ou déplacez le contenu dans des dossiers sous *Emplacements des bibliothèques* ; l'application **Vidéo** détectera alors les vidéos.

Vous avez accès au **Store films**, qui vous propose un large choix de films. Sous l'application **Vidéo** vous pouvez :

- explorer le marché des films et des programmes TV (dans les langues prises en charge) pour louer ou acheter le contenu de votre choix ;
- visionner les vidéos de votre collection personnelle dans une interface de lecture tactile ;
- utiliser la fonction **Regarder sur la Xbox** pour transférer le film ou l'épisode de série TV sur votre console Xbox 360 ;
- utiliser la fonction **Partager** pour partager vos programmes favoris avec vos amis.

11.3. Le lecteur Windows Media

Le lecteur Windows Media est présent par défaut sur toutes les versions de Windows 8. La version du lecteur Windows Media est la 12, qui est la même version qu'auparavant avec Windows 7. Mais avec une différence de taille : le lecteur Windows Media sur Windows 8 ne lit pas les DVD. Au vu de l'évolution des usages de la lecture de DVD sur l'écosystème PC (perte de vitesse de la lecture de DVD sur PC au profit de services en ligne comme YouTube, Netflix, etc.), Microsoft a fait le choix d'arrêter la fonction de lecture de DVD. Si vous souhaitez lire des DVD sur Windows 8, il vous faudra utiliser un outil tiers.

À part cela, vous pouvez réaliser toutes les actions liées aux fichiers multimédia : de la lecture d'un morceau musical jusqu'à la gravure sur CD ou la transformation d'un format de fichier audio à un autre (mp3). Que vous souhaitiez graver des CD ou écouter de la musique, votre expérience musicale numérique est possible avec le lecteur Windows Media. Avec son apparence épurée et ses fonctions simples et conviviales, le lecteur Windows Media 12 est suffisant pour gérer votre discothèque, quelle que soit sa taille.

Le lecteur Windows Media est plutôt destiné à un usage au clavier et à la souris.

Pour exécuter le lecteur Windows Media 12 :

1 À partir de l'interface Windows 8, appelez la barre de fonctions à droite en mettant le pointeur de votre souris à droite de l'écran.

2 Cliquez sur **Rechercher**.

3 Tapez *Lecteur Windows Media*.

Figure 11.8 : Recherche Lecteur Windows Media

4 Dès les premières lettres tapées, l'application recherchée apparaît. Cliquez dessus pour ouvrir.

Figure 11.9 : Lecteur Windows Media 12

La bibliothèque multimédia du lecteur Windows Media 12 a été travaillée pour faciliter la navigation et l'écoute de vos pistes audio. Vous pouvez visualiser votre musique par pochette d'album, comme avec une discothèque physique. Remarquez également la présence de la barre de recherche rapide, qui vous permet de trouver facilement le morceau recherché.

L'interface se veut épurée et vous retrouvez dans le volet droit de l'application trois onglets permettant d'accéder à la lecture en cours, aux bibliothèques ou aux options de synchronisation des médias avec un baladeur externe.

Vous noterez le nouveau mode d'affichage réduit du lecteur : une simple prévisualisation de la pochette de l'album avec les boutons de contrôle de la lecture. Pour accéder à ce nouveau mode, cliquez sur le bouton représentant trois carrés et une flèche, situé en bas à droite de la fenêtre du lecteur Windows Media.

Figure 11.10 : Vue minimisée de Windows Media Player

Vous pouvez également profiter maintenant de la présentation optimisée de l'artiste, du morceau et des informations sur le CD.

L'intérêt de stocker votre musique sur votre ordinateur est de vous permettre d'en profiter où que vous soyez. Pour cela, utilisez votre baladeur numérique ou votre tablette ou vos clés USB, ou gravez vos CD, ce qui vous permet d'emporter votre musique partout avec vous, comme vous le souhaitez.

Le lecteur Windows Media rend la création de CD plus simple à utiliser. Vous pouvez graver les morceaux de votre choix dans l'ordre que vous voulez. Si votre ordinateur est équipé de plusieurs graveurs CD, la fonction de gravure étendue sur plusieurs disques vous permet de sauvegarder facilement la totalité de votre discothèque quand vous le souhaitez.

Intégrant la prise en charge des groupes résidentiels, pour un accès facilité aux médias partagés par les autres ordinateurs Windows de votre réseau, le lecteur Windows Media prend en charge le streaming.

Le streaming, ou diffusion de flux continu, désigne un principe utilisé surtout pour l'envoi de contenu en direct (ou en léger différé). Très employé sur Internet, il permet la lecture d'un flux audio ou vidéo, à mesure qu'il est diffusé. Il s'oppose ainsi à la diffusion par téléchargement, qui nécessite de récupérer l'ensemble des données d'un morceau ou d'un extrait vidéo avant de l'écouter ou de le regarder.

Avec le lecteur Windows Media 12, il est toujours possible de lire à distance les médias stockés sur les ordinateurs du réseau, et inversement, mais aussi de lire le contenu au travers d'Internet. Concrètement, il s'agit de vous permettre d'accéder aux médias stockés sur vos ordinateurs domestiques depuis un lieu extérieur, en passant donc par la connexion Internet. Baptisée *RMS* ou *Remote Media Streaming*, la fonctionnalité exige que l'ordinateur contenant les médias exécute Windows tout comme celui qui essaye d'y accéder. Pour activer la fonctionnalité, utilisez un compte Microsoft. Tout le reste est transparent et, si l'ordinateur contenant vos médias est allumé, il apparaît directement dans la liste des bibliothèques réseau disponibles avec une petite icône en forme de globe terrestre indiquant qu'il ne s'agit pas d'un contenu sur le réseau local. Vous pouvez alors naviguer dans sa bibliothèque de musique (ou d'images ou de vidéos) et profiter de ses médias à distance. Excellent, d'autant qu'aucune configuration n'est nécessaire au niveau réseau !

Pour accéder aux paramètres :

1 Cliquez sur **Diffuser en contenu**.

2 Choisissez une des options.

Au programme également, la prise en charge native du format de fichier QuickTime *.mov* ou encore la possibilité de reprendre une lecture précédemment interrompue à l'endroit où vous l'aviez suspendue.

REMARQUE

Le lecteur Windows Media ne lit pas les DVD !
Sur Windows 8, le lecteur Windows Media ne lit pas les DVD ! Vous devez vous procurer un logiciel tiers pour profiter de la lecture de DVD sur PC.

11.4. Windows Media Center

Windows Media Center, appelé Media Center dans le langage courant, est un lecteur de fichiers multimédia optimisé pour être utilisé à partir d'une télévision, confortablement installé dans son salon, grâce à une interface graphique pilotable par télécommande. Présent en version spécifique avec Windows XP, puis intégré à Windows Vista et Windows 7, le Media Center n'est plus intégré dans Windows 8 et devient un pack payant.

Depuis la commercialisation de Windows 7, le paysage du multimédia a évolué de façon significative. Les enquêtes menées auprès des utilisateurs montrent que la majeure partie des activités de lecture de vidéos sur les PC et les autres appareils mobiles sont issues de sources en ligne telles que *YouTube* et les autres services de diffusion et de téléchargement de vidéos, qui se multiplient actuellement. En 2012, la consommation de vidéos en ligne dépassera celle de la vidéo physique aux États-Unis et progresse très fortement en France.

Sur PC, ces sources en ligne se développent bien plus vite que les modes de consommation de type DVD et télévision, qui enregistrent quant à eux un net déclin, quelle que soit la façon de mesurer (nombre d'utilisateurs uniques, minutes de visionnage, pourcentage des sources, etc.). Au niveau mondial, les ventes de DVD baissent significativement d'année en année et le format Blu-ray sur PC perd lui aussi de sa dynamique. Le visionnage des chaînes de télévision classiques sur PC est également en baisse, même si ce mode de consommation est extrêmement important pour certains d'entre vous. Ces scénarios traditionnels de lecture multimédia (supports optiques et chaînes de télévision classiques) nécessitent un ensemble spécifique de décodeurs (et de composants matériels) très coûteux en termes de redevances.

En raison de l'évolution du paysage, des coûts liés aux licences permettant de distribuer les décodeurs, Microsoft a décidé de mettre Windows Media Center à la disposition des utilisateurs de Windows 8 uniquement par le biais de la fonction **Ajouter des fonctionnalités à Windows 8**, disponible dans le **Panneau de configuration**. Ainsi, les personnes souhaitant disposer de Media Center peuvent l'obtenir facilement.

Vous pourrez faire l'acquisition de Windows Media Center par deux moyens :

1 Vous possédez **Windows 8 Professionnel** et vous faites l'acquisition du **Pack Media Center** pour Windows 8 par le biais de la fonction **Ajouter des fonctionnalités à Windows 8**.

2 Vous possédez **Windows 8** et vous faites l'acquisition du **Pack Professionnel pour Windows 8** par le biais de la fonction **Ajouter des fonctionnalités à Windows 8**.

Windows 8 Professionnel est conçu pour aider les passionnés de technologies à profiter d'un éventail plus large de technologies Windows 8. L'acquisition du **Pack Media Center pour Windows 8** ou du **Pack Professionnel pour Windows 8** permet d'obtenir Media Center et de profiter de fonctions de lecture de DVD (dans Media Center et non pas dans le lecteur Windows Media), d'enregistrement et de lecture des chaînes de télévision classiques (DBV-T/S, ISDB-S/T, DMBH et ATSC) et de lecture des fichiers VOB.

Pour accéder à la fonction **Ajouter des fonctionnalités à Windows 8** :

1 À partir de l'interface Windows 8, cliquez ou appuyez sur la tuile **Bureau**.

2 Appelez la barre de fonctions à droite en mettant le pointeur de votre souris à droite de l'écran ou en balayant le bord droit de l'écran avec le doigt.

3 Cliquez ou appuyez sur **Paramètres**.

4 Cliquez ou appuyez sur **Panneau de configuration**.

5 Cliquez ou appuyez sur **Système et Sécurité**.

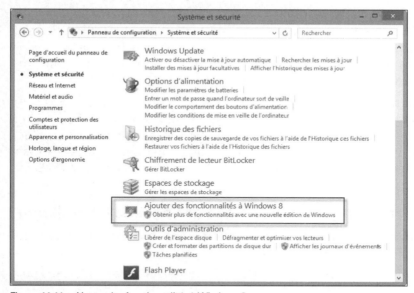

Figure 11.11 : Ajouter des fonctionnalités à Windows 8

6 Suivez les instructions pour obtenir le Windows Media Center.

Une fois le Media Center installé, vous pouvez en profiter. Le Media Center de Windows 8 est quasi identique à celui de Windows 7. Voici quelques fonctions à connaître.

Figure 11.12 : Bienvenue sur Windows Media Center

Écouter de la musique avec Media Center

Vous pouvez utiliser Windows Media Center pour écouter de la musique, mettre des morceaux en file d'attente de lecture ou créer des sélections de vos musiques favorites. Si vous le souhaitez, vous pouvez également écouter de la musique tout en regardant vos images favorites s'afficher en diaporama.

L'audiothèque est particulièrement bien pensée et vous permettra de retrouver facilement les morceaux de musique que vous voulez écouter, même si vous avez une très vaste collection. Pour vous aider à retrouver un morceau dans votre bibliothèque, Windows Media Center propose de filtrer par *Artiste*, *Genre*, *Titre de chansons*, *Album*, *Année* et même *Compositeur*.

Rechercher des fichiers de musique dans sa bibliothèque

Vous pouvez parcourir votre bibliothèque musicale automatiquement au moyen des touches ⊡ et ⊡.

1 Sur l'écran de démarrage du Media Center, accédez à *Musique* puis cliquez sur **Audiothèque.**

2 Pour utiliser la fonction de recherche, sur l'écran de démarrage, accédez à *Musique*, faites défiler l'affichage vers la droite et cliquez sur **Rechercher**. Entrez les lettres en utilisant votre clavier. Vous pouvez également utiliser la télécommande pour entrer vos critères de recherche.

Figure 11.13 : Rechercher des fichiers

Écouter de la musique

Vous pouvez parcourir vos bibliothèques musicales automatiquement en utilisant les touches ⬅ et ➡.

1 Sur l'écran de démarrage, accédez à *Musique* puis cliquez sur **Audiothèque**.

2 Cliquez sur **Artiste de l'album**, **Album**, **Artiste**, **Genre**, **Chanson**, **Sélection**, **Compositeur** ou **Année** puis accédez à la musique que vous souhaitez écouter.

3 Cliquez sur un titre ou un nom, puis sur **Lire l'album** ou **Lire le morceau**. La lecture de la musique commence.

4 Pour voir les morceaux qui seront lus ensuite, cliquez sur **Afficher la liste des morceaux**.

Figure 11.14 : Écouter de la musique

Windows Media Center peut également afficher les pochettes des CD à condition que celles-ci soient présentes dans le dossier contenant les fichiers audio. La jaquette doit être nommée avec un nom de fichier avec extension *.jpg*. Windows Media Center est capable de télécharger la pochette correspondant à l'album si les informations sont correctement documentées. Le système s'appuie pour cela sur le lecteur Media Player, ce qui implique également que le Media Center soit capable de lire les fichiers pris en charge par le lecteur Media Player (les DVD en plus). Tous les fichiers contenus dans la bibliothèque du lecteur Windows Media s'afficheront dans le Media Center en plus des dossiers que vous aurez sélectionnés avec l'Assistant. Le Media Center reconnaît également les images directement insérées dans les fichiers *mp3*.

Voir un diaporama avec de la musique

1 Sur l'écran de démarrage, accédez à *Musique* puis cliquez sur **Audiothèque.**

2 Cliquez sur **Artiste de l'album**, **Album**, **Artiste**, **Genre**, **Chanson**, **Sélection**, **Compositeur** ou **Année** puis accédez à la musique que vous souhaitez écouter.

3 Cliquez sur un titre ou un nom, puis sur **Lire l'album** ou **Lire le morceau.** La lecture de la musique commence.

4 Cliquez sur **Lire les images.**

Figure 11.15 : Diaporama et musique

Ajouter un morceau à la file d'attente

La file d'attente est une liste temporaire de morceaux de musique que vous souhaitez écouter. Vous pouvez mettre de la musique en file d'attente pour ne pas avoir à sélectionner sans arrêt les chansons à écouter.

1 Sur l'écran de démarrage, accédez à *Musique* puis cliquez sur **Audiothèque**.

2 Cliquez sur **Artiste de l'album**, **Album**, **Artiste**, **Genre**, **Chanson**, **Sélection**, **Compositeur** ou **Année** puis accédez à la musique que vous souhaitez écouter.

3 Cliquez sur un titre ou un nom puis sur **Ajouter à la file d'attente**.

Visualiser les sélections

1 Sur l'écran de démarrage, accédez à *Musique* puis cliquez sur **Audiothèque**.

2 Cliquez sur **Sélections**.

3 Cliquez sur une sélection.

4 Sélectionnez l'une des options suivantes :

— *Lire* ;

— *Ajouter à la file d'attente* ;

— *Graver un CD ou un DVD* ;

— *Supprimer*.

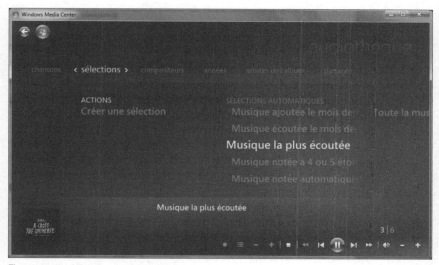

Figure 11.16 : Visualiser les sélections

Supprimer une musique de l'ordinateur

Si vous supprimez un morceau de musique, un album ou une sélection à partir de Windows Media Center, il sera définitivement supprimé de la bibliothèque musicale et de l'ordinateur.

1 Sur l'écran de démarrage, accédez à *Musique* puis cliquez sur **Audiothèque**.

2 Cliquez sur un album, un morceau de musique ou une sélection puis cliquez du bouton droit pour faire apparaître le menu contextuel.

3 Cliquez sur **Supprimer**.

4 Cliquez sur **Oui** pour confirmer la suppression.

Choisir la visualisation qui pourra apparaître pendant la lecture de la musique

Vous pouvez regarder différentes visualisations dont les formes changent au rythme du morceau de musique écouté. Les visualisations sont groupées en collections thématiques : **Alchimie**, **Barres et ondulations** ou **Batterie**.

1 Sur l'écran de démarrage, accédez à *Tâches*, cliquez sur **Paramètres** puis sur **Musique**.

2 Cliquez sur **Visualisations** puis sélectionnez une catégorie de visualisation. Chaque catégorie contient un grand choix de visualisations.

3 Cliquez sur **Enregistrer**.

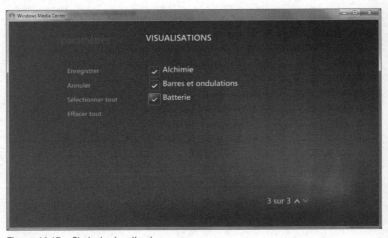

Figure 11.17 : Choix de visualisations sympa

Regarder des visualisations pendant la lecture d'un morceau de musique

1 Sur l'écran de démarrage, accédez à *Musique* puis cliquez sur **Audiothèque**.

2 Cliquez sur un album, un morceau de musique ou une sélection.

3 Cliquez sur **Lire le morceau** ou sur **Lire l'album** puis sur **Visualiser**.

Pour qu'une visualisation démarre toujours à chaque lecture de musique

1 Sur l'écran de démarrage, accédez à *Tâches*, cliquez sur **Paramètres** puis sur **Musique**.

2 Cliquez sur **Visualisation** puis **Lecture en cours**. Activez la case à cocher *Démarrer automatiquement les visualisations*.

3 Dans *Afficher des informations sur les morceaux pendant la visualisation*, sélectionnez une option.

4 Cliquez sur **Enregistrer**.

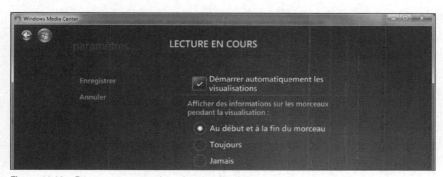

Figure 11.18 : Démarrage automatique des visualisations

Lire une vidéo et regarder des images

Windows Media Center vous permet de regarder des images en diaporama et de lire des vidéos. Vous pouvez utiliser différents critères pour rechercher des fichiers multimédia tels que des films, des vidéos, de la musique, des images ou des émissions de télévision enregistrées. Ces fichiers sont stockés dans les bibliothèques de votre ordinateur Media Center.

Vous pouvez parcourir vos bibliothèques d'images et de vidéos automatiquement en utilisant les touches ⬅ et ➡.

Rechercher et lire un fichier vidéo

Si vous avez des problèmes pour retrouver un fichier vidéo, essayez de changer la façon dont le Media Center groupe vos vidéos.

1 Sur l'écran de démarrage, accédez à *Images + vidéos* puis cliquez sur **Vidéothèque**.

2 Accédez à l'un des critères de tri et recherchez votre fichier. Vous pouvez trier les fichiers par *Dossiers* ou *Date de la prise*.

3 Recherchez la vidéo que vous voulez regarder puis cliquez sur le fichier vidéo pour le lire.

Figure 11.19 : Recherche et lecture d'une vidéo

Modifier la couleur d'arrière-plan de la vidéo

Pour éviter le marquage d'un écran plasma haut de gamme pendant la lecture de la vidéo, vous pouvez changer la couleur d'arrière-plan. (Le marquage ou la persistance survient si vous laissez une image statique affichée sur l'écran pendant un long moment. Vous verrez alors peut-être une trace floue de l'image même après son remplacement par une nouvelle image.)

1 Sur l'écran de démarrage, accédez à **Tâches**, cliquez sur **Paramètres**, sur **Général**, sur **Effets visuels et sonores** puis sur **Couleur d'arrière-plan de la vidéo**.

2 Pour changer la couleur d'arrière-plan de la vidéo, cliquez sur le bouton **-** ou **+** jusqu'à obtenir la couleur souhaitée. La couleur par

défaut est le noir et les couleurs possibles vont du gris à 90 % au gris à 10 % puis au blanc.

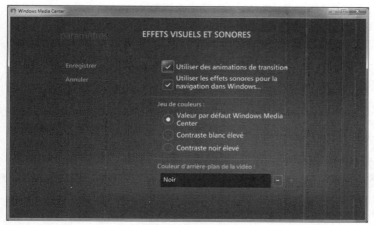

Figure 11.20 : Modification de l'arrière-plan

Rechercher et visionner un fichier image

Si vous avez des problèmes pour trouver un fichier image, essayez de changer la façon dont Windows Media Center groupe vos images.

1 Sur l'écran de démarrage, accédez à *Images + vidéos* puis cliquez sur **Photothèque**.

2 Accédez à l'un des critères de recherche et recherchez votre image. Vous pouvez trier les images par *Date de la prise*, *Dossiers* et *Balises*.

3 Cliquez sur l'image que vous voulez afficher.

Figure 11.21 : Recherche et lecture d'une image

Lire un diaporama

Un diaporama est une série d'images généralement groupées dans un dossier, par date de prise ou par balise. Utilisez les boutons de la barre d'outils du diaporama pour démarrer, suspendre, aller à la diapositive précédente ou suivante ou terminer le diaporama.

Si la barre d'outils n'est pas affichée, déplacez le pointeur sur l'écran et elle apparaîtra dans l'angle inférieur droit de l'écran.

Vous pouvez également choisir de lire un diaporama en écoutant de la musique. Cela vous permet de profiter en même temps de vos images et de vos musiques.

1 Sur l'écran de démarrage, accédez à *Images + vidéos* puis cliquez sur **Photothèque**.

2 Cliquez sur une collection d'images. Selon la manière dont Windows Media Center a groupé votre contenu, les images sont triées par *Dossiers*, *Date de la prise* ou *Balises*.

3 Cliquez sur **Lire le diaporama**.

11.5. En bref

Vous pouvez gérer tous vos contenus multimédia avec Windows 8. Avec les applications **Musique** et **Vidéo**, accédez à une interface orientée tactile (mais pas que !) qui vous permet de lire et de gérer votre contenu local mais aussi d'accéder à des marchés en ligne de musique et de films.

Windows 8 conserve le lecteur Windows Media, orienté pour un usage au clavier et à la souris, le même que sous Windows 7, à la distinction près que le lecteur Windows Media sous Windows 8 ne lit plus les DVD. Vous devrez utiliser une application du marché.

Windows Media Center n'est plus inclus par défaut sous une quelconque version de Windows 8 et vous devrez payer pour l'obtenir. De plus, vous devrez avoir une version Windows 8 Professionnel pour acheter le Pack Media Center. Si vous avez une version Windows 8, achetez d'abord le pack pour migrer vers Windows 8 Professionnel puis achetez le pack Media Center.

GÉRER LES PHOTOS

Nous prenons tous beaucoup de photos qui se retrouvent dans un grand nombre d'endroits différents. Certaines sont sur nos PC, tablettes, d'autres sur un service de partage de photos, tels Flickr ou Facebook, et d'autres encore sont sur nos téléphones, parfois indéfiniment. La façon dont nous stockons et partageons les photos et l'endroit où nous les stockons ont évolué et continueront à changer, car nous achetons toujours plus d'appareils et prenons de plus en plus de photos que nous partageons dans plus d'endroits avec plus de gens. Nous avons besoin d'un endroit unique dans lequel nous pouvons regarder toutes nos photos, les revivre, en profiter, les partager et nous y plonger.

L'application **Photos** par défaut dans Windows 8 tient compte de cette problématique et offre une nouvelle expérience utilisateur. De même, **Galerie de photos**, qui s'installe depuis Windows Essentials, est une autre solution de gestion des photos. Dans ce chapitre, vous apprendrez à manipuler les deux. **Photos**, plus adaptée aux tablettes tactiles, **Galerie de photos**, plus adaptée aux ordinateurs pilotés par clavier et souris, quoique l'un n'empêche pas l'autre.

12.1. Utiliser l'application Photos

Comme vous pouvez connecter votre compte Microsoft à des services tels que Facebook et Flickr, vous pouvez accéder à toutes vos photos et à tous ces souvenirs en vous connectant simplement à Windows 8 avec votre compte Microsoft. Encore une fois, le compte unifié est la base de l'expérience. L'application **Photos** fonctionne également avec SkyDrive. Depuis votre Smartphone (iPhone, Android, Windows Phone), vous pouvez envoyer automatiquement toutes les photos depuis votre téléphone vers SkyDrive. L'application **Photos** dans Windows 8 est ainsi idéale pour montrer vos photos sans avoir à vous serrer autour d'un téléphone. Même si vous avez pris vos photos avec votre téléphone, vous pouvez facilement en profiter sur votre PC, aussi rapidement que vous les prenez.

1 Ouvrez une session avec votre compte Microsoft, que vous avez pris soin d'unifier.

2 Appuyez sur la tuile **Photos** sur l'écran de démarrage. L'application se lance rapidement. Vous arrivez directement à la fenêtre principale de gestion des photos (voir fig. 12.1).

La page d'accueil, très épurée, vous présente automatiquement et sur la même page les grandes catégories où vous avez stocké des photos : localement, sur SkyDrive, Facebook, Flickr.

Figure 12.1 : Page d'accueil de l'application Photos

Une photo en guise de fond d'écran : l'application **Photos** doit pouvoir transpirer la photo ; lorsque vous ouvrez l'application **Photos** pour la première fois, une magnifique photo apparaît, mais vous pouvez la changer et utiliser celle que vous préférez. C'est un ordinateur personnel, après tout.

Appuyez sur une miniature et baladez-vous dans l'application **Photos**. Les photos sont présentées de telle sorte qu'elles soient juste assez grandes pour les voir parfaitement, mais assez petites pour en afficher plusieurs à la fois. Si vous souhaitez voir plus d'images à la fois, il suffit de pincer pour effectuer un zoom arrière. Vous verrez alors une vue des miniatures de votre collection.

Remarquez toutefois que la vue des miniatures ne se contente pas de présenter toutes vos photos en les rognant et sous forme de miniatures carrées. Vos miniatures s'affichent de la manière qui représente le mieux l'orientation de la photo (voir fig. 12.2).

Et, naturellement, comme la meilleure façon de regarder une photo est de l'afficher en grand format, vous pouvez également afficher une seule photo à la fois.

Lorsque vous sélectionnez une photo, balayez l'écran de bas en haut en partant depuis le bas pour faire monter le menu contextuel. Il affiche toutes les options associées à la photo. Et, si vous ne souhaitez pas effectuer un mouvement de balayage pour parcourir vos images individuellement ou par petits groupes, lancez le diaporama et regardez.

Encore mieux, utilisez l'icône **Périphériques** de Windows 8 pour lire votre diaporama sur votre télévision, Xbox 360 ou autre périphérique.

Figure 12.2 : Présentation des photos en miniature

1 Lorsque vous êtes sous **Photos** en train de parcourir vos albums, activez la barre latérale droite des commandes système en balayant l'écran à partir du bord droit. Appuyez sur **Périphérique**.

2 Sélectionnez le périphérique sur lequel envoyer l'affichage des photos (celui-ci doit être connecté pour que cela fonctionne).

Figure 12.3 : Afficher sur d'autres périphériques

Évidemment, cela fonctionne également pour les vidéos.

Importer des photos

Si vous souhaitez utiliser votre tablette Windows 8 comme endroit principal pour stocker toutes vos photos, il est bien sûr possible d'importer avec l'application **Photos**. Pour lancer l'importation si celle-ci ne se lance pas automatiquement :

1 Appuyez sur la tuile **Photos** sur l'écran de démarrage. L'application se lance rapidement.

2 Sur la page d'accueil, balayez l'écran de bas en haut en partant depuis le bas pour faire monter le menu contextuel.

3 Appuyez sur **Importer**.

Figure 12.4 : Importer des photos

Ensuite, laissez-vous guider (il faut tout de même que le périphérique soit connecté à la tablette).

Lorsque vous connectez votre caméra ou appareil photo ou smartphone à votre PC, il vous suffit de sélectionner l'application **Photos** comme importateur, et l'application se charge du reste. La qualité de vos photos ne sera pas diminuée. Une fois vos photos importées, si vous n'avez pas le temps de les classer, ne vous inquiétez pas. Vos photos peuvent toujours être consultées par date, ce qui permet de parcourir facilement un très grand nombre de photos.

Photos de tous ses appareils

Il se peut que vous ayez des photos stockées sur les réseaux sociaux, le Cloud, en local mais aussi, et c'est pratiquement le cas de tout le monde, stockées sur un ancien PC ou autre. Surtout si vous utilisez une tablette, il est probable que vous ayez aussi un autre PC.

Désormais, si vous installez l'application de bureau SkyDrive, avec Windows Essentials 2012, sur votre autre PC (pourquoi pas encore sous Windows 7, par exemple), vous pouvez choisir d'envoyer et d'enregistrer automatiquement toutes vos photos sur SkyDrive. Tous les PC sur lesquels l'application de bureau SkyDrive est installée apparaîtront dans l'application **Photos**. En exécutant simplement l'application de bureau SkyDrive sur le ou les PC où se trouvent toutes vos photos, l'application **Photos** communiquera avec ce PC pour que vous puissiez regarder vos anciennes photos en même temps que vos dernières photos. Vous reverrez bientôt des photos que vous aviez oubliées.

Partager ses souvenirs

Toutes les vues de l'application **Photos** sont particulièrement utiles lorsque vous êtes prêt à partager ou à imprimer vos photos. Maintenant, pour sélectionner votre photo préférée à placer sur l'écran de verrouillage Windows 8 ou pour partager une photo avec l'icône **Partager**, vous pouvez récupérer une photo sur Facebook, Flickr, SkyDrive ou n'importe quel PC avec l'application de bureau SkyDrive installée, tout cela en utilisant l'application **Photos** comme sélecteur.

Il arrive qu'en parcourant vos photos vous souhaitiez en partager certaines. Avec l'application **Photos**, vous pouvez facilement sélectionner un ensemble de photos et utiliser l'icône **Partager** pour les partager dans **Courrier**. Les photos sont envoyées sous la forme de simples pièces jointes ou d'un lien vers un diaporama hébergé sur SkyDrive. SkyDrive vous permet d'envoyer un grand nombre de photos sans avoir à vous préoccuper des limites de taille des fichiers.

1 Vous sélectionnez une photo que vous souhaitez partager.

2 Activez la barre latérale droite des commandes système en balayant l'écran à partir du bord droit. Appuyez sur **Partager**.

Figure 12.5 : Le contrat Partager

3 Sélectionnez l'application qui va permettre le partage. Ici, il s'agit de l'application **Courrier**.

4 Renseignez les différents champs d'envoi du message et appuyez sur le bouton **Envoi**.

Figure 12.6 : Envoi du message avec la photo en pièce jointe

Avec les années, nous avons tous importé, partagé et enregistré des photos sur des myriades de cartes SD, de disques durs et de services Internet. Il est rare que nous les récupérions pour revivre ces souvenirs, parce qu'elles sont éparpillées dans tellement d'endroits que c'est devenu trop lourd. L'application **Photos** vous permet de voir la dernière photo que vous avez prise avec votre Smartphone ou la toute première photo que vous avez prise avec votre tout premier appareil photo numérique. Nous avons pris beaucoup de photos et tourné beaucoup de vidéos dans nos vies, et ce n'est pas fini. Non seulement l'application **Photos** vous permet de revivre vos souvenirs, mais elle les place à portée de votre main. Et cela parce que vous pourriez tout stocker dans SkyDrive, par exemple.

12.2. Utiliser Galerie de photos

Galerie de photos est le logiciel de récupération, de classement et de traitement des images, photos et vidéos inclus dans Windows Essentials. Vous devez donc télécharger et installer Windows Essentials pour profiter du composant **Galerie de photos**.

Galerie de photos permet d'organiser simplement et efficacement tous les fichiers de type images et vidéos stockés sur l'ordinateur. Et l'on sait maintenant combien la masse de photos et d'images devient importante avec la démocratisation des appareils photo numériques.

Avec **Galerie de photos**, vous pouvez, en un point unique, importer vos photos de votre appareil photo numérique, importer vos images de votre scanner ou importer vos vidéos de votre Caméscope.

Galerie de photos est plus adapté à un usage clavier et souris que tout tactile. Utilisez **Galerie de photos** ou **Photos** à bon escient, selon vos meilleures habitudes.

Coup d'œil à Galerie de photos

Une fois l'installation par Windows Essentials terminée, lancez l'outil afin de vous familiariser avec son look :

1 Cliquez sur la tuile **Galerie photos** sur l'interface Windows 8.

2 Le Bureau s'ouvre, ainsi que l'application.

Figure 12.7 : Galerie de photos

Si vous le souhaitez, vous pouvez épingler l'application dans la barre des tâches de Windows 8.

Premier aperçu de l'outil : vous y trouvez les images par défaut de Windows 8 et vos photos. En passant le curseur de la souris sur une photo, celle-ci s'agrandit aussitôt.

Figure 12.8 : Agrandissement automatique avec Galerie de photos

La Galerie de photos affiche automatiquement les images et vidéos stockées dans le dossier *Images* de votre ordinateur. Vous pouvez modifier à tout moment le contenu de la Galerie de photos en ajoutant et en supprimant des dossiers, ce qui est très pratique si vous stockez certaines de vos images et vidéos ailleurs que dans le dossier *Images* de votre ordinateur. Vous pouvez également ajouter des images et des vidéos individuelles à la Galerie de photos sans ajouter un dossier entier.

Ajouter un dossier à la galerie

Lorsque vous ajoutez un dossier à la Galerie de photos, toutes les images et vidéos qu'il contient s'affichent dans la Galerie. Vous ne pouvez ajouter qu'un dossier à la fois à la Galerie de photos. Vous devrez donc répéter cette procédure pour chaque dossier à ajouter.

1 Ouvrez la **Galerie de photos**.

2 Dans le menu **Fichier**, cliquez sur **Inclure le dossier**.

3 Cliquez sur le dossier contenant les images et les vidéos à ajouter puis cliquez sur OK.

Figure 12.9 : Ajout d'un dossier à la Galerie

Vous devez éviter d'ajouter certains dossiers à la Galerie de photos. Le dossier *Disque local*, par exemple, est appelé dossier racine car il représente l'ensemble du disque dur. L'ajout de ce dossier à la Galerie de photos ralentit considérablement son exécution. Vous devez éviter d'ajouter le dossier Windows et autres emplacements système à la Galerie de photos pour des raisons similaires.

Ajouter des images à la galerie

Vous pouvez également ajouter des images et des vidéos individuelles à la Galerie de photos sans inclure automatiquement tous les autres fichiers stockés dans le même dossier. Pour cela :

1 Ouvrez le dossier contenant l'image ou la vidéo à ajouter à la Galerie de photos.

2 Ouvrez la **Galerie de photos**.

3 Faites glisser l'image ou la vidéo du dossier vers la fenêtre de la Galerie de photos.

L'image ou la vidéo est copiée dans votre dossier *Images* et ajoutée automatiquement à la Galerie de photos.

Seules des images et des vidéos peuvent être ajoutées à la Galerie de photos. Si vous essayez d'ajouter d'autres types de fichiers, ils seront copiés dans le dossier *Images*, mais n'apparaîtront pas dans la Galerie de photos. Sachez que seules les images portant l'extension de nom de fichier *.jpeg* apparaîtront dans la Galerie de photos. Les images portant d'autres extensions, comme *.bmp* et *.gif*, n'apparaîtront pas.

Supprimer un dossier de la Galerie

Lorsque vous supprimez un dossier de la Galerie de photos, vous ne les supprimez pas de l'ordinateur. Si vous supprimez un dossier, la Galerie de photos n'affiche plus les images et les vidéos qui se trouvaient dans ce dossier, mais le dossier reste sur l'ordinateur.

Vous pouvez supprimer à tout moment des dossiers qui ont été ajoutés à la Galerie de photos, mais vous ne pouvez pas supprimer les dossiers situés par défaut dans la Galerie de photos. Un dossier supprimé n'apparaît plus dans la Galerie de photos.

Vous pouvez supprimer des dossiers de la Galerie de photos, mais vous ne pouvez pas supprimer des images ou des vidéos individuelles. Vous pouvez néanmoins supprimer à tout moment des images de la Galerie de photos. Si vous supprimez une image, elle est éliminée de l'ordinateur, comme si vous la supprimiez du dossier *Images*.

Procédez ainsi :

1 Ouvrez la **Galerie de photos**.

2 Dans le volet de navigation, cliquez du bouton droit sur le dossier à supprimer puis cliquez sur **Supprimer** (voir fig. 12.10).

La Galerie de photos constitue un autre moyen d'afficher et d'organiser vos images et vos vidéos. Elle affiche les images et les vidéos que vous avez stockées dans le dossier *Images* et d'autres dossiers de votre ordinateur. Elle ne remplace pas les dossiers de votre ordinateur. Par conséquent, vous ne devez pas supprimer les images de la Galerie de photos ou du dossier *Images*, sauf si vous souhaitez réellement les supprimer de votre ordinateur. Si vous le faites, elles seront éliminées de votre ordinateur et n'apparaîtront plus dans le dossier *Images* ni dans la Galerie de photos.

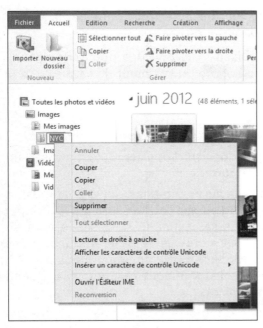

Figure 12.10 : Suppression d'un dossier

Importer ses photos

Galerie de photos vous sert de logiciel de support pour importer les photos de votre appareil numérique, sans avoir besoin d'installer un logiciel spécifique.

La plupart des appareils photo numériques stockent les images sur une carte mémoire flash, telle qu'une carte Secure Digital (SD). Lorsque la carte mémoire est pleine, vous devez importer les images sur l'ordinateur. Vous pouvez ensuite effacer la carte mémoire pour y stocker de nouvelles images.

Deux méthodes principales permettent d'importer des images :

- Connecter directement l'appareil photo. Vous pouvez importer des images en connectant l'appareil photo directement à l'ordinateur à l'aide d'un câble USB. Avec cette méthode, votre appareil photo doit être allumé, si bien que l'importation d'images consommera de l'énergie fournie par la batterie. Si vous importez régulièrement des images, pensez à garder le câble à portée de main.

- Utiliser un lecteur de carte mémoire. La méthode la plus rapide pour importer des images consiste à utiliser un lecteur de carte mémoire que vous devez acheter séparément ou qui est peut-être directement intégré dans votre ordinateur (renseignez-vous auprès de votre revendeur). Retirez la carte mémoire de l'appareil photo, insérez-la dans le lecteur de cartes puis branchez le lecteur de cartes sur le port USB de votre ordinateur.

Quelle que soit la méthode utilisée, Windows doit pouvoir reconnaî-tre automatiquement l'appareil photo ou le lecteur de cartes lorsque vous le branchez.

Procédez comme suit :

1 Connectez votre appareil photo numérique à votre ordinateur.

2 Dans la **Galerie de photos**, cliquez sur **Importer**. Sélectionnez l'appareil photo et cliquez sur **Importer**.

3 Une fois que Windows a détecté vos images, vous êtes invité à créer un mot-clé (un mot ou une phrase courte décrivant le groupe) pour les images importées. Le cas échéant, saisissez le nom du mot-clé dans la zone *Ajouter des mots clés*. Si les images importées n'ont aucun point en commun, ignorez cette étape. Vous pourrez plus tard ajouter des mots-clés aux images individuelles. Quand vous êtes prêt, cliquez sur **Suivant**.

4 Lorsque Windows commence l'importation des images, activez la case à cocher *Effacer après l'importation* si vous souhaitez que les images soient supprimées de la carte mémoire à la fin de l'impor-tation. Cela libère de l'espace sur votre carte et vous permet de prendre de nouvelles photos.

5 Une fois les images importées, elles s'affichent dans la Galerie de photos.

Utilisez la Galerie de photos pour visualiser les nouvelles photos importées.

Faire pivoter une image

Les images verticales peuvent s'afficher de côté dans la Galerie de photos. Pour faire pivoter ces images dans le bon sens, cliquez sur le bouton **Faire pivoter vers la gauche** ou **Faire pivoter vers la droite** (voir fig. 12.11).

Afficher un diaporama des images

Vous pouvez afficher vos images numériques sous forme de diapo-rama plein écran, qui s'exécutera automatiquement. Vous avez le choix parmi une grande variété de thèmes de diaporama incluant des animations et autres effets visuels. Certains thèmes affichent plu-sieurs images sur l'écran simultanément.

Figure 12.11 : Faire pivoter vers la droite

Pour lancer un diaporama, procédez comme suit :

1 Sélectionnez les images souhaitées.

2 Cliquez sur le bouton **Diaporama** dans l'onglet **Accueil** de la Galerie de photos. Si vous ne sélectionnez aucune image, le diaporama inclura toutes les images de l'affichage en cours.

Figure 12.12 : Lancement du diaporama

Lorsqu'un diaporama est en cours d'exécution, des commandes vous permettent de l'interrompre, de régler sa vitesse, d'aller en avant ou en arrière et d'afficher les images de façon aléatoire ou dans l'ordre. Pour afficher ces contrôles, cliquez du bouton droit sur le diaporama pour afficher un menu.

En cliquant sur la flèche en dessous du bouton **Diaporama**, vous pouvez sélectionner des effets d'enchaînement pour votre diaporama.

Pour arrêter un diaporama, cliquez sur **Quitter** sur les commandes du diaporama ou appuyez sur la touche (Échap) du clavier.

Retoucher ses photos

Vous pouvez maintenant éditer vos photos pour les retoucher. Pour cela, sélectionnez une photo et allez sur l'onglet **Edition** puis ajustez les paramètres désirés, comme la retouche des yeux rouges, la couleur, etc. Lorsque vous corrigez une photo, il n'y a pas de procédure d'enregistrement de la photo retouchée : elle est automatiquement enregistrée. Toutefois, les boutons **Annuler** et **Rétablir** en haut à gauche de la fenêtre vous permettent de revenir en arrière (à la photo d'origine) si les corrections ne vous semblent pas appropriées.

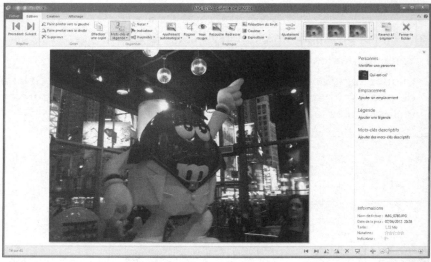

Figure 12.13 : Retouche d'images sous Galerie de photos

Vous avez déjà eu l'occasion de prendre des photos au flash, et vous avez probablement noté que les personnes avaient parfois les yeux rouges. Ce phénomène est provoqué par le reflet du flash de l'appareil photo sur la rétine du sujet photographié. Vous pouvez minimiser ce phénomène en utilisant la fonctionnalité d'atténuation des yeux rouges de votre appareil photo. Vous pouvez également utiliser la Galerie de photos pour atténuer ou supprimer les yeux rouges sur vos photos.

Pour cela :

1 Ouvrez la **Galerie de photos**.

2 Cliquez sur l'image à corriger. Dans le ruban, allez sur l'onglet **Edition**.

3 Cliquez sur **Yeux rouges**.

4 Cliquez dans l'angle supérieur gauche du premier œil rouge à corriger, puis faites glisser le pointeur de la souris vers son angle inférieur droit pour créer une sélection autour de l'œil. La correction des yeux rouges se fait automatiquement.

5 Répétez la sélection pour chaque œil à corriger.

Figure 12.14 : Sélection de l'œil

Vous pouvez atténuer davantage les yeux rouges en sélectionnant plusieurs fois l'œil à corriger.

Numériser ses images

En utilisant la Galerie de photos, vous pouvez numériser, modifier et organiser des images. Les images numérisées sont automatiquement stockées dans votre dossier *Images*, comme celles que vous pouvez importer d'un appareil photo.

Pour numériser une image en utilisant la Galerie de photos, procédez comme suit :

1 Avant de commencer, vérifiez que vous avez installé le scanner sur l'ordinateur et que le scanner est allumé. Consultez le manuel de votre matériel.

2 Ouvrez la **Galerie de photos**.

3 Cliquez sur **Importer**.

4 Dans la fenêtre **Importer des photos et des vidéos**, cliquez sur le scanner à utiliser, puis cliquez sur **Importer**.

5 Dans la boîte de dialogue **Nouvelle numérisation**, cliquez sur la liste des *Profils* puis cliquez sur **Photo**. Les paramètres par défaut pour numériser une image sont automatiquement affichés.

6 Si vous utilisez un scanner équipé d'un bac d'alimentation, cliquez sur la liste *Format du papier* puis cliquez sur la taille de l'image que vous avez placée sur le scanner ou sur la taille la plus proche de l'image.

7 Cliquez sur la liste *Format de la couleur* puis sur le format de couleur que vous souhaitez que le fichier numérisé affiche.

8 Cliquez sur la liste *Type de fichier* puis sur le type de fichier à utiliser pour enregistrer le fichier numérisé.

9 Cliquez sur la liste *Résolution (ppp)* puis sur la résolution, en points par pouce, à utiliser.

10 Réglez les paramètres de luminosité et de contraste ou saisissez les valeurs à utiliser.

11 Pour voir comment apparaîtra l'image une fois numérisée, cliquez sur **Aperçu**. Si nécessaire, modifiez vos paramètres de numérisation puis affichez de nouveau un aperçu de l'image. Recommencez cette procédure jusqu'à ce que vous soyez satisfait des résultats affichés dans l'aperçu. Avec certains scanners, il peut être nécessaire de placer l'image dans le bac d'alimentation à chaque numérisation.

12 Cliquez sur **Numériser**. Une fois la numérisation terminée, la Galerie de photos vous invite à baliser l'image afin de la retrouver et l'organiser plus facilement.

Organiser ses images

Vous pouvez créer une copie d'une image avant de la modifier dans la Galerie de photos. Vous pourrez ainsi créer deux versions différentes d'une image ou modifier une version sans toucher à la copie d'origine.

Procédez ainsi :

1 Ouvrez la **Galerie de photos**.

2 Double-cliquez sur l'image ou la vidéo à copier.

3 Dans l'onglet **Edition**, cliquez sur **Effectuer une copie**.

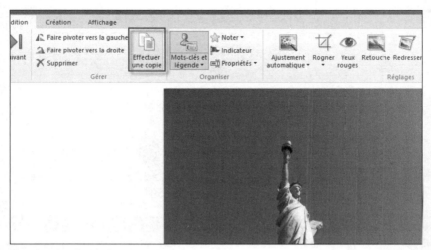

Figure 12.15 : Copie d'images

4 Choisissez un emplacement d'enregistrement de la copie et tapez un nouveau nom pour l'image ou cliquez sur **Enregistrer**.

Si vous enregistrez l'image dans un dossier inclus dans la Galerie de photos, la copie et l'original apparaîtront dans la Galerie de photos. Le nouveau fichier comportera la même date de prise de vue et la même balise que l'original.

Si vous avez peur de perdre la version originale de l'image en la modifiant, n'oubliez pas que vous pouvez toujours annuler vos modifications. Vous n'avez pas nécessairement besoin de dupliquer une image avant de la modifier, sauf si vous souhaitez à la fois une version originale et une version modifiée. Si les modifications apportées à une image dans la Galerie de photos ne vous satisfont pas, il vous suffit d'ouvrir le volet de correction à tout moment, de cliquer sur **Annuler** puis de cliquer sur **Revenir à l'original**. Toutes les modifications que vous avez apportées seront ignorées et l'image retrouvera son format d'origine.

Vous pouvez classer intelligemment toutes ces photos à l'aide des méthodes de classement proposées : soit en leur affectant une note grâce à des niveaux d'étoiles, soit en créant des catégories (des mots-clés), soit en les classant plus simplement dans des répertoires (voir fig. 12.16).

Vous pouvez envoyer vos photos très simplement par e-mail en sélectionnant votre photo et en cliquant sur l'onglet **Création**, puis **Message photo** et enfin **Envoyer des photos en pièces jointes**. Une fenêtre s'affiche vous permettant de compresser l'image.

Figure 12.16 : Toutes les photos classées 5 étoiles dans Galerie de photos

Figure 12.17 : Envoi de photo par e-mail

Pour terminer, vous pouvez archiver vos images en créant des DVD de style diaporama ou les graver en tant que données ou les exporter vers **Movie Maker** pour en faire des films, le tout en cliquant sur l'onglet **Création**.

12.3. En bref

La gestion des photos se fait de façon efficace et adaptée à nos mœurs sous Windows 8 avec l'application native **Photos**. Adaptée au tactile (mais aussi au tandem clavier-souris), elle unifie la gestion des photos, qu'elles soient locales, sur SkyDrive, Facebook, Flickr ou autre.

Galerie de photos, qui est un composant de Windows Essentials plus adapté au tandem clavier-souris, permet, entre autres, la retouche de photos.

UTILISER INTERNET SUR PC ET TABLETTE

Lorsque l'on parle de l'arrivée d'un nouveau système d'exploitation Microsoft, on parle forcément d'une nouvelle version d'Internet Explorer. Windows 8 ne manque pas à cette règle avec l'arrivée d'Internet Explorer 10.

Internet Explorer est proposé dans la nouvelle interface utilisateur (celui qui était nommé avant la sortie de Windows 8 comme étant le mode Metro) et dans le mode classique par le biais du Bureau.

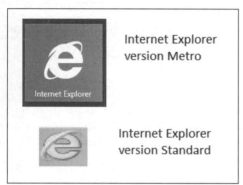

Internet Explorer version Metro

Internet Explorer version Standard

Figure 13.1 : Icônes d'Internet Explorer 10

Dans sa version pour la nouvelle interface utilisateur, Internet Explorer 10 consacre l'intégralité de votre écran à vos sites web, de sorte que votre navigation Internet occupe totalement l'espace d'affichage.

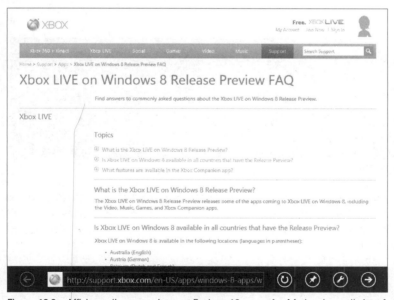

Figure 13.2 : Affichage d'une page Internet Explorer 10 en version Modern (nouvelle interface utilisateur anciennement nommée Metro)

13.1. Maîtriser Internet Explorer 10 avec la nouvelle interface utilisateur

Avec Internet Explorer 10 pour la nouvelle interface utilisateur, c'est l'ensemble de nos habitudes et langages qui changent. En effet, des petits nouveaux font leur apparition comme les vignettes, l'épinglage, l'ancrage, etc. Pour nos usages, le clavier se substitue à la gestuelle et nous donne parfois l'impression de feuilleter un livre.

En bref, quelques remises en question qui nécessitent de faire un peu le tour du propriétaire pour mieux le maîtriser.

Utiliser les vignettes

Les vignettes de navigation sont conçues pour vous aider à rechercher des sites et à y accéder immédiatement à l'aide de l'icône et de la couleur du site, tout en limitant la saisie au strict minimum.

Vous pouvez accéder rapidement à vos favoris en saisissant les premières lettres du nom. Toujours dans un souci d'optimisation de l'usage d'Internet Explorer 10, les vignettes sont classées en parties :

- Fréquent ;
- Épinglé.

Figure 13.3 : Classement des vignettes dans les parties Fréquent et Épinglé

Lorsque vous saisissez des caractères dans la barre d'adresses, les vignettes de navigation sont filtrées pour afficher les sites figurant dans votre historique ou dans vos favoris, et même les URL fréquemment consultées.

Figure 13.4 : Affichage par filtre depuis la saisie de la barre d'adresse

Mobilité de votre profil utilisateur

Avec les comptes connectés et itinérants de Windows 8, votre historique de navigation et vos favoris voyagent avec vous. Vous pouvez ainsi accéder facilement aux pages web que vous avez récemment consultées sur tous vos PC.

Utiliser la barre de navigation

La barre de navigation d'Internet Explorer 10 devient flottante. Elle apparaît uniquement lorsque vous en avez besoin, pour laisser la place aux sites web. La barre de navigation regroupe des commandes faciles à utiliser (tactile ou clavier/souris) pour les opérations fréquentes : **Précédent**, **Suivant**, **Arrêter/Actualiser**, épinglage des sites sur l'écran d'accueil, accès à une application, etc.

Figure 13.5 : Barre de navigation Internet Explorer 10

La barre d'adresses présente des badges et des couleurs pour les sites sécurisés, SmartScreen et la navigation *InPrivate*. Elle prend également en charge la saisie semi-automatique, ainsi que la recherche sur le Web, adoptant ainsi le comportement d'Internet Explorer 10 sur le Bureau.

Aussi, vous pouvez utiliser la commande **Coller et atteindre** pour accélérer l'accès aux URL copiées ou aux termes de recherche présents dans le presse-papiers.

Figure 13.6 : Commande Coller et atteindre

La zone d'adresse affiche un indicateur de progression lors du char-gement de la page. Elle inclut par ailleurs des indicateurs relatifs à la compatibilité des sites et à la protection contre le tracking. La barre de navigation comprend une commande **Rechercher** dans la page et une commande **Afficher** sur le Bureau. Cette dernière peut se révéler utile pour les sites qui nécessitent des technologies de plug-in d'ancienne génération ou lorsque vous utilisez des applications de bureau et que vous souhaitez continuer à les utiliser dans le cadre de vos processus existants.

Maîtriser la navigation tactile

La navigation de style Modern (du nom de la nouvelle interface utilisateur) d'Internet Explorer 10 offre une nouvelle façon de parcou-rir des contenus répartis sur plusieurs pages ou en séquence. L'avance rapide vous permet de naviguer sur vos sites favoris comme si vous lisiez un magazine : au lieu de cliquer sur les liens, il est possible d'effectuer un mouvement de balayage plus naturel sur votre tablette, comme si vous tourniez une page.

Désormais, vous pouvez feuilleter les différentes pages, parcourir des listes de produits, et consulter rapidement les dernières actualités, le tout à l'aide d'un simple mouvement de balayage, sans avoir à rechercher le lien *Suivant* sur la page.

Une fois la fonctionnalité *Avance rapide* activée, vous pouvez effec-tuer un mouvement de balayage pour parcourir les contenus répartis sur plusieurs pages appartenant à un même article, un même billet ou un même fil de discussion.

Pour activer la fonction *Avance rapide*, procédez comme suit :

1 Effectuez un geste vers le bord droit de l'écran pour faire apparaître la barre latérale droite.

2 Dans la barre latérale, sélectionnez **Paramètres**.

Figure 13.7 : Barre latérale droite

3 Dans la section **Paramètres**, sélectionnez **Option Internet**.

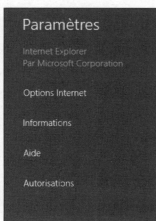

Figure 13.8 : Fenêtre dynamique de paramètres

4 Dans la fenêtre **Paramètres d'Internet Explorer**, déplacez-vous jusqu'à la section **Activer l'avance rapide** puis sélectionnez **Activer**.

Figure 13.9 : Activation du paramètre Avance rapide

Lorsque vous parcourez des contenus organisés en séquence (blogs, sites d'actualité, etc.) et chaque fois que vous avez atteint la fin d'un contenu réparti sur plusieurs pages, la fonctionnalité d'avance rapide suggère un autre article, billet ou fil de discussion pertinent pour poursuivre la navigation. La fonction d'avance rapide doit être activée par l'utilisateur.

Naviguer sur plusieurs pages avec les onglets

Aujourd'hui, naviguer sur plusieurs pages web est l'essence même de tout bon navigateur Internet.

L'outil de basculement entre les onglets du style de la nouvelle interface utilisateur apparaît lorsque vous faites glisser votre doigt vers l'intérieur de l'écran à partir du haut ou du bas.

Figure 13.10 : Onglets de navigation d'Internet Explorer 10

Les onglets disposent d'un bouton pratique de fermeture et d'un bouton permettant de créer un onglet ou un nouvel onglet InPrivate. Internet Explorer 10 affiche les dix derniers onglets que vous avez utilisés, ce qui facilite la gestion de vos onglets.

Utiliser le clavier tactile

Internet Explorer 10 fonctionne parfaitement avec les claviers physiques comme avec le clavier tactile de Windows 8, qu'il ajuste automatiquement pour faciliter vos opérations. Par exemple, lorsque vous portez votre attention sur la barre d'adresses, les touches [/] et [.com] deviennent accessibles pour que vous puissiez saisir rapidement les URL.

Internet Explorer 10 utilise les menus volants de style Metro de Windows 8 lorsqu'une intervention plus importante est requise. Les barres de notification se ferment automatiquement lorsque cela est approprié.

Les notifications

Internet Explorer 10 Metro adopte une approche nette et surtout sans aucune interférence face aux notifications. Toutes les alertes et invites utilisateur apparaissent sur une barre de notification au bas de l'écran. Internet Explorer 10 Metro utilise les menus volants de style Metro de Windows 8 lorsqu'une intervention plus importante est requise.

L'épinglage

Grâce à l'épinglage de sites, vous pouvez personnaliser l'écran d'accueil de Windows en y intégrant les sites que vous utilisez en permanence. Vous pouvez épingler n'importe quel site web sur l'écran d'accueil à partir d'Internet Explorer 10 Metro, ce qui vous permet d'accéder à partir d'un seul endroit à tout ce qui vous intéresse ou ce dont vous avez besoin.

Figure 13.11 : Écran d'accueil Metro avec différents sites épinglés

Pour épingler une vignette, procédez comme suit :

1 Dans la page d'accueil Metro de votre tablette, sélectionnez l'icône d'Internet Explorer 10 Metro.

2 Saisissez l'adresse de votre page Internet.

3 Cliquez sur l'icône en forme d'épingle.

Figure 13.12 : Icône Épingler

4 Une fenêtre s'ouvre ; saisissez le nom que vous souhaitez donner à votre page ou tout simplement gardez le nom par défaut puis cliquez sur **Épingler** à l'écran d'accueil.

Figure 13.13 : Épingler votre page

5 Retournez à la page d'accueil Metro de votre tablette et vérifiez la présence du raccourci de votre page Internet.

Figure 13.14 : Raccourci épinglé sur la page d'accueil

Les vignettes des sites épinglés reflètent la couleur et l'icône des sites. Internet Explorer 10 Metro permet aux sites de fournir des notifications d'arrière-plan pour les nouveaux messages et l'activité d'autres comptes sur le site web.

REMARQUE

Organisation des vignettes

Les vignettes des sites vous permettent d'accéder directement à vos sites depuis l'écran d'accueil de Windows 8. Elles peuvent être regroupées en une même famille dans la page d'accueil en les sélectionnant et en les faisant glisser les unes à côté des autres.

13.2. Fonctionner avec la barre latérale droite

Nous l'avons vu dans les deux précédents chapitres, la barre latérale droite est la pierre angulaire de votre tablette, car cette barre a vocation à remplacer le menu **Démarrer** en apportant un élément majeur de substitution. La partie supérieure est dynamique à votre contexte. Lorsque vous vous trouvez dans le Bureau classique, elle vous proposera d'accéder au Panneau de configuration. Lorsque vous vous trouvez sur Internet, il en va de même.

ASTUCE

Raccourci

Les icônes apparaissent lorsque vous faites glisser votre doigt à partir du bord droit de l'écran, lorsque vous utilisez le raccourci [Windows]+[C].

Figure 13.15 : Barre latérale droite dans le navigateur Internet Explorer 10 Metro

Rechercher

Pour l'icône **Rechercher**, Internet Explorer 10 Metro utilise le moteur de recherche par défaut, que vous pouvez définir selon vos préférences. Après l'initialisation d'une recherche dans le menu volant des icônes, les résultats de la recherche s'affichent au fur et à mesure que vous tapez, incluant la même image et les mêmes résultats instantanés que ceux que vous voyez dans Internet Explorer 10 sur le Bureau, si votre moteur de recherche les prend en charge.

Figure 13.16 : Fonction Rechercher depuis l'icône Rechercher de la barre latérale

Partager

Grâce à l'icône **Partager**, vous pouvez accéder à toutes les applications prenant en charge le partage comme le courrier. Vous pouvez ainsi envoyer un lien d'aperçu enrichi d'une image, d'une description et d'un hyperlien.

Figure 13.17 : Fonction Partager depuis l'icône Partager de la barre latérale

Périphériques

L'icône **Périphériques** permet d'imprimer, de projeter et de lire facilement des fichiers de façon cohérente sur des périphériques externes. Vous pouvez par exemple lancer une impression à partir de n'importe quelle page web dans Internet Explorer 10 Metro en appuyant ou en cliquant simplement sur l'icône **Périphériques**, puis en sélectionnant une imprimante.

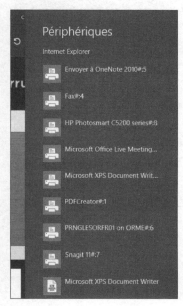

Figure 13.18 : Fonction Périphériques depuis l'icône Périphériques de la barre latérale

Paramètres

L'icône **Paramètres** permet d'accéder rapidement aux paramètres de configuration les plus fréquemment utilisés pour Internet Explorer 10 Metro. Vous pouvez vite effacer l'historique de navigation, contrôler l'accès aux emplacements et bien plus. L'utilisateur peu expérimenté bénéficie d'une interaction simplifiée avec les paramètres Internet Explorer, tandis que les utilisateurs avancés peuvent toujours accéder facilement à des commandes sophistiquées *via* les paramètres de la version d'Internet Explorer 10 pour le Bureau.

Ainsi se termine ce tour du propriétaire d'Internet Explorer 10 Metro.

13.3. Basculer vers la version Bureau d'Internet Explorer 10

Nous l'avons vu en fin de chapitre des paramètres, les utilisateurs avancés peuvent toujours accéder facilement à des commandes sophistiquées *via* les paramètres de la version d'Internet Explorer 10 pour le Bureau. En effet, c'est toujours à partir de cet emplacement que l'on utilise les paramétrages de connexion réseau comme les paramètres Proxy.

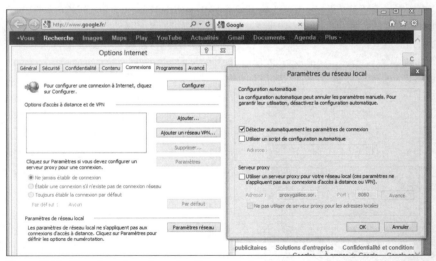

Figure 13.19 : Paramètres de configuration d'Internet Explorer 10 Bureau

Aussi, il n'y a pas toujours besoin d'être un utilisateur avancé pour utiliser Internet Explorer Bureau ; il nous suffit de prendre l'exemple de l'utilisation de votre tablette en mode PC avec un clavier et une souris physique. Il sera plus simple d'utiliser Internet Explorer 10 Bureau plutôt que de basculer d'un mode à un autre.

13.4. Utiliser les onglets

Cette fonctionnalité vous permet d'ouvrir plusieurs sites web dans une seule fenêtre du navigateur. Si plusieurs onglets sont ouverts, utilisez la fonction **Onglets rapides** pour passer facilement à d'autres onglets.

Pour ouvrir une fenêtre Internet :

1 Depuis le Bureau, cliquez sur le bouton **Internet Explorer**.

2 Cliquez sur la commande **Nouvel onglet** ou utilisez [Ctrl]+[T].

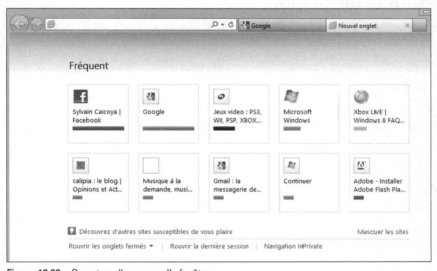

Figure 13.20 : Ouverture d'une nouvelle fenêtre

Internet Explorer 10 Bureau et Metro

Lorsque l'on ouvre une nouvelle fenêtre depuis Internet Bureau, nous pouvons voir que l'ensemble de la navigation réalisée par Internet Explorer Metro est conservé et renseigné en matière d'utilisation de pages.

3 Pour fermer une fenêtre Internet, cliquez sur l'onglet ou utilisez [Ctrl]+[W].

4 Pour parcourir en mode Liste les différents sites Internet que vous avez ouverts, vous pouvez utiliser les *Onglets rapides*.

5 Si vous souhaitez visualiser l'ensemble des sites que vous avez ouverts, sélectionnez l'aperçu en mosaïque en cliquant sur [Ctrl]+[Q].

💡 **ASTUCE**

Accéder au menu classique

Si vous souhaitez utiliser le menu classique d'Internet Explorer, comme dans sa version précédente, placez-vous sur la fenêtre d'Internet Explorer et appuyez sur la touche [Alt].

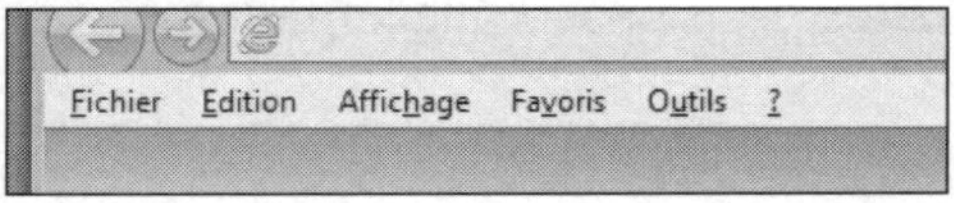

Fichier   Édition   Affichage   Favoris   Outils   ?

Figure 13.21 : Menu classique

Désactiver les onglets

Même si les onglets constituent un atout dans le confort d'utilisation d'Internet Explorer, ils ne sont pas du goût de tout le monde. C'est pourquoi vous avez la possibilité de les désactiver :

1 Cliquez sur le bouton **Internet Explorer**.

2 Cliquez sur le bouton **Outils**, puis sur **Options Internet**.

3 Cliquez sur l'onglet **Général**. Dans la section *Onglets*, cliquez sur **Paramètres**.

4 Désactivez la case à cocher *Activer la navigation avec onglets*.

Figure 13.22 : Les paramètres des onglets de navigation

5 Cliquez deux fois sur OK.

6 Fermez Internet Explorer puis rouvrez-le.

13.5. Gérer les Favoris

Les *Favoris* sont un moyen pratique de capitaliser vos visites sur Internet. Internet Explorer vous permet d'enregistrer vos sites Favoris, vous n'avez plus ainsi à taper leur adresse ; surtout quand on sait qu'il est rare aujourd'hui de ne consulter qu'une page. Prenons comme exemple une personne qui consulte très régulièrement les sites consacrés à la Bourse, à l'actualité générale ou spécialisée comme l'informatique. Vous l'avez compris, saisir toutes ces adresses devient vite mission impossible. La solution consiste à ajouter un Favori quand on sait que l'on va consulter la page à plusieurs reprises, à utiliser les Favoris pour ouvrir ses pages et à organiser ses *Favoris* pour ne pas s'y perdre.

Ajouter des Favoris

Dans cet exemple, vous allez ajouter les sites favoris liés à l'informatique, à la Bourse et à l'actualité.

1 Saisissez l'adresse suivante : `http://www.ma-editions.com`.

2 Ajoutez cette adresse dans les Favoris à l'aide de Ctrl+D ou en cliquant sur l'icône **Favoris** puis sur **Ajouter aux favoris**.

Figure 13.23 : Ajouter une adresse Internet aux Favoris

3 Répétez cette opération avec les adresses suivantes :

- http://www.google.fr/ ;
- http://technet.microsoft.com/ ;
- http://www.lemonde.fr/ ;
- http://www.clubic.com/ ;
- http://www.lequipe.fr/ ;
- http://www.radiofrance.fr/ ;
- http://www.allociné.fr/.

Vous voici à présent avec sept sites Internet en tant que Favoris ; il est facile d'imaginer que la liste va s'allonger davantage.

Consulter les Favoris

L'intérêt d'archiver les Favoris est que vous pouvez consulter les sites en très peu de temps sans saisir les adresses et risquer de commettre des erreurs ou tout simplement oublier le nom exact du site. Pour consulter vos Favoris, cliquez sur l'étoile d'Internet Explorer ou sur [Alt]+[C].

Organiser les Favoris

Puisque les Favoris apportent beaucoup de souplesse dans l'utilisation d'Internet, il devient important de les organiser. Imaginez une dizaine de centres d'intérêt avec pour chacun une quinzaine d'adresses de sites... Pour ce faire :

1 Cliquez sur le bouton **Internet Explorer**.

2 Appuyez sur les touches [Alt]+[Z] pour ouvrir le menu des Favoris.

3 Dans le menu **Favoris**, cliquez sur **Organiser les Favoris**.

4 Dans la fenêtre **Organiser les Favoris**, cliquez sur **Nouveau dossier**.

5 Dans le nouveau dossier, tapez Actualité Informatique. Répétez l'opération et saisissez Divertissements et Actualité générale.

6 Pour commencer à organiser vos sites, sélectionnez par exemple le lien représentant le site de divertissement *AlloCiné* et cliquez sur **Déplacer**.

7 Dans la fenêtre **Recherche d'un dossier**, sélectionnez *Divertissements* et cliquez sur OK. Répétez cette action pour chacun de vos Favoris puis cliquez sur **Fermer**.

13.6. Naviguer en confiance avec le mode InPrivate

Selon les circonstances, vous ne souhaiterez pas laisser de trace de votre activité de navigation web, comme lorsque vous voudrez consulter vos e-mails depuis un cybercafé ou que vous voudrez acheter un cadeau à partir de l'ordinateur familial. La navigation *InPrivate* dans Internet Explorer 8 empêche que votre historique de navigation, vos fichiers Internet temporaires, vos données de formulaire, vos cookies, vos noms d'utilisateur et mots de passe ne soient conservés par le navigateur, ne laissant aucune preuve de votre historique de navigation ou de recherche. C'est une sorte de session personnelle privée.

Vous pouvez démarrer la navigation InPrivate en ouvrant un nouvel onglet et en sélectionnant **Ouvrir une fenêtre de navigation InPrivate** ou en cliquant sur le bouton **Sécurité** dans la barre de commandes puis sur **Navigation InPrivate.**

Une fois que vous avez terminé cette action, Internet Explorer 8 lance une nouvelle session de navigateur qui n'enregistre aucun renseignement, y compris les recherches ou les visites de page web. La session InPrivate est facile à reconnaître ; le mot *InPrivate* reste constamment affiché dans la barre d'adresses.

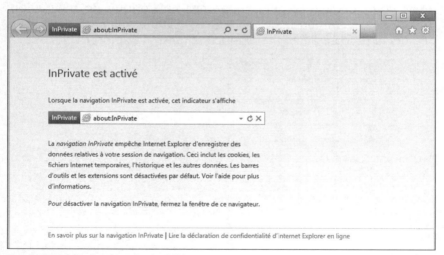

Figure 13.24 : Session de navigation InPrivate

Pour terminer votre session de navigation InPrivate, fermez la fenêtre de navigateur.

La session InPrivate contient également la fonctionnalité de filtrage InPrivate. Le filtrage InPrivate est conçu pour surveiller et bloquer uniquement les contenus tiers qui s'affichent avec une haute fréquence sur les sites que vous visitez. Aucun contenu n'est bloqué jusqu'à ce que ces niveaux ne soient détectés, ni aucun contenu n'est bloqué provenant directement du site que vous visitez. En fonction de votre activité de navigation et des sites web visités, le temps qu'il peut se passer avant que ce contenu ne soit bloqué automatiquement est variable. Cependant, à tout moment, vous pouvez personnaliser les contenus bloqués ou autorisés. Pour cela :

1 Démarrez une session de navigation InPrivate en ouvrant un nouvel onglet et en sélectionnant **Ouvrir une fenêtre de navigation InPrivate** ou en cliquant sur le bouton **Sécurité** dans la barre de commandes puis sur **Navigation InPrivate**.

2 Cliquez sur le bouton **Sécurité** de la barre de commandes.

3 Cliquez sur **Filtrage InPrivate**.

4 Choisissez votre niveau de blocage puis validez.

Modifier les paramètres généraux d'Internet Explorer

Dans les paramètres généraux d'Internet Explorer, vous pouvez modifier votre page d'accueil, supprimer l'historique de navigation, modifier les paramètres de recherche, modifier les paramètres des onglets et personnaliser l'apparence d'Internet Explorer.

Figure 13.25 : L'onglet Général des options Internet

Pour accéder à la fenêtre :

1 Cliquez sur le bouton **Internet Explorer.**

2 Cliquez sur le bouton **Outils** puis sur **Options Internet.**

Modifier les paramètres de sécurité d'Internet Explorer

La modification de paramètres de sécurité d'Internet Explorer vous permet de définir les paramètres de sécurité par défaut et personnalisés pour Internet, l'intranet et des sites web spécifiques.

1 Cliquez sur le bouton **Internet Explorer.**

2 Cliquez sur le bouton **Outils** puis sur **Options Internet.**

3 Sélectionnez l'onglet **Sécurité.**

Modifier les paramètres de confidentialité d'Internet Explorer

La modification de paramètres de confidentialité d'Internet Explorer vous permet de modifier les paramètres des cookies et du bloqueur de fenêtres publicitaires intempestives.

1 Cliquez sur le bouton **Internet Explorer.**

2 Cliquez sur le bouton **Outils** puis sur **Options Internet.**

3 Sélectionnez l'onglet **Confidentialité.**

Modifier les paramètres de contenu d'Internet Explorer

La modification de paramètres de contenu d'Internet Explorer vous permet d'activer le gestionnaire d'accès ou de modifier ses paramètres, d'afficher et de gérer les certificats de sécurité, de modifier les paramètres de saisie semi-automatique ou les paramètres des flux (RSS).

Vous pouvez créer une connexion Internet, ajouter ou modifier les paramètres d'accès à distance et du réseau privé virtuel (VPN) et modifier les paramètres du réseau local.

1 Cliquez sur le bouton **Internet Explorer.**

2 Cliquez sur le bouton **Outils** puis sur **Options Internet.**

3 Sélectionnez l'onglet **Contenu.**

Modifier les paramètres des programmes d'Internet Explorer

Les paramètres des programmes d'Internet Explorer vous permettent de modifier votre navigateur web par défaut, votre programme de messagerie électronique, votre éditeur HTML, votre lecteur de groupes de discussion ou votre téléphone Internet, et de gérer les modules complémentaires du navigateur web.

1 Cliquez sur le bouton **Internet Explorer**.

2 Cliquez sur le bouton **Outils** puis sur **Options Internet**.

3 Sélectionnez l'onglet **Programmes**.

Modifier les paramètres avancés d'Internet Explorer

Les paramètres avancés d'Internet Explorer vous permettent de modifier les paramètres avancés d'accessibilité, de navigation, de gestion de protocole HTTP, le nom des domaines internationaux, l'utilisation de la machine virtuelle Java, le multimédia, l'impression, la recherche et la sécurité. Vous pouvez aussi rétablir les paramètres par défaut d'Internet Explorer.

1 Cliquez sur le bouton **Internet Explorer**.

2 Cliquez sur le bouton **Outils** puis sur **Options Internet**.

3 Sélectionnez l'onglet **Avancés**.

13.7. Comprendre l'hameçonnage

Internet Explorer 8 vous prévient de façon proactive et vous aide à vous protéger contre des sites potentiellement frauduleux ou connus comme tels. Il vous aide à les bloquer si nécessaire. Ce filtre, appelé filtre SmartScreen, est mis à jour plusieurs fois par heure avec les dernières informations sur la sécurité de Microsoft et de plusieurs partenaires.

L'hameçonnage est une technique utilisée par des fraudeurs pour obtenir vos renseignements personnels dans le but de perpétrer une usurpation d'identité. La technique consiste à se faire passer pour un tiers de confiance, votre banque, par exemple, afin de vous soutirer des renseignements personnels : mot de passe, numéro de carte de crédit, date de naissance, etc. L'hameçonnage peut se faire par courrier électronique, par des sites web falsifiés ou autres moyens électroniques. Les conséquences sont terribles, comme des débits importants sur votre compte en banque.

Voici comment utiliser le filtre contre l'hameçonnage :

1 Cliquez sur le bouton **Internet Explorer**.

2 Dans Internet Explorer, tapez l'URL `http://207.68.169.170/wcod grovebank/index.html.html` et **appuyez sur** ⏎ **pour accéder au site web**.

La barre d'adresses est devenue orange. Vous pouvez noter la présence d'un bouclier assorti d'un point d'exclamation. Internet Explorer vous informe que le site web est suspect.

3 Dans Internet Explorer, tapez l'URL `http://207.68.169.170/contoso/ enroll_auth.html` **puis appuyez sur** ⏎ **pour accéder au site web**.

Internet Explorer vous informe que le site web est un hameçonnage. La barre d'adresses est devenue rouge.

⚠️ **ATTENTION**

Lutter contre l'hameçonnage

Malgré les améliorations apportées par Internet Explorer 8 en matière de lutte contre l'hameçonnage, dites-vous toujours que la technique n'est pas infaillible, ni l'homme, d'ailleurs, mais que malgré tout un bon conseil vaut mieux qu'une fonctionnalité technique. Dans le cadre de la lutte contre l'hameçonnage, jamais un tiers de confiance, comme une banque, un organisme, un opérateur Internet ou de téléphonie, etc. ne vous demandera de communiquer vos renseignements personnels via le Web ; donc, si vous recevez un e-mail de ce style, n'y répondez pas.

13.8. Modifier le niveau de sécurité d'Internet Explorer

Pour effectuer ce test, vous allez diminuer volontairement la sécurité d'Internet Explorer, ce qui n'est pas recommandé, bien sûr :

1 Cliquez sur le bouton **Internet Explorer**.

2 Cliquez sur **Outils** puis sur **Options Internet**.

3 Dans la fenêtre **Options Internet**, sélectionnez l'onglet **Sécurité**.

4 Dans la fenêtre **Niveau de sécurité de cette zone**, baissez le niveau sur *Moyenne*.

5 Cliquez sur OK.

6 Double-cliquez sur l'icône en forme de drapeau blanc dans la zone de notification de la barre des tâches.

Le Centre de maintenance Windows 7 s'ouvre. Remarquez la catégorie *Sécurité* : un message apparaît à cause du changement des paramètres de sécurité d'Internet Explorer.

7 Fermez la fenêtre du Centre de maintenance.

Internet Explorer 8 et Windows 7 vous alertent afin de vous garantir le meilleur niveau de sécurité lorsque vous surfez sur Internet.

13.9. Supprimer toutes les traces d'Internet Explorer

1 Cliquez sur le bouton **Internet Explorer**.

2 Cliquez sur **Outils** puis sur **Options Internet**. Dans la partie *Historique de navigation*, cliquez sur **Supprimer**.

3 Dans la fenêtre **Supprimer l'historique de navigation**, cliquez sur **Tout supprimer**.

4 Cliquez sur OK.

Toutes les traces (fichiers temporaires, cookies, historique et mots de passe) sont ainsi effacées en une seule action.

5 Fermez Internet Explorer.

13.10. Consulter des sites sécurisés avec Internet Explorer

1 Activez le menu **Démarrer/Tous les programmes/Internet Explorer**.

2 Dans Internet Explorer, saisissez l'URL `https://www.creditmutuel.fr` et appuyez sur ⏎ pour accéder au site web.

Vous pouvez observer la présence d'un cadenas dans la barre d'adresses. Vous pouvez alors profiter du Web en toute sécurité.

13.11. En bref

Auparavant, vous deviez faire un choix : naviguer sur le Web mobile avec un petit écran prenant correctement en charge le tactile ou naviguer sur l'ensemble du Web avec un grand écran, au clavier et à la souris. La navigation web de style Metro proposée par Internet Explorer 10 est une navigation sans compromis. Vous pouvez naviguer, toucher, réaliser plusieurs tâches, imprimer et partager en bénéficiant de toute la puissance de Windows 8 et de votre PC.

FAIRE INTERAGIR WINDOWS 8 AVEC VOTRE XBOX

Un peu de détente maintenant avec un chapitre dédié aux jeux et au divertissement mais en particulier aux capacités d'interconnexion et d'intégration de Windows 8 avec la Xbox 360 et le Xbox Live.

Dans un monde vidéo ludique de plus en plus connecté, et avec les nouveaux périphériques comme la tablette, il est logique que ces deux mondes se rapprochent. À l'avenir, de plus en plus de périphériques vont se connecter à la console de jeu et au jeu lui-même en faisant office de manette ou d'accessoire. Microsoft a décidé de poser quelques briques à cet édifice en interconnectant sa Xbox 360 à Windows 8. Pour cela, Windows 8 intègre par défaut une application appelée Xbox Live.

Encore une fois, l'intérêt de cette application tient au fait que vous utilisez votre compte Microsoft pour configurer votre accès au Xbox Live, puis ce même compte pour ouvrir une session sur Windows 8.

14.1. Prérequis

La première des choses à faire est de posséder une Xbox 360 et de créer un compte Xbox Live. Cette étape se déroule à partir de la Xbox 360. Reportez-vous à l'aide de votre console pour créer ce compte. Lors de la création du compte, le plus important est que vous renseigniez une adresse e-mail d'un compte Microsoft (`@hotmail.fr`, `@live.fr`, etc.) pour unifier votre compte Xbox Live et votre compte Microsoft.

À partir de votre console, vous personnaliserez votre compte Xbox Live, créerez un avatar, vous abonnerez, jouerez à des jeux en ligne, téléchargerez des démos, de la musique, des vidéos, etc. Un large contenu vidéo ludique à partir de la Xbox 360.

Mais le plus important est fait : vous avez unifié votre compte ; un seul compte pour vous connecter au Xbox Live depuis la console et à Windows 8 !

14.2. Présentation de l'application Xbox Live Windows 8

Revenons maintenant sur Windows 8. Par défaut, vous trouverez une tuile **Xbox Live** sur l'écran de démarrage.

Figure 14.1 : La tuile Xbox Live

Cliquez ou appuyez dessus pour lancer l'application. L'application Xbox Live sous Windows 8 offre un accès à des applications qui sont proposées dans Xbox Live sous Windows 8, y compris les applications **Vidéo**, **Musique**, **Jeux** et **Xbox Companion**.

Vous retrouvez une interface comparable à celle de la Xbox 360, les informations sur votre profil, votre gamertag, votre avatar, vos succès, vos amis Xbox, les jeux Xbox 360 auxquels vous avez joué et un marché jeux qui comprend à la fois un choix de jeux pour Windows 8 et pour Xbox 360.

Figure 14.2 : Accueil de l'application Xbox Live

Par le fait que vos comptes Windows 8 et Xbox Live sont unifiés, vous retrouvez instantanément toutes les informations qui vous concernent provenant du Xbox Live.

Tout ce que vous modifiez *via* l'application Xbox Live de Windows 8 (par exemple votre avatar) se retrouvera dès que vous basculerez sur la Xbox 360.

Sur le même écran d'accueil de l'application, vous retrouvez en balayant horizontalement avec votre doigt vos activités de jeux Xbox Live, le marché jeux Windows, le marché jeux Xbox.

Figure 14.3 : L'activité jeux Xbox Live

Figure 14.4 : Le marché jeux Windows

Figure 14.5 : Le marché jeux Xbox

Les jeux téléchargés du marché Windows s'installent et fonctionnent sur Windows 8, et les jeux téléchargés du marché Xbox s'installent et fonctionnent sur Xbox 360.

Mais prenons un exemple provenant du marché jeux Xbox. À partir de votre ordinateur ou tablette et de l'application Xbox Live, cliquez ou appuyez sur un jeu du marché Xbox. Sa fiche d'information apparaît.

Figure 14.6 : Fiche d'un jeu Xbox

Vous trouverez les boutons pour acheter le jeu pour Xbox, afficher des détails sur le jeu, lire sur Xbox et afficher la démo Xbox. Tiens, il est intéressant de pouvoir afficher la démo Xbox, voire de lire directement sur la Xbox, alors que je suis sur ma tablette !

Si vous appuyez sur **Afficher la démo Xbox**, alors, la liste de téléchargements sur votre Xbox 360 se met à jour instantanément avec la démo du jeu à télécharger et, si votre Xbox est allumée, le téléchargement se lance immédiatement. Si votre Xbox n'est pas allumée à ce moment-là, grâce à votre compte unifié le téléchargement démarrera dès que la console sera connectée au réseau.

1 Cliquez ou appuyez sur **Lire sur Xbox**.

2 Un message apparaît vous demandant de télécharger l'application **Xbox Companion** depuis le Windows Store.

Figure 14.7 : Redirection vers le Windows Store pour télécharger Xbox Companion

3 Cliquez ou appuyez sur **Obtenir « Xbox Companion » du Windows Store**.

4 Vous êtes redirigé vers le Windows Store.

Figure 14.8 : Fiche Xbox Companion depuis le Windows Store

5 Cliquez ou appuyez sur **Installation**.

6 Attendez la fin de l'installation.

7 Une fois celle-ci terminée, revenez sur l'écran de démarrage et appuyez sur la tuile **Xbox Companion** qui est apparue.

Figure 14.9 : Tuile Xbox Companion

8 Un message de procédure apparaît qui vous instruit comment activer Xbox Companion sur Xbox 360. Suivez la procédure à la lettre sur votre console. Puis cliquez ou appuyez sur **Se connecter**.

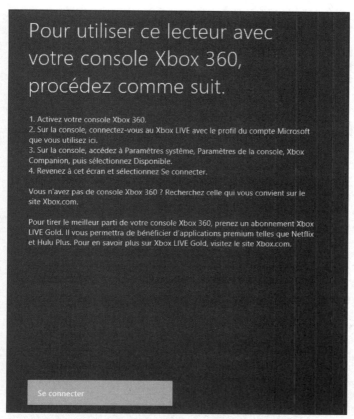

Pour utiliser ce lecteur avec votre console Xbox 360, procédez comme suit.

1. Activez votre console Xbox 360.
2. Sur la console, connectez-vous au Xbox LIVE avec le profil du compte Microsoft que vous utilisez ici.
3. Sur la console, accédez à Paramètres système, Paramètres de la console, Xbox Companion, puis sélectionnez Disponible.
4. Revenez à cet écran et sélectionnez Se connecter.

Vous n'avez pas de console Xbox 360 ? Recherchez celle qui vous convient sur le site Xbox.com.

Pour tirer le meilleur parti de votre console Xbox 360, prenez un abonnement Xbox LIVE Gold. Il vous permettra de bénéficier d'applications premium telles que Netflix et Hulu Plus. Pour en savoir plus sur Xbox LIVE Gold, visitez le site Xbox.com.

Se connecter

Figure 14.10 : Procédure d'activation Xbox Companion sur Xbox 360

9 Une fois la liaison établie, l'application **Xbox Companion** se lance sur la tablette et le jeu démarre depuis la console.

Figure 14.11 : Interface Xbox Companion

14.3. Fonctionnalités de Xbox Companion

L'application gratuite **Xbox Companion** vous permet d'accéder à des divertissements par le biais de votre compte Xbox Live sur votre tablette Windows 8 avant de les lire sur votre TV *via* la console Xbox 360. Vous pourrez utiliser tous les modes d'entrée disponibles (écran tactile) pour naviguer et contrôler la lecture de vos contenus à l'aide de l'application. Par ailleurs, l'application vous propose des informations détaillées sur les films, les programmes TV, les jeux et la musique que vous aimez.

Xbox Companion peut aussi faire office de pad pour la Xbox. Fonctionnalité très pratique depuis une tablette ! Pour cela :

1 Appuyez sur **Xbox Companion** pour lancer l'application depuis la tablette.

2 Choisissez un jeu, film ou autre contenu Xbox à manipuler.

3 À la page d'accueil du contenu Xbox, balayez l'écran en partant du bas vers le haut pour faire apparaître le menu contextuel.

4 Appuyez sur **Commandes Xbox**.

5 Un pad virtuel apparaît. Votre Xbox obéit aux ordres que vous donnez depuis le pad virtuel.

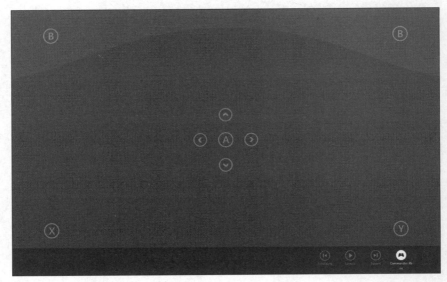

Figure 14.12 : Le pad virtuel sur tablette

14.4. Musique et Vidéo

Faites maintenant un petit tour par les applications **Musique** et **Vidéo**, que vous trouvez sous forme de tuiles sur l'écran de démarrage. Pourquoi, alors que ce chapitre explique la connexion avec le Xbox Live ?

En fait, vous pouvez considérer aussi les tuiles **Musique** et **Vidéo** sous Windows 8 comme des applications Xbox Live qui vous permettent de lire vos fichiers multimédias locaux. Vous pouvez naviguer et effectuer des recherches dans le Marché musique du Xbox Live et acheter des morceaux individuels ou des albums entiers. Vous pouvez également consulter les morceaux de musique de votre collection locale et les lire dans une interface élégante **Lecture en cours** qui présente des photos de l'artiste et des informations détaillées sur sa biographie et sa discographie. Vous pouvez aussi déplacer l'application **Musique** sur le côté pour écouter de la musique tout en utilisant une autre application.

Vous accédez au contenu multimédia du Xbox Live en termes de musique et vidéos.

Figure 14.13 : L'application Musique

Prenez le temps de vous balader dans les différents marchés musique et vidéos pour les découvrir. Quelques procédures sont à connaître pour alimenter **Musique** et **Vidéo** de contenu.

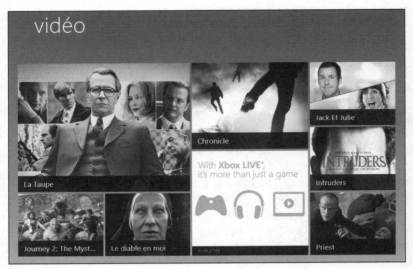

Figure 14.14 : L'application Vidéo

Pour ajouter de la musique à l'application **Musique** :

1 Sur l'écran de démarrage Windows 8, recherchez la tuile **Bureau** et cliquez ou appuyez dessus. La vue du Bureau classique s'affiche.

2 Sélectionnez **Explorateur Windows** dans la barre des tâches.

3 Sous **Bibliothèques**, sélectionnez **Musique**.

4 Incluez les dossiers contenant votre musique.

Et, pour ajouter des vidéos à l'application **Vidéo**, le principe est le même :

1 Sur l'écran de démarrage Windows 8, recherchez la tuile **Bureau** et cliquez ou appuyez dessus. La vue du Bureau classique s'affiche.

2 Sélectionnez **Explorateur Windows** dans la barre des tâches.

3 Sous **Bibliothèques**, sélectionnez **Vidéo**.

4 Incluez les dossiers contenant vos vidéos.

REMARQUE

Contenu externe

Si du contenu musique et/ou vidéo est stocké de manière externe (par exemple sur une clé USB ou un disque dur externe), copiez ou déplacez le contenu dans des dossiers sous **Emplacements des bibliothèques** ; l'application **Musique** et/ou **Vidéo** détectera alors le contenu.

Quelles autres opérations l'application **Vidéo** permet-elle d'effectuer ? Avec l'application **Vidéo** vous pouvez également :

- explorer le marché des films et des programmes TV pour louer ou acheter le contenu de votre choix ;
- visionner les vidéos de votre collection personnelle dans une interface de lecture tactile ;
- utiliser la fonction **Lire sur Xbox** pour transférer le film ou l'épisode de série TV sur votre console Xbox 360 ;
- utiliser la fonction **Partager** pour partager vos programmes favoris avec vos amis.

14.5. En bref

Avec Windows 8 et les nouveaux périphériques de type tablette, la frontière entre les jeux PC et les jeux console (Xbox) n'a jamais été aussi fine. Contrôlez votre Xbox depuis votre tablette, profitez du contenu des marchés musique et vidéos du Xbox Live, profitez des jeux, etc.

Vous accédez à cela grâce aux applications **Xbox Live**, **Xbox Companion**, **Musique** et **Vidéo** et surtout grâce au fait que vous utilisez un seul et même compte pour les différents services. Windows 8 unifie les usages au travers d'une interface épurée, adaptée au tout tactile et qui rapproche les différents services pour les mettre au service de l'utilisateur depuis un endroit unique.

DÉCOUVRIR LES SERVICES WINDOWS ESSENTIALS

Les services de nouvelle génération *Windows Essentials*, auparavant nommés *Windows Live*, placent l'utilisateur au cœur de l'expérience Internet pour lui apporter plus de personnalisation, de simplicité, de synergie et de sécurité.

Comment ? En regroupant en un seul lieu l'ensemble des composants en ligne les plus importants pour lui, accessibles partout, à tout moment, quel que soit son équipement : depuis son PC, son terminal mobile, voire sa tablette.

Depuis Windows 7, Microsoft a déplacé l'ensemble des services dans le nuage (Internet). Bien que Windows 8 réintroduise certaines applications par défaut (*Courrier*, *Messages*, *Photos*, *SkyDrive*), les services Windows Essentials, dans leur mouture 2012, sont compatibles Windows 8 et apportent une certaine complémentarité, surtout pour les possesseurs d'ordinateurs fixes ou ordinateurs portables.

Dans ce chapitre, vous apprendrez à installer Windows Essentials, comprendrez son contenu, et nous détaillerons **SkyDrive**, un composant essentiel de Windows Essentials.

15.1. Installer Windows Essentials

Windows Essentials 2012 est un ensemble de services en ligne et est donc téléchargeable depuis Internet. Connectez-vous à l'adresse suivante : http://windows.microsoft.com/fr-FR/windows-live/essentials-home et téléchargez Windows Essentials sur votre ordinateur Windows 8.

Figure 15.1 : Site Web Windows Essentials

Une fois Windows Essentials téléchargé, pour l'installer suivez la procédure suivante :

1 Accédez au Bureau Windows 8 en cliquant sur la fenêtre **Bureau** de l'interface d'accueil Windows 8.

2 Exécutez le programme d'installation que vous venez de télécharger. Par défaut, le programme d'installation se trouve dans le répertoire **Téléchargements** dans l'Explorateur Windows.

3 Lorsque le programme d'installation se lance, au message du Contrôle de compte utilisateur, cliquez sur **Oui**.

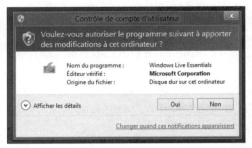

Figure 15.2 : Message du contrôle de compte utilisateur

4 La fenêtre suivante vous demande ce que vous souhaitez installer. Soit vous choisissez d'installer tous les composants d'un coup, soit vous sélectionnez les composants à installer. Pour que vous compreniez tous les composants qui peuvent s'installer, cliquez sur **Choisir les programmes à installer**.

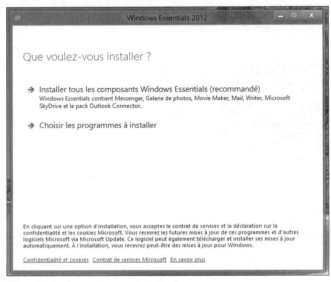

Figure 15.3 : Que voulez-vous installer ?

5 Windows Essentials 2012 se compose de *SkyDrive, Mail, Writer, Messenger, Galerie de Photos* et *Movie Maker*. Sélectionnez-les tous et cliquez sur **Installer**.

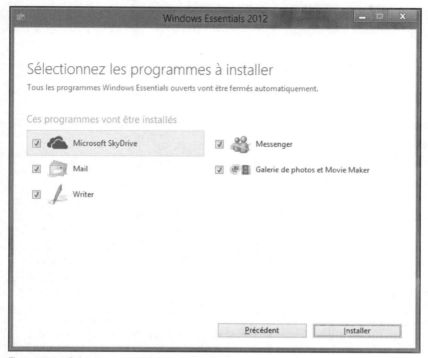

Figure 15.4 : Sélection des composants à installer

6 L'installation se poursuit. Patientez pendant cette phase.

Figure 15.5 : Installation en cours

7 À la fin, cliquez sur **Fermer**.

Vous venez d'installer Windows Essentials 2012 sur Windows 8. Windows Essentials se compose donc de SkyDrive, Mail, Writer, Messenger, Galerie de Photos et Movie Maker. Voici un descriptif des composants.

Figure 15.6 : Fin de l'installation

Tableau 15.1 : Les composants de Windows Essentials 2012 sur Windows 8

Nom	Description
SkyDrive	Service gratuit de stockage et de partage en ligne.
Mail	Gérez plusieurs comptes de messagerie, vos calendriers et vos contacts, même hors connexion.
Writer	Créez des billets en quelques minutes, agrémentés de photos, de vidéos, de cartes et d'autres éléments. Publiez-les ensuite sur n'importe lequel de vos fournisseurs de services de blog favoris.
Messenger	Le très célèbre outil de messagerie instantanée. Restez en contact avec les personnes que vous aimez grâce à Messenger.
Galerie de Photos	Les outils de la Galerie de photos vous permettent de classer et de retoucher vos photos, puis de les partager en ligne.
Movie Maker	Importez et retouchez des diaporamas et des vidéos. Ajoutez rapidement des photos et des séquences depuis votre PC ou caméra dans Movie Maker. Affinez ensuite votre film pour qu'il corresponde à vos souhaits. Vous pouvez déplacer les éléments, ralentir ou accélérer le film, c'est vous qui décidez.

> **REMARQUE**
>
> *Contrôle parental* **et** *Mesh* **?**
> Si vous êtes utilisateur de Windows Essentials sur Windows 7, vous vous apercevrez que les composants *Contrôle parental* et *Mesh* manquent à l'appel. *Contrôle parental* parce qu'il est à nouveau intégré à Windows 8 et *Mesh* car il est purement et simplement remplacé par SkyDrive.

Tout au long de l'ouvrage, le fonctionnement de certains composants sera largement détaillé (comme *Mail* et *Galerie de Photos*). Cependant, nous avons choisi de vous détailler plus particulièrement SkyDrive, qui est essentiel à la stratégie de Microsoft.

15.2. Synchroniser avec SkyDrive

SkyDrive est, pour l'utilisateur d'ordinateur sous Windows que vous êtes, un nom qui doit vous être familier. SkyDrive (appelé auparavant Windows Live SkyDrive) est un service gratuit de stockage et de partage en ligne (entendez sur Internet) proposé par Microsoft.

SkyDrive permet, au moyen d'un navigateur web ou depuis votre ordinateur, de télécharger des fichiers sur un serveur réseau Microsoft, de les récupérer sur son ordinateur ou un autre au besoin et de les partager avec des amis ou avec tous les internautes. Les fichiers qui sont stockés sur SkyDrive, donc sur les serveurs de Microsoft accessibles *via* Internet, sont disponibles à tout moment, depuis n'importe quel ordinateur ou périphérique mobile (tablette, Smartphone) connecté au réseau. Ce service est un service type de Cloud Computing : SkyDrive, comme d'autres services bien connus tels Apple iCloud et autres, démocratise l'utilisation du Cloud au plus grand monde.

Caractéristiques de SkyDrive

Microsoft met à disposition gratuitement 7 Go d'espace disque pour chaque utilisateur SkyDrive. SkyDrive est accessible depuis n'importe quel navigateur web. De plus, et avec l'arrivée de Windows 8, il est disponible sous forme d'une application à installer sur PC Windows, bien sûr (Windows Vista et Windows 7), mais aussi sur Mac OS X Lion et des systèmes d'exploitation mobile comme Windows Phone, Apple iOS (iPhone et iPad), Google Android. L'application, une fois installée soit à partir de l'application autonome SkyDrive, soit au travers de Windows Essentials 2012, ouvre plus de facilité d'utilisation et unifie l'usage de SkyDrive sur tous périphériques mobiles. Vos documents stockés sur SkyDrive sont disponibles à tout moment et sur toute plateforme.

Dans le tableau ci-dessous, vous trouverez toutes les caractéristiques de SkyDrive et aussi la comparaison avec les services Cloud similaires.

Tableau 15.2 : Caractéristiques de SkyDrive

Caractéristiques	SkyDrive	Apple iCloud	Google Drive	Dropbox
Espace de stockage et accès aux fichiers gratuits				
Stockage dans le Cloud	7 Go	5 Go	5 Go	2 Go
Windows	Oui	Non	Oui	Oui

Tableau 15.2 : Caractéristiques de SkyDrive

Caractéristiques	SkyDrive	Apple iCloud	Google Drive	Dropbox
Mac	Oui	Non	Oui	Oui
Web	Oui	Non	Oui	Oui
Stockage gratuit	Oui	Oui	Oui	Oui
Accéder aux fichiers pendant vos déplacements				
iPhone et iPad	Oui	Oui	Oui	Oui
Windows Phone	Oui	Non	Non	Non
Android	Oui	Non	Oui	Oui
Web mobile	Oui	Non	Oui	Oui
Travailler à plusieurs en ligne				
Utiliser Microsoft Office sur le Web comme sur votre PC ou sur votre Mac avec Office Web Apps	Oui	Non	Non	Non
Afficher et modifier des fichiers en ligne gratuitement	Oui	Oui	Oui	Oui
Modifier des fichiers en ligne à plusieurs en même temps	Oui	Non	Oui	Non
Retrouver les anciennes versions de vos documents	Oui	Non	Oui	Oui
Montrer vos photos				
Diaporamas en ligne	Oui	Oui	Non	Oui
Diaporamas par courriel	Oui	Non	Non	Non
Publier sur Facebook et Twitter	Oui	Non	Non	Oui
Ajouter des légendes	Oui	Oui	Non	Oui
Afficher le lieu de la prise de vue	Oui	Oui	Non	Non
Partage simple de fichiers				
Créer des dossiers publics	Oui	Non	Oui	Oui
Afficher des fichiers Office directement dans votre navigateur	Oui	Non	Oui	Non
Partager simplement des fichiers volumineux	2 Go par fichier	Non	5 Go	2 Go

Vous accédez à vos dossiers dans SkyDrive au moyen de l'identifiant et du mot de passe Windows Live ID (le fameux compte Microsoft unifié). Vous pouvez spécifier, pour chacun de vos dossiers, si l'accès au dossier est privé, ouvert à des utilisateurs sur Internet spécifiques ou ouvert à tous les internautes. L'accès conféré à des internautes spécifiques peut permettre la lecture seulement ou la lecture et l'écriture.

Les internautes qui veulent accéder aux dossiers non privés d'un utilisateur de SkyDrive n'ont pas forcément à posséder un identifiant Windows Live ID, quoique ce soit recommandé. Il leur suffit d'utiliser un lien que vous envoyez par courrier électronique en tant que propriétaire des dossiers.

Pour accéder à la version web de SkyDrive, connectez-vous à l'adresse https://skydrive.live.com.

1 Commencez par vous connecter avec votre compte Microsoft (Windows Live ID). Le fameux ! Pierre angulaire de l'accès au Cloud et des services dynamiques de Windows 8.

Pour plus d'information, reportez-vous au chapitre *Gérer les comptes utilisateurs*.

Figure 15.7 : Connectez-vous à SkyDrive version web

2 Vous avez alors accès à la page qui vous permet de créer des dossiers, d'y poser des photos, de créer et d'ouvrir des documents, etc.

3 Par exemple, si vous souhaitez créer un document Word, même sans avoir Word installé sur l'ordinateur et/ou la tablette, cliquez sur le logo Word sur votre page SkyDrive.

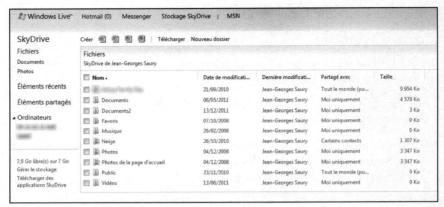

Figure 15.8 : Votre page SkyDrive version web

4 Entrez le nom du document et cliquez ou appuyez sur **Créer**.

Figure 15.9 : Entrer le nom d'un document Word à créer

5 Word Web App se lance, vous pouvez créer votre nouveau document, pratiquement comme si vous aviez Word 2010 installé. Vous tapez votre texte, le formatez, l'enregistrez, etc.

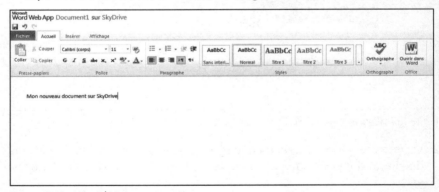

Figure 15.10 : Word Web App ouvert

6 Cliquez ou appuyez sur **Fichier** et **Fermer**, pour revenir sur votre page SkyDrive.

Le compte unifié Microsoft (Windows Live ID) est la clé d'accès. Vos données vous suivent partout. Vous allez maintenant découvrir comment SkyDrive s'intègre à Windows 8.

SkyDrive et Windows 8

Avec Windows 8, SkyDrive évolue. SkyDrive est dorénavant installé de base sur Windows 8, en tout cas sur l'interface Windows 8 (nous y reviendrons plus tard). Mais, surtout, SkyDrive est profondément intégré à Windows 8. Certaines applications par défaut de Windows 8 ont un accès direct à SkyDrive.

Premier contact avec SkyDrive

SkyDrive fait partie des applications par défaut au démarrage de Windows 8, sur le menu d'accueil. Une tuile **SkyDrive** est disponible.

Figure 15.11 : La tuile de SkyDrive

1 Vous avez tout d'abord ouvert une session sur Windows 8 avec votre compte Microsoft/Windows Live ID.

2 Cliquez ou appuyez sur la tuile **SkyDrive**.

3 Vous accédez à l'interface d'accueil de SkyDrive version interface Windows 8.

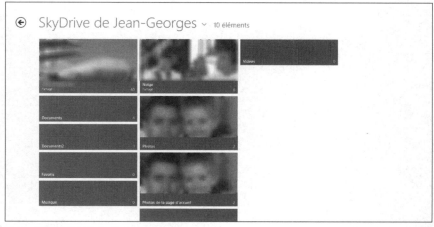

Figure 15.12 : Interface d'accueil de SkyDrive

4 Vous retrouvez tous vos fichiers et dossiers présents sur SkyDrive. Mais dans une disposition adaptée au tout tactile. Les dossiers sont des rectangles bleus. Dans chaque rectangle est inscrit le nombre de fichiers contenu à l'intérieur. Les photos apparaissent sous forme de vignettes. Cliquez ou appuyez sur un rectangle dossier pour accéder à son contenu.

5 Par exemple, en cliquant ou en appuyant sur **Documents**, vous accédez aux documents contenus. Ces documents sont représentés par leur logo : il s'agit ici de documents Word, PowerPoint et OneNote.

Figure 15.13 : Contenu d'un répertoire SkyDrive

6 Cliquez ou appuyez sur un fichier pour l'ouvrir dans Office Web App. Par exemple, un fichier Word ouvre automatiquement Word Web App dans Internet Explorer alors même qu'Office n'est pas installé sur votre ordinateur (par exemple).

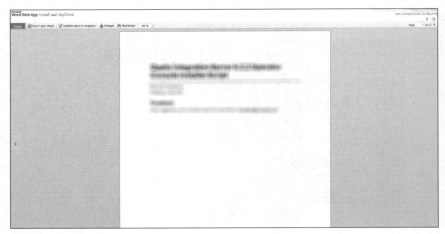

Figure 15.14 : Le fichier s'ouvre dans Word Web App

7 Cliquez ou appuyez sur **Fichier** et **Fermer**, pour revenir dans SkyDrive version web. Puis touchez ou allez avec la souris dans le coin supérieur gauche de l'écran pour faire apparaître la tuile **SkyDrive** et appuyez dessus pour retourner dans SkyDrive version Windows 8.

Dans la section qui suit, vous allez connaître quelques actions de base.

Les actions de base dans SkyDrive

Voici quelques actions de base qui vous permettent de bien appréhender l'utilisation de SkyDrive dans l'interface de Windows 8.

Si vous souhaitez ajouter un fichier à votre SkyDrive :

1 Accédez à l'interface d'accueil de SkyDrive.

2 Balayez l'écran du bas vers le haut à partir du bord inférieur ou cliquez du bouton droit de la souris pour accéder au menu contextuel et appuyez sur **Ajouter**.

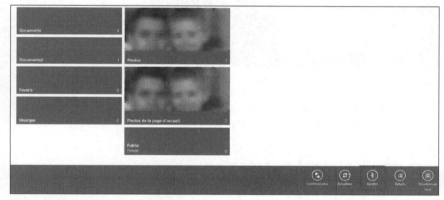

Figure 15.15 : Menu contextuel de SKyDrive

3 L'Explorateur version tactile s'ouvre. Vous pouvez alors sélectionner le document que vous souhaitez ajouter.

Figure 15.16 : L'Explorateur version tactile

4 Si vous souhaitez naviguer dans l'Explorateur et choisir un endroit précis où se trouve le fichier à ajouter, alors, cliquez ou appuyez sur **Fichiers** et sélectionnez le bon répertoire ou la bonne application.

Figure 15.17 : Sélectionner un emplacement

5 Quand votre choix est fait, cliquez ou appuyez sur le bouton **Ajouter à SkyDrive** en bas à droite.

Si vous souhaitez voir qui partage des données avec vous :

1 Accédez à l'interface d'accueil de SkyDrive.

2 Cliquez ou appuyez sur **SkyDrive de …** (où les petits points représentent le nom de votre compte).

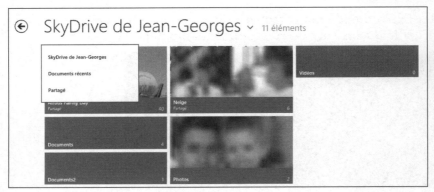

Figure 15.18 : Menu en cliquant sur SkyDrive de …

3 Cliquez ou appuyez sur **Partagé**.

4 Apparaissent alors tous les fichiers que vos contacts partagent avec vous.

Figure 15.19 : Fichiers partagés avec vous

Intégration de SkyDrive avec les Apps de Windows 8

SkyDrive est dorénavant étroitement intégré avec Windows 8. C'est-à-dire qu'il est possible d'accéder à son SkyDrive directement depuis une application Windows 8. En effet, dans ces applications, dès que vous devrez manipuler des données, comme enregistrer, ouvrir des fichiers, importer des photos, vous aurez accès à votre SkyDrive comme à votre stockage local.

Vous aurez alors le choix de sauvegarder des données dans le Cloud pour les retrouver sur vos autres périphériques. Par exemple, l'application **Photos** va automatiquement vous afficher vos photos situées localement dans la bibliothèque d'images comme celles situées sur Facebook ou celles situées sur SkyDrive (voir fig. 15.20).

Autre exemple : si vous souhaitez changer la photo de votre écran de verrouillage par une photo sur SkyDrive :

1 Activez la barre latérale droite des commandes système en balayant l'écran à partir du bord droit ou en amenant le pointeur de la souris sur le bord droit.

Figure 15.20 : L'App Photos va chercher directement les photos dans SkyDrive

2 Cliquez ou appuyez sur **Paramètres**.

3 Puis cliquez ou appuyez sur **Modifier les paramètres du PC** en bas à droite.

4 La fenêtre **Paramètres du PC** s'ouvre.

5 Cliquez ou appuyez dans la liste de gauche sur **Personnaliser**.

Figure 15.21 : La fenêtre de configuration de l'écran de verrouillage

6 Cliquez ou appuyez sur le bouton **Parcourir,** situé en dessous des photos par défaut.

7 L'Explorateur version tactile s'ouvre.

8 Cliquez ou appuyez alors sur **Fichiers** et, dans la liste déroulante, sélectionnez **SkyDrive**.

Figure 15.22 : Sélectionner SkyDrive comme source contenant des photos d'écran de verrouillage

9 Votre contenu SkyDrive apparaît. Piochez dedans la bonne photo.

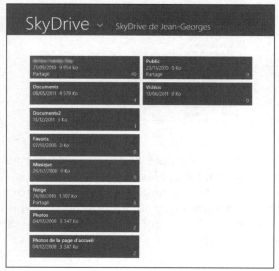

Figure 15.23 : Sélectionner le bon contenu dans SkyDrive

10 Le bon contenu, la photo provenant de SkyDrive, est sélectionné comme écran de verrouillage.

Windows 8 utilise SkyDrive pour enregistrer de nombreuses informations qui sont pourtant invisibles à l'œil de l'utilisateur. Si vous vous rendez dans les paramètres de Windows 8, vous trouverez d'ailleurs une section entièrement dévolue à la synchronisation.

1 Activez la barre latérale droite des commandes système en balayant l'écran à partir du bord droit ou en amenant le pointeur de la souris sur le bord droit.

2 Cliquez ou appuyez sur **Paramètres**.

3 Puis cliquez ou appuyez sur **Modifier les paramètres du PC** en bas à droite.

4 La fenêtre **Paramètres du PC** s'ouvre.

5 Cliquez ou appuyez dans la liste de gauche sur **Synchroniser vos paramètres**.

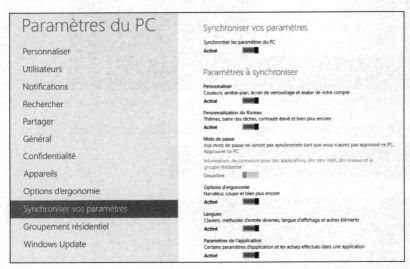

Figure 15.24 : Synchroniser ses paramètres

La conséquence est simple : c'est le compte Microsoft, associé au compte classique de l'utilisateur, qui retient les réglages. Dans le cas d'un ordinateur fixe et d'une tablette, les deux sessions afficheront exactement la même chose. Une sorte de profil itinérant qui devrait être particulièrement apprécié par ceux qui n'apprécient pas de passer par des phases de configuration.

Comme vous le constatez, l'intégration de SkyDrive dans les applications est poussée. On peut également citer l'ajout de pièce attachée provenant de SkyDrive dans un e-mail avec l'application **Courrier**, etc. La grande majorité des applications par défaut propose cette intégration. Au même titre que la capacité de stockage local, l'espace de stockage Cloud qu'est SkyDrive est désormais présenté aux applications.

Est-ce que cela est valable pour toutes les applications de Windows 8, notamment celles qui utilisent le Bureau Windows 8 ? Pas tout à fait.

SkyDrive et le Bureau Windows 8

Qu'en est-il des applications compatibles Windows 7 et qui tournent sur le Bureau de Windows 8 ? On pourrait citer Microsoft Office 2010, par exemple. Comment utiliser SkyDrive depuis le Bureau Windows 8 ?

> **REMARQUE** **Accès au Bureau Windows 8**
> Vous n'aurez accès au Bureau Windows 8 que si vous utilisez une version de Windows 8 sur tablette avec processeur Intel. Si vous utilisez une tablette sur laquelle Windows RT est installé (c'est-à-dire Windows 8 sur tablette avec processeur ARM), vous n'aurez par conséquent pas accès au Bureau Windows 8.

Pour utiliser SkyDrive pour les applications qui s'exécutent sur le Bureau Windows 8, il vous faut installer l'application SkyDrive, comme s'il s'agissait d'une application à part. C'est là qu'intervient Windows Essentials 2012, et vous comprenez alors pourquoi Windows Essentials 2012 installe SkyDrive alors que SkyDrive version interface Windows 8 est présent par défaut.

> **REMARQUE** **Application SkyDrive autonome**
> Sans avoir à télécharger ni à installer Windows Essentials, vous pouvez télécharger et installer l'application autonome SkyDrive à l'adresse suivante : http://windows.microsoft.com/fr-CA/skydrive/download-skydrive.

Comme vous avez installé Windows Essentials, SkyDrive est installé sur le Bureau. Il reste à finir la configuration initiale.

1 Ouvrez le Bureau Windows 8 en cliquant ou en appuyant sur la tuile **Bureau** depuis l'écran de démarrage.

2 Ouvrez l'Explorateur Windows.

Figure 15.25 : Ouvrir l'Explorateur de fichiers depuis le Bureau Windows 8

3 Vous trouverez une section SkyDrive dans la liste de gauche. Cliquez ou appuyez dessus. Un menu d'accueil apparaît.

Figure 15.26 : Bienvenue sur SkyDrive

4 Cliquez ou appuyez sur **Commencer**.

5 Sélectionnez le dossier référence SkyDrive puis cliquez ou appuyez sur **Suivant** (voir fig. 15.27).

6 À la fenêtre **Récupérer vos fichiers où que vous soyez**, cochez **Rendre les fichiers sur ce PC disponibles pour moi sur mes autres appareils** et appuyez sur **Terminé**.

Figure 15.27 : Dossier de référence pour SkyDrive

Figure 15.28 : Fenêtre Récupérer vos fichiers où que vous soyez

Vous retrouvez votre contenu SkyDrive dans la partie droite de l'Explorateur Windows. Le symbole de la coche blanche sur pastille verte vous informe que la synchronisation avec l'espace de stockage distant de SkyDrive s'est effectuée correctement.

Figure 15.29 : Accès au SkyDrive depuis l'Explorateur de fichiers du Bureau Windows 8

Vous pouvez maintenant manipuler votre SkyDrive pour les applications nécessitant le Bureau, comme s'il s'agissait d'un quelconque espace de stockage local.

En plus de cela, les modifications que vous avez effectuées sur SkyDrive version Bureau Windows 8 se répercutent automatiquement sur SkyDrive version interface Windows 8.

15.3. En bref

Windows Essentials 2012 est une suite de composants et services destinés à améliorer l'expérience utilisateur et en ligne avec Windows 8. On retrouve des composants bien connus, comme Messenger, Mail, Galerie de photos, plutôt dédiés à un usage sur ordinateur classique (fixe ou portable, au clavier et à la souris). Windows Essentials inclut notamment SkyDrive.

SkyDrive est un service Cloud pour le plus large public. Il permet, au travers d'un espace de stockage dédié sur Internet, de conserver gratuitement jusqu'à 7 Go de données entièrement synchronisées et accessibles sur votre tablette Windows 8, PC Windows 7, iPhone, iPad, Android, ou tout autre système d'exploitation ayant un navigateur et un accès web.

SkyDrive sur Windows 8 se distingue d'abord par son application par défaut présente sur l'écran de démarrage de Windows 8. Une application pensée pour le tout tactile. Ensuite, cette nouvelle mouture de SkyDrive se distingue par son intégration dans toutes les autres applications par défaut de Windows 8. Dorénavant, l'espace de stockage sur le Cloud vous est présenté au même titre que l'espace de stockage local de votre tablette.

Enfin, pour profiter de SkyDrive pour les applications utilisant le Bureau Windows 8, il vous faudra installer Windows Essentials ou l'application autonome SkyDrive pour le Bureau Windows 8. Cela vous permettra d'utiliser SkyDrive par le biais de l'Explorateur de fichiers.

CHAPITRE 16

UTILISEZ VOTRE ORDINATEUR PORTABLE AVEC WINDOWS 8

L'utilisation de l'ordinateur portable est de plus en plus courante, en entreprise comme à la maison. Non seulement il s'avère très pratique en déplacement, mais les configurations matérielles sont de plus en plus puissantes. Des études démontrent que la vente d'ordinateurs portables dépasse la vente d'ordinateurs fixes.

Avec les connexions réseau sans fil, les batteries de plus en plus performantes, les sorties TV et vidéo, webcams, les usages, besoins et exigences ont radicalement évolué : on peut ainsi être connecté partout où l'on est, d'un hôtel à l'autre. Également, un grand nombre de périphériques externes gravitent autour de nos ordinateurs.

Windows 8 se doit de prendre en compte tous ces nouveaux usages et de simplifier encore plus notre utilisation de l'ordinateur portable. Le but de cette simplification est bien sûr d'améliorer la productivité de l'utilisateur. Voici quelques bonnes pratiques à connaître pour les possesseurs d'ordinateur portable.

16.1. Le Centre de mobilité Windows

Grâce au Centre de mobilité Windows, vous pouvez accéder rapidement aux paramètres de votre ordinateur portable à partir d'un emplacement unique et pratique. Vous pouvez régler le volume des haut-parleurs, vérifier l'état de votre connexion réseau sans fil et ajuster la luminosité de l'affichage, le tout à partir d'un emplacement unique.

Il n'est plus nécessaire de se rappeler où sont situés les paramètres dans le Panneau de configuration, ce qui se révèle particulièrement utile lorsque vous avez besoin de régler rapidement les paramètres afin d'utiliser votre ordinateur portable dans des lieux différents, notamment lors des déplacements entre votre bureau et un lieu de réunion ou lorsque vous quittez votre domicile pour l'aéroport. Le fait de pouvoir régler ces paramètres à partir d'un emplacement unique vous permet de gagner du temps, que vous utilisiez votre ordinateur portable à des fins professionnelles ou personnelles.

Pour ouvrir le Centre de mobilité Windows, appliquez l'une des méthodes suivantes :

- À partir de l'interface Windows 8, appuyez sur (Windows)+(X). Puis sur **Centre de mobilité**.

Figure 16.1 : Accès au Centre de mobilité par le raccourci clavier Windows+X

- À partir du bureau Windows :

1 Cliquez sur la tuile **Bureau**.

2 Amenez le pointeur de votre souris sur le bord droit de l'écran.

3 Cliquez sur **Paramètres** puis **Panneau de configuration**.

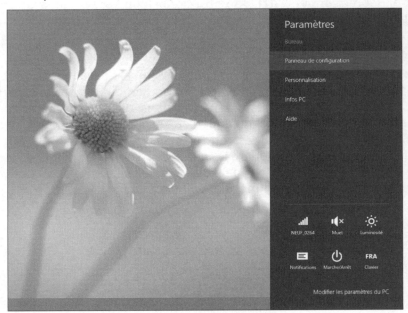

Figure 16.2 : Accès au Panneau de configuration

4 Cliquez sur **Matériel et audio** puis sur **Centre de mobilité Windows**.

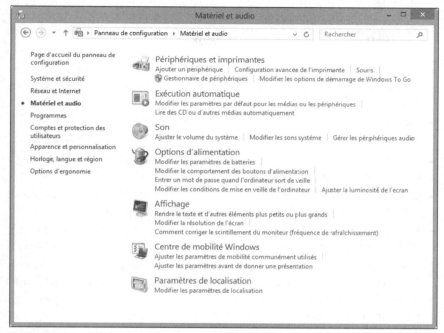

Figure 16.3 : Accès au Centre de mobilité depuis le Panneau de configuration

Vous accédez alors au Centre de mobilité Windows.

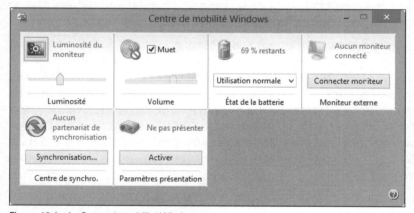

Figure 16.4 : Le Centre de mobilité Windows

Le Centre de mobilité Windows est constitué de plusieurs des paramètres d'ordinateur portable les plus couramment utilisés. Selon votre système, la fenêtre du Centre de mobilité Windows offre certaines des mosaïques suivantes mais peut-être pas toutes :

- **Luminosité.** Déplacez le curseur pour régler temporairement la luminosité de votre affichage. Pour régler les paramètres de luminosité de l'affichage de votre mode de gestion de l'alimentation, cliquez sur l'icône de la mosaïque pour ouvrir **Options d'alimentation** dans le Panneau de configuration.

- **Volume.** Déplacez le curseur pour régler le volume des haut-parleurs de votre ordinateur portable ou activez la case à cocher *Muet*.

- **État de la batterie.** Affichez le niveau de charge de votre batterie ou sélectionnez un mode de gestion de l'alimentation dans la liste.

- **Réseaux sans fil.** Affichez l'état de votre connexion réseau sans fil ou activez ou désactivez votre carte réseau sans fil.

- **Orientation de l'écran.** Changez l'orientation de l'écran de votre tablet PC, de mode Portrait à Paysage ou *vice versa*.

- **Moniteur externe.** Connectez un moniteur supplémentaire à votre ordinateur portable ou personnalisez les paramètres d'affichage.

- **Centre de synchronisation.** Affichez l'état d'une synchronisation de fichiers en cours, démarrez une nouvelle synchronisation ou configurez un partenariat de synchronisation puis réglez vos paramètres dans le Centre de synchronisation.

- **Paramètres de présentation.** Réglez les paramètres, tels que le volume des haut-parleurs et l'image d'arrière-plan du Bureau, pour réaliser une présentation. Le mode de présentation vous coupe l'écran de veille et vos conversations de messagerie instantanée pour ne pas vous déranger pendant votre présentation.

Si vous avez besoin d'accéder au Panneau de configuration afin de procéder à des réglages supplémentaires des paramètres de votre ordinateur portable, cliquez sur l'icône du Centre de mobilité pour ouvrir le Panneau de configuration afin d'activer le paramètre en question. Vous pouvez sélectionner un mode de gestion de l'alimentation existant à partir de la mosaïque *État de la batterie* ou cliquer sur l'icône du Centre de mobilité pour ouvrir **Options d'alimentation** dans le Panneau de configuration afin de créer un mode de gestion de l'alimentation.

Certaines mosaïques qui figurent dans le Centre de mobilité Windows sont ajoutées par le fabricant de votre ordinateur portable. Si une mosaïque ne s'affiche pas, il est possible que le matériel requis, une carte de réseau sans fil ou des pilotes, par exemple, manque.

Le mode de présentation

Attardons-nous quelque peu sur le mode de présentation, membre du Centre de mobilité, qui, au-delà de sa simplicité technique, devient vite incontournable.

Vous prendrez rapidement le réflexe d'utiliser le raccourci clavier [Windows]+[X] puis **Centre de mobilité** pour ouvrir le Centre de mobilité, puis de cliquer sur **Activer**, par exemple si vous animez une présentation lors d'une réunion, que vous soyez connecté à un vidéoprojecteur ou non.

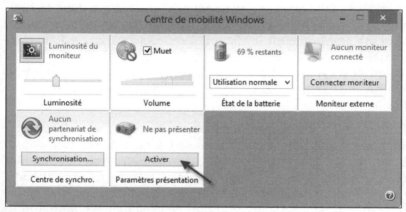

Figure 16.5 : Le mode de présentation dans le Centre de mobilité

Une fois activé, le mode de présentation vous désactive momentanément l'écran de veille, l'extinction du moniteur ou les applications de messagerie instantanée pour ne pas recevoir des messages impromptus.

Le mode de présentation est activé et représenté dans la barre des tâches du Bureau, sur la droite, par l'icône suivante.

Figure 16.6 : Le mode de présentation est activé si vous voyez cette icône dans la barre des tâches

Une fois cette icône activée, vous pouvez cliquer dessus du bouton droit et cliquer sur **Personnaliser les paramètres de présentation**. Vous pourrez alors personnaliser le comportement du mode de présentation.

16.2. La gestion de l'alimentation

Dans cette version de Windows, vous contrôlez plus que jamais la manière dont votre ordinateur utilise et gère l'alimentation. Dans un monde numérique où l'écologie et les économies d'énergie (green IT) sont cruciaux, les ordinateurs et par extension les systèmes d'exploitation et les applications doivent consommer le moins possible. Même côté logiciel, il est possible de faire des efforts.

Et ces efforts sont visibles sous Windows 8 pour parvenir à économiser l'énergie. Tout d'abord, Windows 8 fonctionne avec peu d'activités en arrière-plan ; ainsi, le processeur de votre ordinateur ne fonctionne pas au maximum et nécessite moins de puissance. Les autres innovations comprennent la diminution automatique de l'intensité lumineuse à l'écran, la désactivation des ports inutilisés et un indicateur de durée de vie de la batterie plus précis. Vous ne serez donc plus surpris par une batterie déchargée. La consommation s'en trouve réduite.

Parallèlement, un système dit *Background Process Management* a été mis en place. Il permet de planifier le démarrage des services ou de certaines tâches ou encore de déclencher le démarrage de certains services en fonction d'un événement précis comme le raccordement d'un périphérique. Par exemple, le service Bluetooth démarre seulement lorsqu'un périphérique Bluetooth est relié au système. Citons également la possibilité de suspendre les périphériques audio USB en période d'inactivité, ou encore la mise en sommeil du contrôleur réseau filaire dès que le câble est débranché.

Vous pouvez vous servir de la jauge de la batterie pour activer un mode de gestion de l'alimentation différent. Même si la jauge de la batterie est plus communément utilisée avec les ordinateurs portables, elle peut également s'afficher sur un ordinateur de bureau si celui-ci est branché à un onduleur ou à tout autre périphérique d'alimentation de type batterie de courte durée.

La jauge de la batterie se situe dans la zone de notification de la barre des tâches du Bureau Windows. Elle vous facilite la gestion de la consommation d'énergie de votre ordinateur portable pendant que vous utilisez celui-ci. Lorsque vous pointez sur l'icône de la batterie, le pourcentage de la charge restante de cette dernière s'affiche, ainsi que le mode de gestion de l'alimentation qu'utilise Windows.

La gestion de l'alimentation de Windows 8 relève les objectifs suivants :

- Exploiter les fonctionnalités intégrées aux composants et périphériques. Windows 8 est conçu de sorte que l'efficacité énergétique de la plateforme matérielle puisse être exploitée au mieux, quel que soit le type de plateforme (tablette Windows ou PC pour joueurs équipé d'une carte graphique puissante, par exemple). Les interfaces de gestion de l'alimentation ont ainsi été conçues de façon cohérente et standardisée sur l'ensemble des plateformes. Les fabricants et développeurs d'applications peuvent ainsi se concentrer sur leurs innovations et leurs expériences utilisateur spécifiques et n'ont pas à se préoccuper des différences existant entre les plateformes matérielles et les infrastructures de gestion de l'alimentation.

- Continuer à optimiser l'autonomie des batteries. Windows 7 a permis de réduire de façon significative la consommation électrique et d'améliorer l'efficacité énergétique, avec à la clé une meilleure autonomie sur les ordinateurs portables. Windows 8 conserve le même niveau d'efficacité sur les PC existants, tout en réimaginant les autres composants de Windows.

- Prendre en charge le modèle d'alimentation des Smartphones. Certains types de PC (dont certaines tablettes) proposent de fabuleuses fonctionnalités (plateformes SoC), telle la capacité à basculer très rapidement dans des modes d'inactivité basse consommation. Windows 8 profite de cette consommation réduite en période d'inactivité afin de proposer la connectivité permanente et les fonctionnalités de mise en route instantanée offertes par le modèle d'alimentation des Smartphones.

Pour accéder simplement aux options d'alimentation : à partir de l'interface Windows 8, appuyez sur [Windows]+[X]. Puis sur **Options d'alimentation**.

Pointez sur l'icône de la batterie pour afficher le mode de gestion de l'alimentation actif et la quantité de charge qui reste sur votre batterie.

De nombreux ordinateurs portables sont équipés de plusieurs batteries. Cliquez sur l'icône de la batterie pour afficher la charge qui reste sur chaque batterie. Pointez sur l'icône pour afficher la charge combinée.

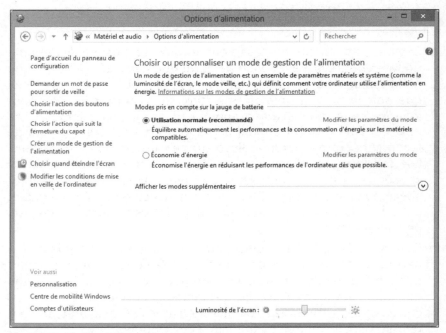

Figure 16.7 : Options d'alimentation

La jauge de la batterie indique également si votre ordinateur portable fonctionne sur secteur ou sur batterie. Lorsque la charge de votre batterie atteint un niveau faible, la jauge de la batterie affiche une notification, soit sur l'interface Windows 8, soit sur le Bureau Windows.

L'apparence de l'icône de la batterie change pour refléter l'état en cours de votre batterie ; vous pouvez ainsi vérifier le niveau de charge restant. Lorsque le niveau de charge de la batterie est supérieur à 25 %, l'icône de la batterie est verte. Lorsque le niveau de charge de la batterie atteint 25 %, un triangle jaune comprenant un point d'exclamation (!) s'affiche au-dessus de l'icône de batterie verte. Lorsque la charge de la batterie atteint un niveau de batterie faible, un cercle rouge comprenant une croix (X) blanche s'affiche au-dessus de l'icône de batterie verte.

Lorsque vous cliquez sur l'icône de la batterie, la jauge de la batterie indique la charge restante. À partir de la jauge de la batterie, vous pouvez également basculer entre les différents types de modes de gestion de l'alimentation (par exemple passer d'un mode qui optimise les performances système à un mode qui permet d'économiser l'énergie).

Modes de gestion de l'alimentation

Les paramètres de l'alimentation de cette version de Windows sont basés sur les modes de gestion de l'alimentation. Un mode de gestion de l'alimentation est un ensemble de paramètres matériels et système qui permettent de gérer la manière dont votre ordinateur utilise l'énergie. Les modes de gestion de l'alimentation vous permettent d'économiser de l'énergie, d'optimiser les performances système ou de parvenir à un équilibre entre les deux. Les trois modes de gestion de l'alimentation (*Utilisation normale*, *Économie d'énergie* et *Performances élevées*) répondent aux besoins de la plupart des utilisateurs. Vous pouvez modifier les paramètres de chacun de ces modes ou, si ces modes ne répondent pas à vos besoins, créer vos propres modes de gestion de l'alimentation en vous appuyant sur l'un de ces modes.

Il est possible que le fabricant de l'ordinateur fournisse des modes de gestion de l'alimentation supplémentaires.

Lorsque vous démarrez Windows, le mode de gestion de l'alimentation Utilisation normale est le mode actif par défaut. Ce mode permet des performances système maximales lorsque votre travail ou activité en a besoin, et économise l'énergie lorsque vous n'utilisez pas votre ordinateur.

Le tableau suivant décrit chaque mode de gestion de l'alimentation par défaut.

Tableau 16.1 : Les modes de gestion de l'alimentation

Mode	Description
Utilisation normale	Ce mode établit l'équilibre entre la consommation d'énergie et les performances système en adaptant la vitesse du processeur de l'ordinateur à votre activité.
Économies d'énergie	Ce mode économise l'énergie sur votre ordinateur portable en réduisant les performances système. Son objectif principal est d'optimiser la durée de vie de la batterie.
Performances élevées	Ce mode fournit le niveau le plus élevé de performances sur votre ordinateur portable en adaptant la vitesse du processeur à votre travail ou activité et en optimisant les performances système.

Vous pouvez gérer tous les paramètres des modes de gestion de l'alimentation à l'aide des **Options d'alimentation**. Vous pouvez optimiser davantage la consommation d'énergie et les performances système en modifiant les paramètres d'alimentation avancés. Peu importe le nombre de paramètres que vous modifiez, vous avez toujours la possibilité de les restaurer à leurs valeurs d'origine.

Personnalisation des modes de gestion de l'alimentation

Vous pouvez donc modifier un mode existant ou en créer un autre : voici les procédures à suivre.

Pour modifier un mode existant, procédez comme suit :

1   À partir de l'interface Windows 8, appuyez sur ⌈Windows⌉+⌈X⌉. Puis sur **Options d'alimentation**.

2   Dans la page *Choisir ou personnaliser un mode de gestion de l'alimentation*, cliquez sur **Modifier les paramètres du mode** sous le mode de gestion de l'alimentation à modifier.

> **REMARQUE**
>
> **Mode de gestion de l'alimentation pour performances élevées**
> Par défaut, pour voir apparaître le mode de gestion de l'alimentation *Performances élevées*, vous devez cliquer sur **Afficher les modes supplémentaires**.

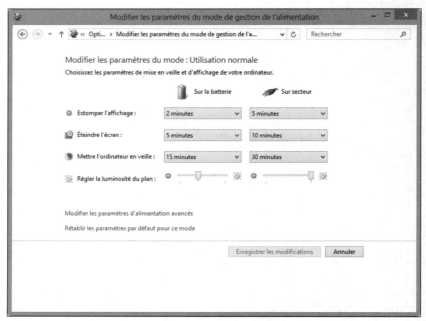

Figure 16.8 : Modifications d'un mode de gestion de l'alimentation

3 Dans la page *Modifier les paramètres du mode*, choisissez les paramètres d'affichage et de veille à utiliser lorsque votre ordinateur portable fonctionne sur batterie et sur secteur. Si vous ne souhaitez pas modifier d'autres paramètres, cliquez sur **Enregistrer les modifications**. Autrement, pour modifier des paramètres supplémentaires de l'alimentation, cliquez sur **Modifier les paramètres d'alimentation avancés.**

Figure 16.9 : Modifications avancées d'un mode de gestion de l'alimentation

4 Dans l'onglet **Paramètres avancés**, développez la catégorie à personnaliser et chaque paramètre à modifier, puis choisissez les valeurs à utiliser lorsque votre ordinateur fonctionne sur batterie et sur secteur.

5 Cliquez sur OK puis sur **Enregistrer les modifications**.

Pour créer votre propre mode de gestion de l'alimentation, procédez comme suit :

1 À partir de l'interface Windows 8, appuyez sur (Windows)+(X). Puis sur **Options d'alimentation**.

2 Dans la page *Choisir ou personnaliser un mode de gestion de l'alimentation*, dans la colonne de gauche, cliquez sur **Créer un mode de gestion de l'alimentation**.

3 Dans la page *Créer un mode de gestion de l'alimentation*, sélectionnez le mode qui se rapproche le plus du type de mode que vous cherchez à créer. Par exemple, pour créer un mode qui permet de préserver l'énergie, sélectionnez *Économies d'énergie*.

4 Dans la zone *Nom du mode*, tapez un nom pour le mode puis cliquez sur **Suivant**.

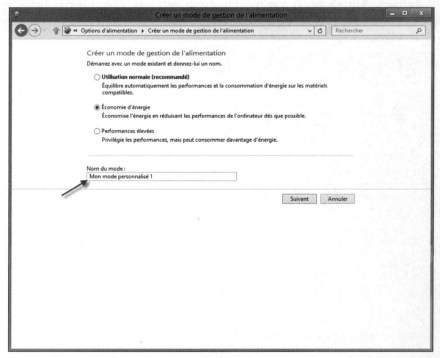

Figure 16.10 : Création d'un mode de gestion de l'alimentation

5 Dans la page *Modifier les paramètres du mode*, choisissez les paramètres d'affichage et de veille à utiliser lorsque votre ordinateur fonctionne sur batterie et sur secteur. Cliquez sur **Créer**.

Sur un ordinateur portable, votre mode s'affiche sous *Modes pris en compte* sur la jauge de batterie. Le mode sur lequel vous avez basé votre nouveau mode est déplacé et s'affiche sous *Modes supplémentaires*. Le mode que vous avez créé devient automatiquement le mode actif. Pour rendre un autre mode actif, sélectionnez le mode en question.

Si vous avez créé des modes de gestion de l'alimentation que vous n'utilisez plus ou dont vous n'avez plus besoin, supprimez-les. Vous ne pouvez supprimer aucun des trois modes de gestion de l'alimentation par défaut (*Utilisation normale*, *Économies d'énergie* ou *Perfor-*

mances élevées). Attention, une fois un mode supprimé, vous ne pouvez plus le restaurer !

Pour supprimer un mode, procédez comme suit :

1 À partir de l'interface Windows 8, appuyez sur $\boxed{\text{Windows}}$+$\boxed{\text{X}}$. Puis sur **Options d'alimentation**.

2 Si le mode actif est celui que vous souhaitez supprimer, rendez un autre mode actif.

3 Dans la page *Choisir ou personnaliser un mode de gestion de l'alimentation*, cliquez sur **Modifier les paramètres du mode** sous le mode de gestion de l'alimentation à supprimer.

4 Dans la page *Modifier les paramètres du mode*, cliquez sur **Supprimer ce mode**.

5 Lorsque le système vous le demande, cliquez sur OK.

16.3. Influence des logiciels sur la consommation électrique

Les logiciels influent sur la consommation électrique, car ils consomment des ressources (processeur, disque, mémoire, etc.). À chaque ressource correspond un coût en termes de consommation électrique. Les logiciels influent également sur la consommation électrique, par le biais du système et des pilotes chargés de gérer les états d'alimentation du matériel.

Windows 8 offre trois innovations majeures visant à améliorer la façon dont les logiciels influent sur la consommation électrique : le modèle des applications de style Metro, le mode d'inactivité optimisé, ainsi qu'une nouvelle infrastructure de gestion de l'alimentation des périphériques en cours de fonctionnement.

La plupart d'entre nous avons déjà pu constater directement l'influence des logiciels sur la consommation électrique. Vous avez peutêtre installé sur votre téléphone une application qui décharge très rapidement votre batterie, ou remarqué le bruit du ventilateur qui s'allume sur votre ordinateur portable lorsque vous jouez ou que votre tableur traite une feuille de calcul complexe. Ces applications consomment directement des ressources processeur, des ressources graphiques, du temps réseau, de l'espace disque et/ou de la mémoire.

L'une des innovations les plus notables de Windows 8 en matière de gestion de l'alimentation n'est pas directement liée à l'infrastructure de gestion de l'alimentation : il s'agit du modèle des applications de style Windows 8. Ce modèle a dès le départ été conçu pour consommer peu d'électricité. En termes de gestion de l'alimentation, ce modèle permet aux développeurs de faire en sorte que leur application soit exécutée uniquement quand il le faut : les applications en arrière-plan sont suspendues, de sorte qu'elles ne consomment ni ressources ni électricité lorsqu'elles ne sont pas utilisées.

16.4. En bref

L'usage d'un ordinateur portable avec Windows 8 est de plus en plus simple, et les fonctions spécifiques au nomadisme sont toutes mises à portée grâce au *Centre de mobilité*. De plus, les modes d'alimentation vous permettent d'économiser de l'énergie (de la batterie), ce qui est bien agréable. Vous pouvez utiliser, et c'est aussi chaudement recommandé, les modes d'alimentation pour des ordinateurs de bureau.

DÉPANNER ET SURVEILLER

La surveillance des ressources est depuis toujours un point important si l'on souhaite garder les bonnes performances de son ordinateur. Dans ce cas, la surveillance a un rôle proactif. Mais il peut arriver que l'on ait besoin de savoir ce qui a conduit à un dysfonctionnement. Pour cela, Windows 8 poursuit et améliore le travail commencé avec Windows Vista et Windows 7 ; il vous propose un ensemble d'outils simplifiés capables de vous informer sur la fiabilité de votre machine durant les derniers jours sans pour autant être un utilisateur avancé mais aussi, pour les plus chevronnés, des journaux consolidant des historiques d'événements, un suivi en temps réel ou encore un rapport de santé détaillé. Vous apprendrez également comment manipuler l'analyseur de performance. C'est ce qui vous sera présenté dans ce chapitre.

17.1. Mesurer les performances de son ordinateur

La mesure des performances de son ordinateur reste un élément qui permet de se préserver de bien des mauvaises surprises. Le simple fait de pouvoir évaluer son matériel et lui attribuer un score qui s'inscrit dans une échelle de mesure commune va offrir la possibilité d'acquérir des programmes compatibles avec les performances de votre ordinateur. Il concerne uniquement les performances de l'ordinateur qui affectent l'exécution des fonctionnalités dans Windows et d'autres programmes sur votre ordinateur. Cependant, les composants matériels individuels, comme l'unité centrale et la mémoire vive (RAM) de votre ordinateur, sont testés et reçoivent un sousscore. Le score de base de votre ordinateur est déterminé par le sous-score inférieur. Cette fonction était déjà présente sous Windows Vista, mais pas sous Windows XP ; le passage vers Windows 7 a uniquement pris en compte l'évolution du matériel puisque l'échelle des notes passe de 1 à 5,9 avec Windows Vista à 7,9 avec Windows 7. Avec Windows 8 l'échelle passe de 7,9 à 9,9.

REMARQUE

Score plafonné à 5,9

Dans de nombreux cas, votre score global reste plafonné à 5,9. Cela est dû à la limitation de votre disque dur : les disques durs dits mécaniques sont limités à 5,9 et seuls les disques durs SSD vous permettront de meilleures performances et de dépasser le score de 5,9.

17.2. Évaluer les performances de son ordinateur

Pour évaluer les performances de votre ordinateur, procédez comme suit :

1 Rendez-vous dans le **Panneau de configuration**.

2 Sélectionnez l'icône **Système et sécurité** puis **Système**.

Figure 17.1 : Panneau de configuration, rubrique Système

3 Dans la partie *Système* de la fenêtre **Informations système générales** se trouve la note de votre ordinateur. Les informations indiquent le score de base de votre ordinateur, qui correspond aux performances et à la capacité globale du matériel.

Figure 17.2 : Score global de votre ordinateur

4 Pour connaître les sous-scores de tous vos composants, cliquez sur **Indice de performance**, situé à droite de votre score global.

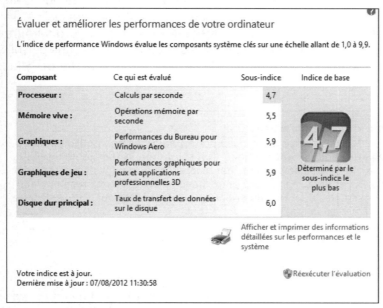

Figure 17.3 : Score global et sous-score de l'ordinateur

Voici quelques descriptions générales provenant de l'aide Microsoft sur les types d'expériences auxquels vous pouvez être confronté sur un ordinateur recevant les scores de base suivants :

■ Un ordinateur dont le score de base est de 1 ou 2 présente géné-ralement des performances suffisantes pour assurer un traitement informatique ordinaire, comme l'exécution d'applications de pro-ductivité d'entreprise et la recherche sur Internet. Cependant, un ordinateur qui présente ce score de base n'est généralement pas assez puissant pour exécuter Windows Aero ou garantir les expé-riences multimédias avancées que Windows 8 propose.

■ Un ordinateur dont le score de base est de 3 peut exécuter Aero de Windows et de nombreuses fonctionnalités de Windows 8 à un niveau de base. Il est possible que certaines des nouvelles fonc-tionnalités avancées de Windows 8 ne soient pas disponibles. Ainsi, une machine dont le score de base est de 3 peut afficher le thème Windows 8 à une résolution de 1 280 × 1 024, mais risque d'avoir des difficultés pour exécuter le thème sur plusieurs moni-teurs. De même, elle peut lire du contenu de télévision numérique, mais aurait des problèmes pour lire du contenu HDTV (télévision haute définition).

- Un ordinateur dont le score de base est de 4 ou 5 peut exécuter toutes les fonctionnalités de Windows 8 dans leur intégralité, et prendre en charge des expériences de qualité supérieure riches en images et en graphiques, telles qu'un jeu multi-joueurs en 3D, un enregistrement et une lecture de contenu HDTV. Les ordinateurs dont le score de base est de 5 sont les ordinateurs les plus performants disponibles au moment de la mise sur le marché de Windows 8.

REMARQUE

Score et évolution de matériel

L'évaluation des scores est conçue pour prendre en charge les améliorations de la technologie informatique. À mesure que les performances et la vitesse du matériel s'améliorent, des scores de base plus élevés seront introduits. Cependant, les normes pour chaque niveau d'index restent identiques. Par exemple, le score d'un ordinateur reste de 2,8, sauf si vous décidez de mettre à niveau le matériel.

Mettre son score à jour

Malgré le score que peut remonter votre ordinateur, celui-ci n'est pas gravé dans le marbre. Il peut arriver que l'on souhaite mettre son ordinateur à niveau de la carte graphique, par exemple. Une fois cette mise à niveau réalisée, vous pouvez recalculer le score de votre ordinateur en procédant de la manière suivante :

1 Rendez-vous dans le **Panneau de configuration**.

2 Sélectionnez l'icône **Système et sécurité** puis **Système**.

3 Dans la partie *Système* de la fenêtre **Informations système générales**, cliquez sur **Indice de performance**.

4 Sélectionnez **Réexécuter l'évaluation**.

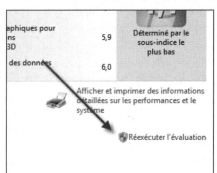

Figure 17.4 : Réexécution de l'évaluation

5 Calculer de nouveau votre score peut prendre quelques minutes. Windows 8 repasse en effet plusieurs tests sur votre ordinateur.

Une fois le test terminé, votre nouveau score est inscrit.

Figure 17.5 : Évaluation du score

REMARQUE

Calcul de la mise à jour du score
Le calcul de la mise à jour du score ne peut s'effectuer que lorsque l'ordinateur est sur secteur.

17.3. Ajuster les paramètres visuels

Un paramètre qui peut également influencer les performances de votre ordinateur est le réglage des effets visuels. Windows 8 propose une interface graphique très agréable et identique à celle de Windows 7 mais qui, hélas, peut parfois porter préjudice aux performances. Pour éviter de rencontrer ce genre de désagrément, Windows 8 propose quatre possibilités de paramétrages :

- *Laisser Windows choisir la meilleure configuration pour mon ordinateur ;*
- *Ajuster afin d'obtenir la meilleure apparence ;*
- *Ajuster afin d'obtenir la meilleure performance ;*
- *Paramètres personnalisés.*

Pour ajuster les paramètres visuels, procédez comme suit :

1 Rendez-vous dans le **Panneau de configuration**.

2 Sélectionnez l'icône **Système et sécurité** puis **Système**.

3 Dans le volet gauche de la fenêtre **Informations système générales**, cliquez sur **Paramètres système avancés**.

4 Sélectionnez l'onglet **Paramètres système avancés** dans la fenêtre **Propriétés système**.

Figure 17.6 : Fenêtre Paramètres système avancés

5 Sous **Effets visuels, planification du processeur, utilisation de la mémoire et mémoire visuelle,** cliquez sur **Paramètre**.

6 Dans l'onglet **Effets visuels** de la fenêtre **Option de performances**, sélectionnez le réglage qui correspond à votre besoin, soit visuel, soit de performance, et cliquez sur OK.

Figure 17.7 : Réglages des effets visuels

17.4. Nettoyer le disque dur

Il arrive souvent que les ordinateurs soient de plus en plus encombrés par un nombre grandissant de fichiers ; cela peut au fil du temps réduire les performances de votre machine. Pour remédier à ce problème, Windows 8 vous propose un outil de nettoyage du disque dur. Il supprime les fichiers inutiles ou temporaires du disque dur de votre ordinateur, ce qui vous permet d'augmenter l'espace de stockage disponible et de retrouver de meilleures performances.

Pour nettoyer votre ordinateur des fichiers temporaires, procédez comme suit :

1 Déplacez votre souris tout en bas à droite pour faire apparaître la barre latérale droite. Dans le menu **Rechercher**, saisissez `nettoyer disque dur`. Dans le volet de droite de la recherche, trois types de recherche s'affichent :

— *Applications* ;

— *Paramètres* ;

— *Fichiers*.

Figure 17.8 : Volet Rechercher

2 Cliquez sur **Paramètres** pour voir les cinq résultats s'afficher dans la partie gauche de votre écran. Sélectionnez **Libérer de l'espace disque en supprimant les fichiers inutiles** pour basculer vers le bureau standard de Windows.

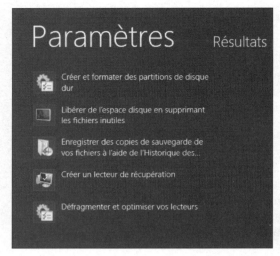

Figure 17.9 : Résultat détaillé de la section Paramètres

3 Dans la fenêtre **Nettoyage de disque**, sélectionnez le disque que vous souhaitez nettoyer. À noter que le premier concerné doit être celui du système.

4 Dans l'onglet **Nettoyage de disque** de la fenêtre **Nettoyage de disque pour (C :)**, sélectionnez les types de fichiers à supprimer puis cliquez sur OK. Les fichiers de veille prolongée représentent un volume important sur le disque.

Figure 17.10 : Sélection des fichiers à supprimer

5 Cliquez sur **Supprimer les fichiers** pour lancer la suppression.

17.5. Défragmenter le disque dur

La fragmentation se produit sur un disque dur au fur et à mesure des enregistrements, modifications ou suppressions de fichiers. Les modifications que vous enregistrez pour un fichier sont souvent stockées à un emplacement du disque dur qui diffère de l'emplacement du fichier d'origine. Les modifications ultérieures sont enregistrées dans autant d'emplacements supplémentaires. Avec le temps, le fichier et le disque dur se fragmentent, votre ordinateur ralentit, car il doit effectuer des recherches à plusieurs emplacements différents pour l'ouverture d'un fichier. Avec l'arrivée de Windows 8, la gestion des fichiers et la fragmentation des disques ont été grandement améliorées. Pour autant, il reste toujours bon de savoir défragmenter son disque dur.

Lancer une défragmentation

Pour lancer le défragmenteur de disque, procédez de la façon suivante :

1 Depuis la nouvelle interface graphique, cliquez sur l'icône **Bureau**.

Figure 17.11 : Icône Bureau de la nouvelle interface graphique

2 Dans le bureau Windows, cliquez sur l'icône **Explorateur**.

3 Dans le volet gauche, sélectionnez l'icône **Ordinateur**. L'ensemble des disques logiques disponibles va s'afficher.

4 Effectuez un clic droit sur le disque de votre choix puis, dans le menu contextuel, sélectionnez **Propriétés** (voir fig. 17.12).

5 Dans la fenêtre **Propriétés de : Disque local**, sélectionnez l'onglet **Outils** puis le bouton **Optimiser** de la partie **Optimiser et défragmenter le lecteur**.

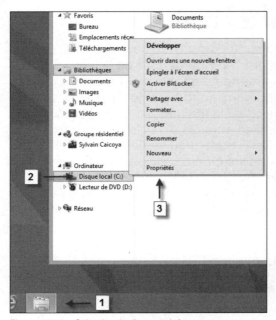

Figure 17.12 : Sélection du disque à défragmenter

6 La fenêtre **Optimiser les lecteurs** s'ouvre avec l'ensemble des lecteurs disponibles. Deux choix s'offrent à vous :

— *Analyser* ;

— *Optimiser*.

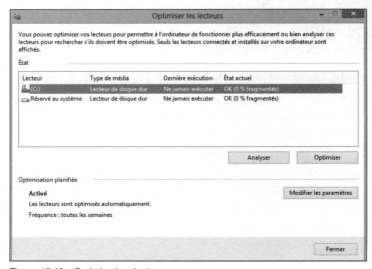

Figure 17.13 : Optimisation des lecteurs

Vous avez également la possibilité de modifier des paramètres de défragmentation. Pour cela, cliquez sur **Modifier les paramètres**. À partir de cette fenêtre, vous allez pouvoir :

- activer ou désactiver la défragmentation ;
- choisir la fréquence de défragmentation, tous les jours, toutes les semaines, tous les mois ;
- être averti ou non si trois exécutions de défragmentation successives n'ont pas lieu ;
- choisir les lecteurs que vous souhaitez défragmenter dans votre programmation.

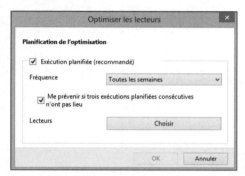

Figure 17.14 : Paramétrage des options de défragmentation

Défragmentation

L'exécution complète du Défragmenteur de disque peut prendre entre plusieurs minutes et quelques heures, selon la taille et le degré de fragmentation de votre disque dur. Toutefois, vous pouvez continuer d'utiliser votre ordinateur durant le processus de défragmentation.

17.6. Le Moniteur de ressources

Le Moniteur de ressources de Windows 8 est un composant dépendant de l'Analyseur de performances. Il fournit des outils pour l'analyse des performances du système. À partir d'une simple console, vous pouvez suivre les performances des logiciels et des matériels en temps réel.

Pour lancer le Moniteur de ressources, procédez de la façon suivante :

1 Depuis la nouvelle interface graphique, cliquez sur l'icône **Bureau**.

2 Dans le bureau Windows, réalisez un clic droit sur la barre des tâches. À l'ouverture du menu contextuel, sélectionnez **Gestionnaire de tâches**.

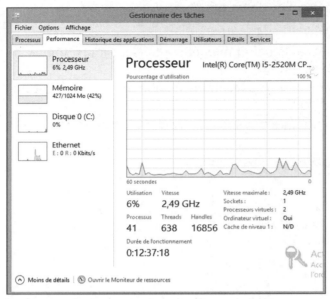

Figure 17.15 : Gestionnaire de tâches

3 Pour les personnes qui connaissent le **Gestionnaire de tâches**, il sera facile de constater que de nombreux efforts ont été réalisés. Dans le **Gestionnaire de tâches**, sélectionnez l'onglet **Performance** puis cliquez en bas à gauche sur **Ouvrir le Moniteur de ressources**.

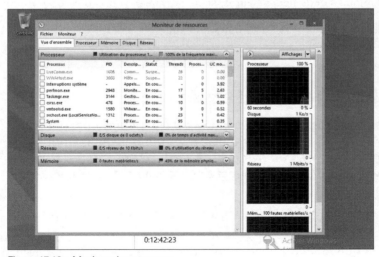

Figure 17.16 : Moniteur de ressources

17.7. L'Affichage des ressources

Lorsque vous exécutez le Moniteur de ressources de Windows 8 en tant que membre du groupe local *Administrateurs*, vous pouvez analyser en temps réel l'utilisation et les performances du processeur, du disque, du réseau et de la mémoire. Cet utilitaire est une grande évolution depuis Windows 7.

Vous pouvez obtenir des détails supplémentaires, y compris des informations sur les processus et les ressources qu'ils utilisent, en développant les quatre ressources.

L'affichage des ressources offre une vue d'ensemble des ressources en temps réel.

Il propose une vue **Processeur** avec l'activité qui lui est liée.

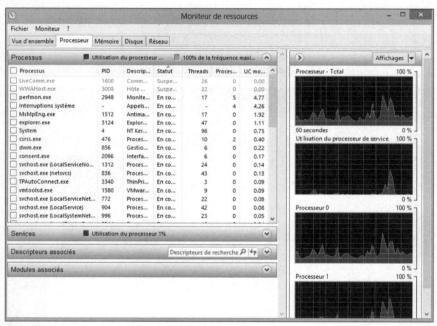

Figure 17.17 : Analyse en temps réel de l'utilisation du processeur

Tableau 17.1 : Explication de la vue Processeur

Étiquette	Description
Processeur	L'étiquette du processeur affiche en vert le pourcentage total de capacité du processeur actuellement utilisé, et en bleu la fréquence maximale du processeur. Sur certains ordinateurs portables, la fréquence maximale du processeur est réduite lorsque l'ordinateur n'est pas relié à une source d'énergie électrique de manière à diminuer l'utilisation de la batterie.
Image	Application utilisant les ressources du processeur.
ID du processus	Identificateur du processus de l'instance de l'application.
Description	Nom de l'application.
Threads	Nombre de threads de l'instance de l'application actuellement actifs.
Processeur	Nombre de cycles du processeur actuellement actifs pour l'instance de l'application.
Charge moyenne du processeur	Charge moyenne du processeur au cours des 60 dernières secondes résultant de l'instance de l'application, exprimée en pourcentage de la capacité totale du processeur.

Il propose une vue **Disque** avec l'activité qui lui est liée.

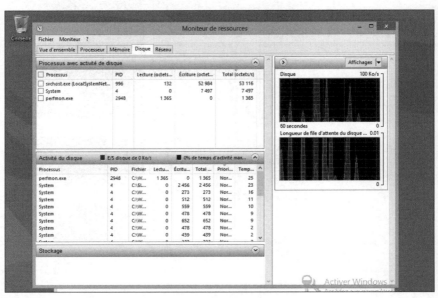

Figure 17.18 : Analyse en temps réel de l'utilisation du disque

Tableau 17.2 : Explication de la vue disque

Étiquette	Description
Disque	L'étiquette de disque affiche en vert le nombre total d'entrées/sorties actuelles, et en bleu le pourcentage de temps d'activité le plus élevé du disque.
Image	Applications utilisant les ressources du disque.
ID du processus	Identificateur du processus de l'instance de l'application.
Fichier	Fichier en cours de lecture et/ou d'écriture par l'instance de l'application.
Lecture	Vitesse actuelle (en octets par minute) de lecture des données du fichier par l'instance de l'application.
Écriture	Vitesse actuelle (en octets par minute) d'écriture des données dans le fichier par l'application.
Priorité d'Entrées/Sorties	Priorité de la tâche d'entrées/sorties pour l'application.
Temps de réponse	Temps de réponse de l'activité du disque en millisecondes.

Il propose une vue **Réseau** avec l'activité qui lui est liée.

Tableau 17.3 : Explication de la vue Réseau

Étiquette	Description
Réseau	L'étiquette *Réseau* affiche en vert le trafic total actuel du réseau (en kilobits par seconde), et en bleu le pourcentage de capacité réseau utilisé.
Image	Application utilisant les ressources du réseau.
ID du processus	Identificateur du processus de l'instance de l'application.
Adresse	Adresse réseau avec laquelle l'ordinateur local échange des informations. Elle peut être exprimée sous forme d'un nom d'ordinateur, d'une adresse IP ou d'un nom de domaine complet (FQDN).
Envois	Quantité de données (en octets par minute) envoyée actuellement par l'instance de l'application depuis l'ordinateur local vers l'adresse.
Réception	Quantité de données (en octets par minute) actuellement reçue par l'instance de l'application depuis l'adresse.
Total	Largeur de bande totale (en octets par minute) actuellement envoyée et reçue par l'instance de l'application.

Il propose une vue **Mémoire** avec l'activité qui lui est liée.

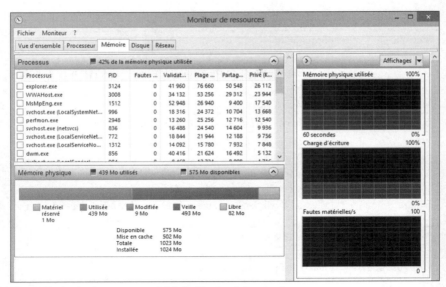

Figure 17.19 : Analyse en temps réel de l'utilisation de la mémoire

Tableau 17.4 : Explication de la vue Mémoire

Étiquette	Description
Mémoire	L'étiquette *Mémoire* affiche en vert le nombre actuel de fautes matérielles par seconde, et en bleu le pourcentage de mémoire physique actuellement utilisé.
Image	Application utilisant les ressources de la mémoire.
ID du processus	Identificateur du processus de l'instance de l'application.
Fautes matérielles/min	Nombre de fautes matérielles par minute résultant actuellement de l'instance de l'application.
Plage de travail (ko)	Nombre de kilo-octets résidant actuellement dans la mémoire pour l'instance de l'application.
Partageable (ko)	Nombre de kilo-octets de la plage de travail de l'instance de l'application pouvant être disponibles pour être utilisés par d'autres applications.
Privé (ko)	Nombre de kilo-octets de la plage de travail de l'instance de l'application dédiés au processus.

17.8. L'Analyseur de performances

L'Analyseur de performances (le célèbre Perfmon) fournit un affichage visuel des compteurs de performances Windows intégrés, en temps réel ou pour revoir des données historiques. L'Analyseur de performances ne présente pas une grande évolution sous Windows 8, il peut même être délaissé au profit d'outils plus actuels comme le moniteur de ressources.

L'Analyseur de performances offre plusieurs affichages graphiques vous permettant d'examiner visuellement les données du journal de performances. Vous pouvez créer dans l'Analyseur de performances des affichages personnalisés qui peuvent être exportés comme ensembles de collecteurs de données afin d'être utilisés avec les fonctionnalités de performance et de journalisation.

L'Analyseur de performances est un outil connu de tous les administrateurs depuis Windows NT 4.0. Il reste un utilitaire très pointu bien souvent destiné aux utilisateurs avancés et aux administrateurs qui souhaitent disposer de mesures précises à des moments très précis. Voici quelques-unes des procédures d'administration à connaître.

Les compteurs de performances inclus dans Windows 8 ou installés dans le cadre d'une application autre que Microsoft peuvent être ajoutés à un ensemble de collecteurs de données ou à une session de l'Analyseur de performances. La boîte de dialogue **Ajouter des compteurs** vous permet d'accéder à la liste complète des compteurs disponibles. Pour lancer l'Analyseur de performances, procédez comme suit :

1 Dans la nouvelle interface, cliquez sur la touche $\boxed{\text{Windows}}$+$\boxed{\text{X}}$ pour faire apparaître un menu contextuel. Dans ce menu, sélectionnez **Exécuter**.

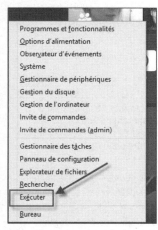

Figure 17.20 : Menu contextuel de la nouvelle interface

2 En sélectionnant le menu **Exécuter**, vous allez basculer dans le bureau de Windows ; saisissez `Perfmon` puis appuyez sur $\boxed{\leftarrow}$ pour lancer l'Analyseur de performances.

3 Dans le volet de gauche, sélectionnez l'icône **Analyseur de performances.**

4 Dans le volet droit, cliquez sur le bouton **Ajouter (+)** dans l'Analyseur de performances pour ajouter un compteur à l'écran actuel de l'Analyseur de performances.

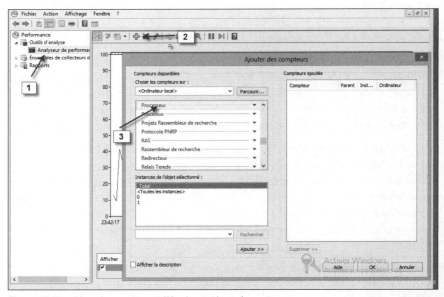

Figure 17.21 : Ajout de compteurs à l'Analyseur de performances

Voici la liste des tâches que vous pouvez effectuer à partir de la fenêtre d'ajout de compteurs.

Tableau 17.5 : Actions à réaliser lors de l'ajout de compteurs

Tâche	Procédure
Choisir des compteurs d'un ordinateur distant	Sélectionnez un ordinateur sur la liste déroulante ou cliquez sur **Parcourir** pour rechercher d'autres ordinateurs. Vous pouvez ajouter des compteurs provenant de l'ordinateur local ou d'un autre ordinateur du réseau auquel vous avez accès.
Afficher une description du groupe de compteurs sélectionné	Sélectionnez **Afficher la description** dans l'angle inférieur gauche de la page. La description sera mise à jour au fur et à mesure de la sélection d'autres groupes.
Ajouter un groupe de compteurs	Mettez le nom du groupe en surbrillance et cliquez sur **Ajouter**.
Ajouter des compteurs individuels	Développez le groupe en cliquant sur la flèche vers le bas, mettez le compteur en surbrillance puis cliquez sur **Ajouter**.

Tableau 17.5 : Actions à réaliser lors de l'ajout de compteurs

Tâche	Procédure
Rechercher les instances d'un compteur	Mettez en surbrillance le groupe de compteurs ou développez le groupe et mettez en surbrillance le compteur que vous voulez ajouter, tapez le nom du processus sur la liste déroulante située sous la case *Instances de l'objet sélectionné* puis cliquez sur **Rechercher**. Le nom du processus que vous saisissez sera disponible sur la liste déroulante pour vous permettre de répéter la recherche avec d'autres compteurs. Si aucun résultat n'est renvoyé et que vous souhaitiez effacer votre recherche, vous devez mettre un autre groupe en surbrillance. La fonction de recherche ne sera pas disponible s'il n'existe pas plusieurs instances d'un compteur ou d'un groupe de compteurs.
Ajouter seulement certaines instances d'un compteur	Mettez en surbrillance sur la liste un compteur ou un groupe de compteurs, sélectionnez le processus voulu sur la liste qui apparaît dans la case *Instances de l'objet sélectionné* puis cliquez sur **Ajouter**. Plusieurs processus peuvent créer le même compteur, mais le choix d'une instance permettra de collecter uniquement les compteurs produits par le processus sélectionné.

Maintenant que vos compteurs sont ajoutés avec pertinence, vous pouvez lancer votre analyse des performances.

Vous pouvez afficher les fichiers journaux ou les données des journaux fournies par une base de données dans l'Analyseur de performances afin de disposer d'une représentation visuelle des données de performances collectées par les ensembles de collecteurs de données (collecteurs de données décrits plus loin dans cet atelier).

Pour ouvrir des fichiers journaux dans l'Analyseur de performances :

1 Dans le Panneau de navigation du Moniteur de fiabilité et de performances, développez *Outils d'analyse* et cliquez sur *Analyseur de performances*.

2 Dans la barre d'outils du volet de la console, cliquez sur le bouton **Afficher les données du journal**. La page des propriétés de l'Analyseur de performances s'ouvre sur l'onglet **Source**.

3 Dans la section *Source des données*, sélectionnez *Fichiers journaux* puis cliquez sur **Ajouter**.

4 Recherchez le fichier journal à afficher puis cliquez sur **Ouvrir**. Pour ajouter plusieurs fichiers journaux à l'affichage de l'Analyseur de performances, cliquez une nouvelle fois sur **Ajouter**.

5 Cliquez sur *Période* pour voir les périodes incluses dans le ou les journaux sélectionnés. Avec plusieurs fichiers journaux, vous pouvez déplacer les curseurs de début et de fin de période afin de choisir la période (dans tous les fichiers journaux sélectionnés) à afficher dans l'Analyseur de performances. Si un journal comprend des données de la période sélectionnée, elles seront affichées.

6 Quand vous avez terminé de sélectionner des fichiers journaux, cliquez sur OK.

7 Cliquez du bouton droit sur l'écran de l'Analyseur de performances puis cliquez sur **Ajouter des compteurs**. La boîte de dialogue **Ajouter des compteurs** s'ouvre. Seuls les compteurs inclus dans le ou les fichiers journaux préalablement sélectionnés seront disponibles.

8 Sélectionnez les compteurs que vous voulez afficher dans le graphique de l'Analyseur de performances et cliquez sur OK.

Vous pouvez sélectionner plusieurs groupes de compteurs ou plusieurs compteurs à la fois en maintenant la touche [Ctrl] enfoncée tout en cliquant sur les noms des groupes ou des compteurs, puis en cliquant sur OK.

Pour accéder à une source de données du journal dans l'Analyseur de performances :

1 Dans le Panneau de navigation du Moniteur de fiabilité et de performances, développez *Outils d'analyse* et cliquez sur *Analyseur de performances*.

2 Dans la barre d'outils du volet de la console, cliquez sur le bouton **Afficher les données du journal**. La page des propriétés de l'Analyseur de performances s'ouvre sur l'onglet **Source**.

3 Dans la section *Source des données*, choisissez *Base de données*.

4 Choisissez un nom de source de données (DSN) système et un ensemble de journaux sur les listes déroulantes.

5 Cliquez sur *Période* pour voir les périodes incluses dans le journal sélectionné. Vous pouvez déplacer les curseurs de début et de fin de période afin de n'afficher qu'une partie du fichier journal dans l'Analyseur de performances.

6 Lorsque vous avez terminé, cliquez sur OK.

7 Cliquez du bouton droit sur l'écran de l'Analyseur de performances puis cliquez sur **Ajouter des compteurs**. La boîte de dialogue **Ajouter des compteurs** s'ouvre. Seuls les compteurs inclus dans le ou les fichiers journaux préalablement sélectionnés seront disponibles.

8 Sélectionnez les compteurs que vous voulez afficher dans le graphique de l'Analyseur de performances et cliquez sur OK.

Vous pouvez sélectionner plusieurs groupes de compteurs ou plusieurs compteurs à la fois en maintenant la touche [Ctrl] enfoncée tout en cliquant sur les noms des groupes ou des compteurs, puis en cliquant sur OK.

Vous pouvez afficher les fichiers journaux dans différentes fenêtres de l'Analyseur de performances et les comparer ensuite en les superposant en transparence. Pour comparer plusieurs fichiers journaux dans l'Analyseur de performances :

1 Dans le menu **Exécuter**, tapez `perfmon /sys` puis cliquez sur OK. L'Analyseur de performances s'ouvre en mode Autonome.

ATTENTION

Comparaison des fenêtres de l'Analyseur de performances
Vous êtes obligé d'utiliser la ligne de commandes `perfmon /sys` pour que la comparaison avec transparence fonctionne. Si vous ouvrez l'Analyseur de performances *via* le Panneau de configuration, cela ne fonctionnera pas.

2 Pour créer un affichage qui servira de base de comparaison, ouvrez les journaux ou une autre source de données et ajoutez les compteurs de ces journaux ou sources de données à l'écran de l'Analyseur de performances.

3 Lorsque vous avez terminé la création de votre affichage de base, répétez les étapes précédentes pour ouvrir une autre instance de l'Analyseur de performances en mode Autonome.

4 Pour créer un affichage qui servira de base de comparaison, ouvrez les journaux ou une autre source de données et ajoutez les compteurs de ces journaux ou sources de données à l'écran de l'Analyseur de performances.

5 Dans la fenêtre de l'Analyseur de performances que vous voulez comparer à votre base, cliquez sur **Définir la transparence** dans le menu **Comparer** et sélectionnez soit *70% de transparence*, soit *40% de transparence*.

6 Dans la fenêtre de l'Analyseur de performances que vous souhaitez comparer à votre base, cliquez sur **Instantané à comparer** dans le menu **Comparer**. La fenêtre active de l'Analyseur de performances s'aligne automatiquement avec l'autre fenêtre de l'Analyseur de performances.

L'utilisation de la fonctionnalité de transparence pour comparer des fichiers journaux fonctionne mieux lorsque les différents journaux affichés proviennent du même ensemble de collecteur de données, puisque les proportions du graphique de l'Analyseur de performances changent de manière à afficher le plus efficacement possible l'étendue de données contenues dans le fichier journal. C'est plus lisible.

17.9. Le Moniteur de fiabilité

Le Moniteur de fiabilité a fait son apparition dans Windows Vista, il est un composant enfichable intégré au Moniteur de fiabilité et performance. Avec Windows 8, le composant n'est plus disponible, il ne reste plus que l'Analyseur de performances. Cependant, pour exécuter le Moniteur de fiabilité, il vous suffit de le lancer depuis la barre de recherche.

Le Moniteur de fiabilité vous permet de voir en un coup d'œil la stabilité de votre système et affiche des informations quotidiennes sur les événements ayant un impact sur sa fiabilité. Le Moniteur de fiabilité retrace ces événements depuis l'installation de l'ordinateur ou pendant un an. Vous avez donc une vue au fil du temps de l'usage de l'ordinateur.

Ce nouvel outil se révèle très important pour les administrateurs, mais également pour les particuliers ; il leur permet en effet, en cas d'incident détecté par un utilisateur, d'avoir une vision temporelle des événements qui se sont passés avant, pendant et après l'incident.

Tous les administrateurs ont été confrontés un jour au fameux "*Ça ne marche pas !...*" provenant d'un utilisateur qui a un problème sur son ordinateur, suivi du non moins fameux et très utile "*Je n'ai rien fait !...*" qui est d'un grand secours dans la phase de diagnostic de l'administrateur ! Le Moniteur de fiabilité va permettre enfin à l'administrateur d'avoir rapidement et efficacement une vue sur l'utilisation globale de l'ordinateur et le déclenchement du problème. De plus, le Moniteur de fiabilité est un outil qui va permettre de juger noir sur blanc de la stabilité de Windows 8 dans le temps, bien que la stabilité soit directement liée à l'usage que l'on fait de l'ordinateur, ce que, peut-être, ce nouvel outil tendra à montrer avant tout.

Cette rubrique vous aide à comprendre les résultats et à prendre des mesures pour améliorer la fiabilité en fonction de ce que vous apprenez.

Ouvrir le Moniteur de fiabilité

Pour ouvrir le Moniteur de fiabilité, tapez `historique de fiabilité` dans la fenêtre de recherche du Panneau de configuration.

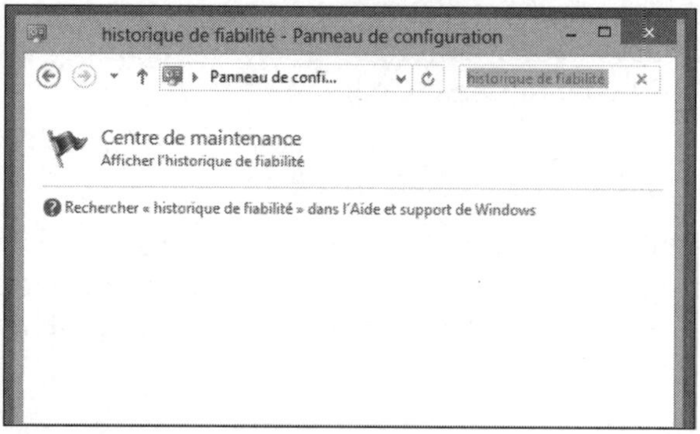

Figure 17.22 : Recherche d'Historique de fiabilité dans le Panneau de configuration

Le Graphique de stabilité du système

Le Moniteur de fiabilité conserve un historique d'un an relatif à la stabilité du système et aux événements de fiabilité. Le Graphique de stabilité du système affiche un graphique continu organisé par dates.

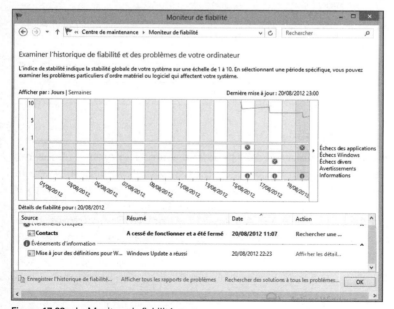

Figure 17.23 : Le Moniteur de fiabilité

La partie supérieure du Graphique de stabilité du système affiche un graphique de l'index de stabilité. Dans la partie inférieure du graphique, cinq rangées suivent les événements de fiabilité qui soit contribuent à la mesure de la stabilité du système, soit fournissent des informations en rapport avec l'installation et la désinstallation de logiciels. Si un ou plusieurs événements de fiabilité de chaque type sont détectés, une icône apparaît dans la colonne à cette date.

Les résultats du Moniteur de fiabilité

Si le Moniteur de fiabilité fait état de fréquents événements de défaillance de fiabilité, utilisez les données qu'il fournit pour décider des mesures à prendre afin d'améliorer la stabilité de votre système d'exploitation.

Échec des applications

Les installations et désinstallations de logiciels, y compris des composants du système d'exploitation, des mises à jour de Windows, des pilotes et des applications, sont suivies dans cette catégorie.

Tableau 17.6 : Installations/désinstallations de logiciels

Type de données	Description
Logiciel	Indique le système d'exploitation, le nom de l'application, le nom de la mise à jour de Windows ou le nom du pilote.
Version	Spécifie la version du système d'exploitation, de l'application ou du pilote (ce champ n'est pas disponible pour les mises à jour de Windows).
Activité	Indique si l'événement est une installation ou une désinstallation.
État de l'activité	Indique si l'action a réussi ou échoué.
Date	Spécifie la date de l'action.

Défaillances d'application

Si le Moniteur de fiabilité fait état de défaillances logicielles répétées, de défaillances de Windows ou d'échecs pendant l'installation ou la désinstallation de logiciels, il vous faudra peut-être mettre à jour l'application ou les composants du système d'exploitation défaillants. Utilisez les services Windows Update et Rapports et solutions aux problèmes pour rechercher des mises à jour d'applications susceptibles de résoudre vos problèmes.

Tableau 17.7 : Défaillances d'applications

Type de données	Description
Application	Spécifie le nom du programme exécutable de l'application qui a cessé de fonctionner ou de répondre.
Version	Spécifie le numéro de version de l'application.
Type de défaillance	Indique si l'application a cessé de fonctionner ou de répondre.
Date	Spécifie la date de la défaillance de l'application.

Échecs Windows

Les défaillances du système d'exploitation et du démarrage sont suivies dans cette catégorie.

Tableau 17.8 : Échecs Windows

Type de données	Description
Type de défaillance	Indique si l'événement est une défaillance du démarrage ou un incident sur le système d'exploitation.
Version	Identifie les versions du système d'exploitation et du Service Pack.
Détail de la défaillance	Fournit des détails sur le type de défaillance. Défaillance du système d'exploitation : indique le code d'arrêt. Défaillance au démarrage : indique le code du motif.
Date	Spécifie la date de la défaillance de Windows.

Échecs divers

Les défaillances qui ont un impact sur la stabilité, mais qui n'entrent pas dans les catégories précédentes, y compris les arrêts inattendus du système d'exploitation, sont suivies dans cette catégorie.

Tableau 17.9 : Échecs divers

Type de données	Description
Type de défaillance	Indique si le système a été brutalement arrêté.
Version	Identifie les versions du système d'exploitation et du Service Pack.
Détail de la défaillance	Indique si la machine n'a pas été arrêtée correctement.
Date	Spécifie la date d'une défaillance diverse.

17.10. La mémoire virtuelle

Elle associe la mémoire vive (RAM) de votre ordinateur à l'espace temporaire sur votre disque dur. Si la mémoire vive vient à manquer, la mémoire virtuelle transfère des données de la mémoire vive vers un espace appelé fichier de pagination. Le transfert des données depuis et vers le fichier de pagination permet de libérer de la mémoire vive et de terminer le travail en cours.

Plus votre ordinateur possède de mémoire vive, plus vos programmes généralement s'exécutent rapidement. Si un manque de mémoire vive ralentit votre ordinateur, vous pouvez être tenté d'augmenter la mémoire virtuelle pour compenser. Cependant, votre ordinateur peut lire les données en mémoire vive beaucoup plus rapidement qu'à partir d'un disque dur. L'ajout de mémoire vive offre donc une meilleure solution.

Déterminer la quantité de RAM présente sur l'ordinateur

Si vous souhaitez connaître la quantité de mémoire RAM que possède votre ordinateur, procédez ainsi :

1 Cliquez sur l'icône **Bureau** de la nouvelle interface et, dans le volet latéral droit, sélectionnez **Paramètres** puis **Panneau de configuration**.

2 Sélectionnez l'icône **Système**.

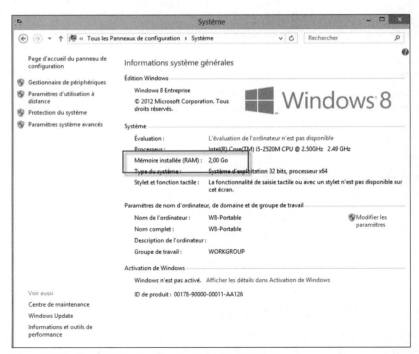

Figure 17.24 : Quantité de mémoire présente sur l'ordinateur

Modifier la taille de la mémoire virtuelle

Pour modifier la taille de la mémoire virtuelle, procédez comme suit :

1 Cliquez sur l'icône **Bureau** de la nouvelle interface et, dans le volet latéral droit, sélectionnez **Paramètres** puis **Panneau de configuration**.

2 Sélectionnez l'icône **Système**.

3 Dans le volet gauche, cliquez sur **Paramètres système avancés**. Si vous êtes invité à fournir un mot de passe administrateur ou une confirmation, fournissez le mot de passe ou la confirmation.

4 Sous l'onglet **Options avancées**, cliquez sur **Paramètres** sous **Performances**.

5 Cliquez sur l'onglet **Avancé**. Sous **Mémoire virtuelle**, cliquez sur **Modifier**.

6 Désactivez la case à cocher *Gérer automatiquement le fichier d'échange pour tous les lecteurs*.

7 Sous *Lecteur [nom de volume]*, cliquez sur le lecteur qui contient le fichier de pagination que vous voulez modifier.

8 Cliquez sur **Taille personnalisée**, tapez une nouvelle taille en mégaoctets dans la zone *Taille initiale (Mo)* ou *Taille maximale (Mo)*. Cliquez sur **Définir** puis sur OK.

REMARQUE

Modification de la mémoire virtuelle

Les augmentations de la taille ne demandent pas généralement de redémarrer, mais si vous diminuez la taille vous devrez redémarrer votre ordinateur pour que les changements prennent effet. Microsoft recommande fortement de ne pas désactiver ni supprimer le fichier de pagination.

17.11. En bref

Pour clôturer ce chapitre sur la surveillance et la maintenance de Windows, nous pouvons facilement imaginer, avec l'arrivée de la nouvelle interface graphique et le nouveau genre d'application de Windows 8, que le nombre d'interventions sur le périmètre de la maintenance va considérablement réduire.

En effet, il suffit de regarder comment Windows 8 fonctionne avec les nouvelles applications du Windows Store. Chaque application est à présent installée dans un silo avec l'ensemble de ses composants. En supprimant l'application, Windows 8 supprime l'ensemble des composants associés et, de fait, ne laisse plus de trace.

Mais, pour l'heure, Microsoft utilise toujours Windows 8 comme Windows 7 avec un bureau, un panneau de configuration plein d'options techniques en tout genre. Il est donc primordial de connaître les bases de la maintenance et de la surveillance.

CHAPITRE 18

EXPLOITER LE REGISTRE ET LA CONFIGURATION SYSTÈME

Bonne ou mauvaise nouvelle, le Registre existe toujours sous Windows 8 comme avec toutes les précédentes versions de Windows. Seulement voilà, même si cette fois-ci le Registre est plus sécurisé, son fonctionnement n'est finalement pas très différent comparé aux précédentes versions de Windows, et il n'en reste toujours pas moins délicat à utiliser.

Il est toujours essentiel, dans une version de Windows et, de surcroît, dans une nouvelle version de Windows, de s'arrêter sur le fonctionnement de la Base de registre et sur l'outil Configuration système afin que vous puissiez rendre plus performantes encore leurs tâches quotidiennes.

Pour terminer cet ouvrage destiné à l'utilisation de Windows 8, nous avons fait le choix d'un chapitre technique avancé qui permettra à tous les utilisateurs chevronnés de pouvoir dépanner et optimiser l'utilisation de leur ordinateur en prenant un minimum de risques. Bienvenue dans les coulisses de Windows 8.

18.1. La Base de registre

Le Registre (connu, reconnu et archiconnu depuis le début de Windows) est une base de données dans Windows qui contient des informations importantes sur le matériel du système, les programmes et les paramètres installés ainsi que les profils de chaque compte d'utilisateur sur votre ordinateur. Windows consulte sans cesse les informations du Registre.

Vous ne devez pas effectuer de modifications manuelles dans le Registre. Les programmes et les applications effectuent généralement toutes les modifications nécessaires automatiquement. Une modification erronée apportée au Registre de votre ordinateur peut rendre celui-ci inutilisable. Cependant, si un fichier endommagé apparaît dans le Registre, vous devrez peut-être le modifier.

Il est fortement recommandé de sauvegarder le Registre avant d'y apporter des modifications. Changez uniquement les valeurs du Registre que vous connaissez ou pour lesquelles vous avez reçu des instructions de la part d'une source fiable.

L'éditeur du Registre

L'éditeur du Registre est destiné aux utilisateurs avancés. Il permet d'afficher et de modifier les paramètres dans le Registre système, qui contient les informations sur le fonctionnement de votre ordinateur.

Windows se réfère à ces informations et les met à jour lorsque vous apportez à votre ordinateur des modifications telles que l'installation d'un nouveau programme, la création d'un profil utilisateur ou l'ajout d'un nouveau matériel. L'éditeur du Registre vous permet d'afficher les dossiers, les fichiers du Registre ainsi que les paramètres de chaque fichier du Registre.

ATTENTION

Manipuler le Registre avec les plus grandes précautions

Normalement, vous ne devez pas effectuer de modifications dans le Registre. Celui-ci contient des informations système complexes essentielles au fonctionnement de votre ordinateur. Toute modification erronée du Registre peut altérer votre ordinateur. Cependant, il est parfois nécessaire de rectifier un fichier endommagé du Registre. Sauvegardez toujours le Registre avant de le modifier. Changez uniquement les valeurs du Registre que vous connaissez ou pour lesquelles vous avez reçu des instructions.

Lancer l'éditeur du Registre

Sans entrer dans trop de détails, nous pourrons tous regretter que certaines actions qui pouvaient sembler si simples dans les versions précédentes de Windows soient devenues si complexes. Nous allons prendre comme exemple le lancement d'une commande à partir du menu Démarrer, menu qui n'existe plus à présent avec Windows 8.

Auparavant, pour accéder à l'éditeur du Registre et vous connecter au Registre local du Poste de travail, vous deviez procéder comme suit :

1 Cliquer sur le logo Windows de démarrage.

2 Taper `regedit` et valider.

Figure 18.1 : Commande Exécuter à partir du menu Démarrer

À présent, il faut dans un premier temps retrouver le menu **Exécuter**, qui a disparu de la nouvelle interface d'accueil.

Figure 18.2 : Nouvelle interface utilisateur de Windows sans menu Démarrer

Malheureusement, même lorsque vous sélectionnez l'icône **Bureau** à partir de la nouvelle interface utilisateur (bureau ancienne version), vous ne trouvez pas non plus de commande **Exécuter**.

Figure 18.3 : Bureau de Windows 8 sans menu Démarrer

Voici comment récupérer votre menu **Exécuter**. Pour cela, procédez comme suit :

1 À partir de la nouvelle interface utilisateur, connue également sous le nom de *metro*, positionnez votre curseur de souris dans le coin en bas à droite pour faire apparaître la barre latérale droite.

Figure 18.4 : Barre latérale droite de la nouvelle interface utilisateur

2 Dans la barre latérale droite, sélectionnez **Rechercher**.

Figure 18.5 : Fonction Rechercher

3 Une fenêtre s'affiche, divisée en deux parties ; la première à gauche présente l'ensemble de vos applications utilisées en mode tablette, la partie droite affiche le menu **Rechercher**.

Figure 18.6 : Fenêtre Rechercher

4 Dans la fenêtre **Rechercher**, saisissez exécuter dans la partie gauche de la fenêtre ; l'utilitaire **Exécuter** apparaît.

Figure 18.7 : Utilitaire Exécuter

5 Cliquez sur l'utilitaire **Exécuter** pour basculer vers le bureau Windows.

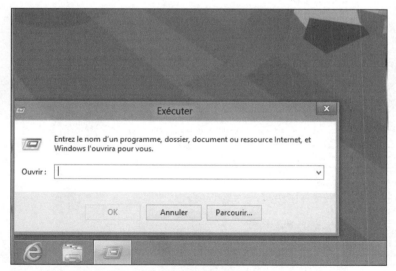

Figure 18.8 : Utilitaire Exécuter dans le Bureau de Windows

6 Dans la fenêtre de l'utilitaire, saisissez `regedit` pour lancer l'éditeur du Registre.

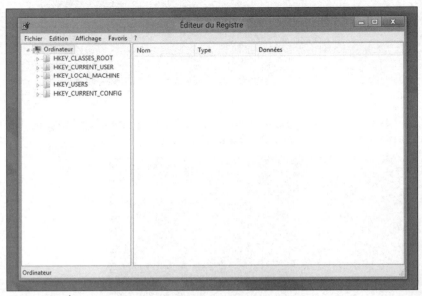

Figure 18.9 : Éditeur de la Base de registre

ASTUCE

Épingler l'utilitaire Exécuter

Si vous utilisez régulièrement cet utilitaire, vous pouvez l'épingler en réalisant un clic droit avec votre souris sur l'utilitaire dans la barre des tâches puis en sélectionnant **Épingler**.

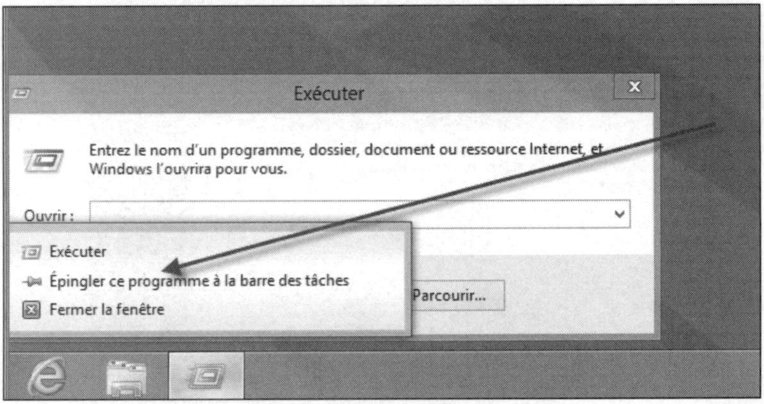

Figure 18.10 : Utilitaire Épingler dans la barre des tâches

Se connecter au Registre

Si vous en avez le besoin, notamment pour les administrateurs ou les utilisateurs avancés en réseaux avec plusieurs ordinateurs, vous pouvez accéder à des registres d'autres ordinateurs à distance. Pour gérer des registres à distance, utilisez l'éditeur du Registre. Une fois que vous avez ouvert l'éditeur du Registre, vous pouvez procéder à toutes les actions décrites ci-après.

ATTENTION **Mise en garde sur les actions liées au Registre**
Toute modification incorrecte du Registre peut endommager gravement votre système. Avant d'apporter des modifications au Registre, sauvegardez toutes les données importantes présentes sur l'ordinateur.

Pour se connecter à un Registre sur un réseau :

1 Dans l'éditeur du Registre, dans le menu **Fichier**, cliquez sur **Connexion au Registre réseau**.

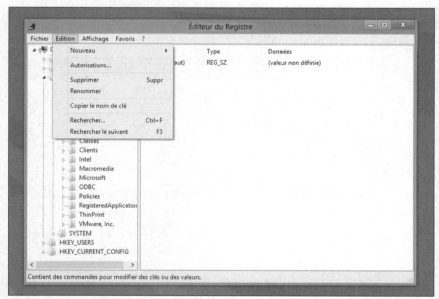

Figure 18.11 : Connexion au Registre distant

2 Dans la boîte de dialogue **Sélectionner un ordinateur**, cliquez sur *Types d'objet*, sélectionnez l'objet spécifique que vous recherchez (en général *Ordinateurs*), puis cliquez sur OK.

3 Cliquez sur *Emplacements*, spécifiez l'emplacement où vous voulez effectuer la recherche, puis cliquez sur OK.

4 Tapez le nom de l'ordinateur au Registre duquel vous voulez vous connecter dans *Entrer le nom de l'objet à sélectionner*, puis cliquez sur *Vérifier les noms*.

5 Quand le nom de l'ordinateur est résolu, cliquez sur OK.

Pour vous connecter à un Registre distant, il n'est pas nécessaire d'ouvrir une session en tant qu'administrateur ni comme membre du groupe *Administrateurs* sur votre ordinateur, mais vous devez avoir des droits d'administrateur sur l'ordinateur distant. Pour modifier un Registre distant, vous devez avoir ouvert une session en tant qu'administrateur ou que membre du groupe *Administrateurs* sur votre ordinateur local.

Les deux ordinateurs doivent exécuter le service d'accès à distance au Registre. Si le service d'accès à distance au Registre n'a pas démarré sur l'un ou l'autre des ordinateurs, vous devez ouvrir une session en tant qu'administrateur ou que membre du groupe *Administrateurs* sur l'ordinateur de façon à démarrer le service. Faites attention tout de même car les paramètres de stratégie réseau peuvent vous empêcher d'effectuer cette procédure.

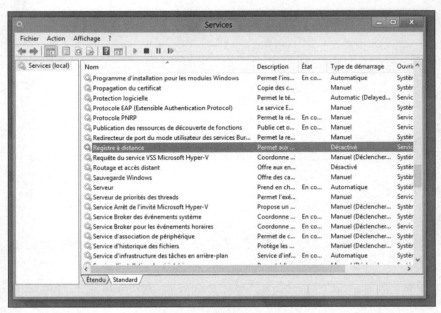

Figure 18.12 : Le service d'accès à distance au Registre

Pour se déconnecter d'un Registre sur un réseau :

1 Dans l'éditeur du Registre, dans le menu **Fichier**, cliquez sur **Déconnexion du Registre réseau**.

2 Dans la boîte de dialogue **Déconnexion du Registre réseau**, cliquez sur le nom de l'ordinateur du Registre duquel vous voulez vous déconnecter, puis cliquez sur OK.

Exporter et importer des fichiers du Registre

Pour exporter à distance tout ou partie du Registre, utilisez l'éditeur du Registre. Une fois que vous avez ouvert l'éditeur du Registre, vous pouvez exporter le Registre vers un fichier texte ou un fichier ruche.

Les ruches sont les conteneurs spécifiques du Registre, ayant un rôle et un cloisonnement bien précis dans leur fonction et qui stockent les clés et les valeurs importantes du Registre, par exemple tout sur le profil de la session utilisateur en cours ou tout sur les applications installées globales au poste de travail.

Vous pouvez utiliser un éditeur de texte tel que le Bloc-notes pour travailler avec les fichiers de Registre que vous avez créés par exportation. Vous pourrez alors avoir un environnement de modification du Registre plus fiable.

Vous pouvez enregistrer les fichiers au format Windows, en tant que fichiers d'enregistrement, fichiers binaires ou fichiers texte. Les fichiers de Registre sont enregistrés avec des extensions *.reg* et les fichiers texte le sont, bien sûr, avec des extensions *.txt*.

Pour exporter tout ou partie du Registre :

1 Ouvrez l'éditeur du Registre. Si vous voulez enregistrer seulement une branche particulière, sélectionnez-la.

2 Dans le menu **Fichier**, cliquez sur **Exporter**.

3 Dans le champ *Nom du fichier*, entrez un nom pour le fichier de Registre.

4 Dans le champ *Type*, sélectionnez le type de fichier que vous voulez utiliser pour le fichier enregistré (fichier d'enregistrement, fichier ruche de Registre, fichier texte, fichier d'enregistrement Windows 98/NT4.0).

5 Dans la zone *Étendue de l'exportation*, utilisez les cases d'option pour indiquer si vous voulez exporter la totalité du Registre ou seulement la branche sélectionnée.

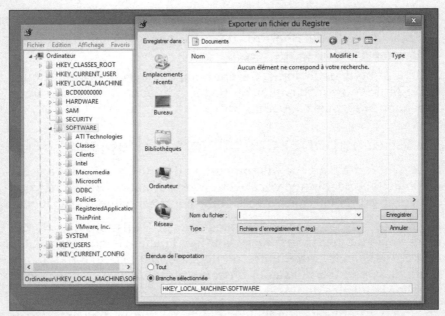

Figure 18.13 : Exportation de clés

6 Cliquez sur **Enregistrer**.

L'éditeur du Registre fournit plusieurs commandes qui sont essentiellement conçues pour la gestion de votre système. Par exemple, les commandes **Charger la ruche** ou **Décharger la ruche** permettent le déchargement temporaire de votre système vers un autre système pour effectuer la maintenance. Avant qu'une ruche puisse être chargée ou restaurée, elle doit être enregistrée en tant que clé, sur une clé USB ou sur votre disque dur.

En ce qui concerne l'importation, la commande **Importer** de l'éditeur du Registre peut importer des fichiers de Registre de tous les types, y compris des fichiers texte et des fichiers ruche.

Pour importer tout ou partie du Registre :

1 Ouvrez l'éditeur du Registre.

2 Dans le menu **Fichier**, cliquez sur **Importer**.

3 Recherchez le fichier que vous voulez importer, cliquez sur le fichier pour le sélectionner, puis cliquez sur **Ouvrir**.

Dans l'Explorateur Windows, le fait de double-cliquer sur un fichier avec l'extension *.reg* importe le fichier dans le Registre de l'ordinateur.

Figure 18.14 : Importation de clés

> ⚠️ **ATTENTION**
>
> ### La restauration d'une ruche
>
> Une ruche restaurée remplace une clé de Registre existante et devient une partie permanente de votre configuration. Par exemple, pour effectuer la maintenance sur une partie de votre système, vous pouvez utiliser la commande **Exporter** pour enregistrer une ruche sur un disque. Quand vous êtes prêt, vous pouvez alors utiliser la commande **Importer** du menu **Fichier** pour restaurer la clé enregistrée sur votre système.

Charger et décharger une ruche du Registre

Pour charger ou décharger des ruches du Registre, utilisez l'éditeur du Registre. Les commandes **Charger la ruche** et **Décharger la ruche** affectent seulement les clés *HKEY_USERS* et *HKEY_LOCAL_MACHINE* ; par ailleurs, elles sont actives seulement quand ces clés prédéfinies sont sélectionnées.

Quand vous chargez une ruche dans le Registre, la ruche devient une sous-clé de ces clés.

Pour charger une ruche dans le Registre :

1 Ouvrez l'éditeur du Registre.

2 Cliquez sur la clé *HKEY_USERS* ou sur la clé *HKEY_LOCAL_ MACHINE*.

3 Dans le menu **Fichier**, cliquez sur **Charger la ruche**.

Figure 18.15 : Chargement d'une ruche

4 Recherchez la ruche à charger et cliquez sur celle-ci.

5 Cliquez sur **Ouvrir**.

6 Dans le champ *Nom de la clé*, tapez le nom que vous voulez affecter à la ruche, puis cliquez sur OK.

Pour décharger une ruche du Registre :

1 Ouvrez l'éditeur du Registre.

2 Sélectionnez une ruche précédemment chargée sur le système.

3 Dans le menu **Fichier**, cliquez sur **Décharger la ruche**.

Sauvegarder le Registre

Avant d'apporter des modifications à une clé de Registre ou à une sous-clé, il est recommandé d'exporter ou de faire une copie de la clé ou de la sous-clé. Vous pouvez enregistrer la copie de sauvegarde à l'emplacement de votre choix, un dossier sur votre disque dur ou un périphérique de stockage amovible, par exemple. Si vous apportez des modifications que vous souhaitez annuler, vous pouvez importer la copie de sauvegarde.

Vous devez avoir ouvert une session en tant qu'administrateur pour effectuer ces étapes. Sinon vous pouvez uniquement modifier les paramètres de votre compte d'utilisateur.

1 Ouvrez l'éditeur du Registre.

2 Recherchez et cliquez sur la clé ou la sous-clé à sauvegarder.

3 Cliquez sur le menu **Fichier**, puis sur **Exporter**.

4 Dans la zone *Enregistrer*, sélectionnez l'emplacement où vous souhaitez enregistrer la copie de sauvegarde, puis tapez un nom pour le fichier de sauvegarde dans la zone *Nom de fichier*.

5 Cliquez sur **Enregistrer**.

Même si vous pouvez sauvegarder davantage d'informations que la clé ou la sous-clé de Registre que vous modifiez, sachez que cette opération augmente la taille du fichier de sauvegarde. Avant de modifier le Registre, il est recommandé de créer un point de restauration à l'aide de la Restauration système. Le point de restauration contient des informations sur le Registre et vous pouvez utiliser le point de restauration pour annuler les modifications dans votre système.

Restaurer le Registre

Si certaines clés ou valeurs de la clé de Registre *HKLM\System\CurrentControlSet* sont supprimées ou reçoivent des valeurs incorrectes, une restauration du Registre peut être nécessaire pour pouvoir continuer à utiliser l'ordinateur.

Pour restaurer le Registre :

1 Ouvrez l'éditeur du Registre.

2 Cliquez sur **Démarrer**, pointez sur l'icône avec la flèche droite, puis cliquez sur **Arrêter**.

3 Démarrez l'ordinateur. Lorsque le message "Choisissez le système d'exploitation à démarrer" apparaît, appuyez sur F8.

4 Utilisez les touches fléchées pour sélectionner la commande **Dernière bonne configuration connue**, puis appuyez sur ↵. La touche Verr Num doit être désactivée pour que les touches fléchées du pavé numérique fonctionnent.

5 Utilisez les touches fléchées pour sélectionner un système d'exploitation, puis appuyez sur ↵.

18.2. La Configuration système

L'outil avancé Configuration du système vous permet d'identifier les problèmes qui peuvent empêcher les fichiers système de Windows de démarrer correctement. Vous pouvez démarrer Windows en ayant désactivé les programmes de démarrage et les services courants que vous pouvez ensuite réactiver, individuellement. Si un problème ne se produit pas lorsqu'un service est désactivé, mais qu'il se produit lorsque le service est activé, ce service est sans doute la cause du problème.

L'outil Configuration du système est destiné à rechercher et à isoler les problèmes, mais il ne s'agit pas d'un programme de gestion de démarrage.

Pour ouvrir l'outil Configuration du système :

1 À partir de l'interface utilisateur de départ (Métro), déplacez-vous tout en bas à droite puis sélectionnez **Toutes les applications**.

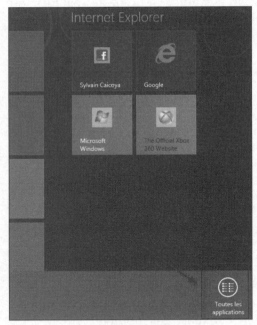

Figure 18.16 : Icône Toutes les applications

2 L'interface change d'aspect et l'écran se divise en deux types d'icônes : les icônes metro dans la partie de gauche et les icônes version Windows 7 dans la partie de droite ; c'est dans cette partie que vous allez pouvoir utiliser une des possibilités d'accéder au Panneau de configuration.

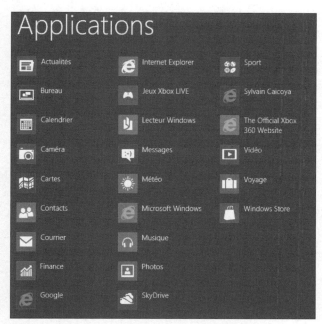

Figure 18.17 : Icônes version nouvelle interface utilisateur

Dans les icônes de droite, vous allez pouvoir retrouver une grande partie des icônes qui ont disparu en même temps que le menu **Démarrer** que l'on a pu connaître depuis l'arrivée de Windows 95.

Figure 18.18 : Icônes version Windows 7

3 Cliquez sur le menu **Panneau de configuration/Outils d'administration /Configuration du système.**

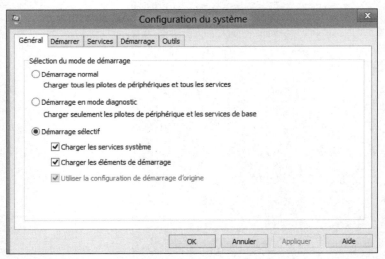

Figure 18.19 : L'outil Configuration du système

Le tableau suivant décrit les onglets et les options disponibles dans la Configuration du système.

Tableau 18.1 : **Description des onglets de l'outil Configuration du système**

Onglet	Description
Général	Répertorie les options pour les modes de configuration de démarrage. - *Démarrage en mode normal* : démarre Windows normalement. Ce mode vous permet de démarrer Windows au terme de l'utilisation des deux autres modes pour résoudre le problème. - *Démarrage en mode diagnostic* : Windows démarre en n'utilisant que les services et les pilotes de base. Ce mode vous permet d'éliminer les fichiers Windows de base comme la source du problème. - *Démarrage en mode sélectif* : Windows démarre en n'utilisant que les services et les pilotes de base ainsi que les autres services et les programmes de démarrage de votre choix.
Démarrer	- Affiche les options de configuration pour le système d'exploitation et les paramètres de débogage avancés, notamment… - *Démarrage sécurisé : minimal* : démarre l'interface utilisateur graphique Windows (l'Explorateur Windows) en mode sécurisé en n'exécutant que les services système critiques. La gestion du réseau est désactivée. - *Démarrage sécurisé : shell alternatif* : démarre l'Invite de commandes Windows en mode sécurisé en n'exécutant que les services système critiques. La gestion du réseau et l'interface utilisateur graphique sont désactivées. - *Démarrage sécurisé : Réparer Active Directory* : démarre l'interface utilisateur graphique Windows en mode sécurisé en n'exécutant que les services système critiques et Active Directory.

Tableau 18.1 : Description des onglets de l'outil Configuration du système

Onglet	Description
	- *Démarrage sécurisé : Réseau* : démarre l'interface utilisateur graphique Windows en mode sécurisé en n'exécutant que les services système critiques. La gestion du réseau est activée. - *Ne pas démarrer l'interface utilisateur graphique* : n'affiche pas l'image de démarrage Windows au démarrage. - *Journaliser le démarrage* : stocke toutes les informations du processus de démarrage dans le fichier *%SystemRoot%Ntbtlog.txt*. - *Vidéo de base* : démarre l'interface graphique utilisateur Windows en mode VGA minimal. Cette opération charge les pilotes VGA standard au lieu des pilotes d'affichage propres au matériel vidéo de l'ordinateur. - *Informations sur le démarrage du système d'exploitation* : affiche les noms de pilote durant leur chargement au cours du processus de démarrage. - *Rendre tous les paramètres permanents* : n'assure pas le suivi des modifications apportées dans la Configuration du système. Les options peuvent être modifiées ultérieurement dans la Configuration du système, mais elles doivent être modifiées manuellement. Si cette option est sélectionnée, vous ne pouvez pas restaurer vos modifications en sélectionnant le mode Démarrage en mode normal sous l'onglet **Général**.
Services	Répertorie tous les services qui démarrent lorsque l'ordinateur s'initialise ainsi que leur statut actuel (*En cours d'exécution* ou *Arrêté*). L'onglet **Services** vous permet d'activer ou de désactiver les services individuels au démarrage pour dépanner les services qui contribuent aux problèmes de démarrage. Sélectionnez *Masquer tous les services Microsoft* pour n'afficher que les applications tierces sur la liste des services. Désactivez la case à cocher d'un service pour le désactiver au prochain démarrage. Si vous avez choisi *Démarrage en mode sélectif* sous l'onglet **Général**, vous devez soit choisir *Démarrage en mode normal* sous l'onglet **Général**, soit activer la case à cocher du service pour le redémarrer lors de l'initialisation. La désactivation des services qui s'exécute normalement lors de l'initialisation peut entraîner un dysfonctionnement de certains programmes ou créer une instabilité du système. Ne désactivez pas de services sur cette liste, sauf si vous êtes certain qu'ils ne sont pas essentiels au fonctionnement de l'ordinateur. L'option *Désactiver tout* ne désactive pas certains services Microsoft sécurisés nécessaires au démarrage du système d'exploitation.
Démarrage	Répertorie les applications qui s'exécutent au démarrage de l'ordinateur ainsi que le nom de leur éditeur, le chemin d'accès du fichier exécutable et l'emplacement de la clé de Registre ou du raccourci responsable de l'exécution de l'application. Désactivez la case à cocher d'un élément de démarrage pour le désactiver au prochain démarrage. Si vous avez choisi *Démarrage en mode sélectif* sous l'onglet **Général**, vous devez soit choisir *Démarrage en mode normal* sous l'onglet **Général**, soit activer la case à cocher de l'élément de démarrage pour le redémarrer lors de l'initialisation. Si vous pensez qu'une application est compromise, examinez la colonne *Commande* pour consulter le chemin d'accès du fichier exécutable. La désactivation d'applications qui s'exécutent normalement au démarrage peut ralentir le démarrage d'applications connexes ou entraîner leur exécution inattendue.
Outils	Fournit une liste pratique d'outils de diagnostic et d'autres outils avancés que vous pouvez exécuter.

Vous allez découvrir maintenant quelques-unes des opérations les plus intéressantes avec l'outil...

Pour démarrer Windows en mode de diagnostic :

1 À partir de l'interface utilisateur de départ (metro), déplacez-vous tout en bas à droite puis sélectionnez **Toutes les applications**.

2 Cliquez sur **Panneau de configuration/Outils d'administration /Configuration du système**.

3 Sous l'onglet **Général**, cliquez sur *Démarrage en mode diagnostic*. Validez par OK et cliquez sur **Redémarrer**.

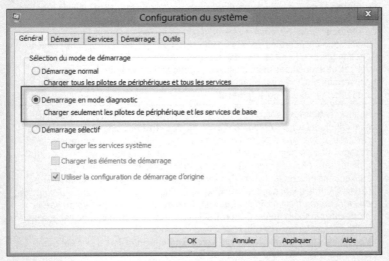

Figure 18.20 : Démarrage en mode de diagnostic

Si le problème qui nécessite un diagnostic se produit, des fichiers ou des pilotes Windows de base peuvent être endommagés. Si le problème ne se produit pas, utilisez le Démarrage en mode sélectif pour tenter d'identifier le problème en activant ou en désactivant les services et les programmes de démarrage individuels.

Pour démarrer Windows en mode sélectif :

1 À partir de l'interface utilisateur de départ (metro), déplacez-vous tout en bas à droite puis sélectionnez **Toutes les applications**.

2 Cliquez sur **Panneau de configuration/Outils d'administration /Configuration du système**.

3 Cliquez sur l'onglet **Général** et sur *Démarrage en mode sélectif*, puis désactivez les cases à cocher *Charger les services système* et *Charger les éléments de démarrage*.

4 Activez la case à cocher *Charger les services système*, validez par OK, puis cliquez sur **Redémarrer**.

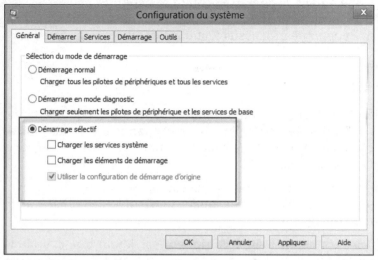

Figure 18.21 : Charger les services système

Si le problème se produit après le redémarrage, effectuez l'une de ces tâches (ou les deux si nécessaire)...

Pour identifier le service système responsable du problème, cliquez sur l'onglet **Services**, sur *Désactiver tout*, activez la case à cocher pour le premier service répertorié, puis redémarrez l'ordinateur.

Si le problème ne se produit pas, vous pouvez éliminer le premier service comme étant la cause du problème :

1 Le premier service étant sélectionné, activez la case à cocher du second service, puis redémarrez l'ordinateur.

2 Répétez ce processus jusqu'à reproduire le problème.

Si vous ne pouvez pas reproduire le problème, vous pouvez éliminer les services système comme étant la cause du problème. Effectuez la tâche suivante :

1 Identifiez l'élément de démarrage responsable du problème.

2 Cliquez sur l'onglet **Général**, puis activez la case à cocher *Charger les éléments de démarrage*.

3 Cliquez sur l'onglet **Démarrage**, sur *Désactiver tout*, activez la case à cocher pour le premier élément de démarrage répertorié, puis redémarrez l'ordinateur. Si le problème ne se produit pas, vous pouvez éliminer le premier élément de démarrage comme étant la cause du problème.

4 Le premier élément de démarrage étant sélectionné, activez la case à cocher du second élément de démarrage, puis redémarrez l'ordinateur. Répétez ce processus jusqu'à reproduire le problème.

18.3. En bref

La première remarque est que, malgré les grandes modifications apportées à Windows 8, le Registre n'a pas changé et que les utilisateurs qui disposent d'une bonne base de connaissance sur le sujet ne seront pas déboussolés.

Tout administrateur d'entreprise ou utilisateur avancé qui se respecte touchera un jour ou l'autre aux outils que sont le Registre et la Configuration du système.

La prudence est tout de même de rigueur car il faut que ces outils vous soient familiers et que vous pensiez toujours à sauvegarder votre Registre avant la moindre action.

ACTUALISER ET RÉINITIALISER WINDOWS 8

C'est bien connu, au fil temps, l'utilisation de nos ordinateurs est de moins en moins performante. Un peu comme si Windows subissait un phénomène de vieillissement. Hélas, jusqu'à présent si l'on souhaitait retrouver un état *satisfaisant ou d'origine* les contraintes étaient multiples. Dans un premier temps, il était impératif d'avoir quelques bases en informatique. Partant de ce principe cette solution était totalement inacceptable. Dans un second temps, la solution quasi unique consistait à appliquer la peine capitale, ou plus simplement une réinstallation longue et fastidieuse.

Hors, de nos jours, de nombreux appareils électroniques tels que les consoles de jeux, les tablettes et autres smartphones permettent aujourd'hui aux utilisateurs de revenir à un état que l'on peut appeler satisfaisant ou d'origine. Cela va du bouton de réinitialisation du matériel, qui se trouve à l'arrière du routeur réseau sans fil, à l'option de réinitialisation des logiciels sur un smartphone.

Pour la première fois, Microsoft entre véritablement dans cette démarche grand public en concevant deux nouvelles fonctionnalités dans Windows 8 qui vont vous permettre au mieux de ramener vos PC à un état satisfaisant lorsqu'ils ne fonctionnent plus, ou de revenir à l'état usine lorsque vous souhaitez les donner à quelqu'un d'autre ou les déclasser.

Aujourd'hui, divers outils et méthodes existent pour redéfinir la condition usine d'un PC. Si vous possédez un PC sur lequel Windows est préinstallé, il est souvent livré avec un outil fourni par le constructeur et une partition masquée pouvant être utilisés pour ce modèle précis de machine. Vous pouvez aussi utiliser un logiciel de création d'images tiers, l'utilitaire de sauvegarde d'image système Windows ou la méthode éprouvée qui consiste à effectuer une nouvelle installation à partir du DVD de Windows. Bien que ces outils offrent tous des fonctionnalités similaires, leur utilisation est différente selon la technique ou la machine employée. Si par chance ou malchance, vous êtes celui ou celle à qui s'adressent vos parents, vos amis ou vos voisins lorsqu'ils ont besoin d'aide avec leurs PC, il peut vous arriver de penser qu'il est nécessaire de simplement tout recommencer et tout réinstaller. Comme nous en avons parlé dans notre introduction, si vous ne disposez pas d'une bonne expérience pour mener à bien cette tâche, vous pouvez finalement passer davantage de temps à rechercher l'outil de récupération d'un PC spécifique, qu'à réellement résoudre le problème. Et cela se complique encore si cela se passe à distance.

Avec l'arrivée de Windows 8, Microsoft s'est fixé pour objectif de proposer certains éléments clés à la restauration des performances de vos différents périphériques :

1 Apporter une solution cohérente pour redonner aux logiciels un état satisfaisant et prévisible sur n'importe quel PC Windows 8, qu'il s'agisse d'une tablette ou d'un ordinateur fixe ou portable.

2 Rationnaliser le processus de sorte que le rétablissement d'un PC à un état satisfaisant, avec tous les éléments qui comptent aux yeux des utilisateurs, puisse s'effectuer rapidement sans perdre toute une journée.

3 S'assurer que les utilisateurs ne perdent pas leurs données au cours du processus.

4 Fournir une approche entièrement personnalisable pour que les passionnés de la technique puissent réaliser cette opération à leur manière.

Dans un monde idéal, il aurait été souhaitable que Windows 8 réponde à la même contrainte que les autres appareils électroniques : *résoudre tous les problèmes en appuyant simplement sur un bouton.*

Pour autant, ce postula se doit alors de prendre en compte le processus déjà utilisé par de nombreuses personnes aujourd'hui lorsqu'elles doivent tout recommencer : sauvegarde des données, réinstallation de Windows et des applications, puis restauration des données. La force de cette approche est qu'à l'arrivée vous redémarrez en disposant d'un état réellement propre tout en conservant les données auxquelles vous tenez.

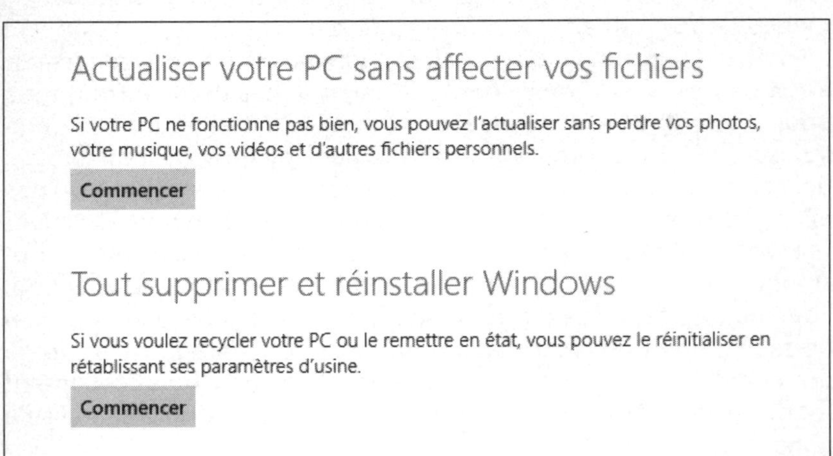

Figure 19.1 : Boutons de réinitialisation et d'actualisation

La solution apportée par Microsoft sous Windows 8 se compose de deux fonctionnalités associées :

Tableau 19.1 : Fonctionnalité des réinitialisations et actualisation des PC

Fonctionnalité	Description
Réinitialiser votre PC	Supprimez toutes les données personnelles, les applications et les paramètres du PC et réinstallez Windows.
Actualiser votre PC	Conservez toutes les données personnelles, les applications de style Modern (anciennement Metro) et les paramètres importants du PC puis réinstallez Windows.

19.1. Réinitialiser votre PC

La réinitialisation de votre PC se passe essentiellement dans deux cas :

1 Pour diverses raisons, vous pouvez préférer tout supprimer et tout recommencer manuellement.

2 Dans d'autres cas, vous supprimez vos données d'un PC, parce que vous êtes sur le point de le recycler ou de le déclasser.

Dans ces deux cas, vous pouvez facilement réinitialiser votre PC Windows 8 et remettre les logiciels dans l'état où ils se trouvaient lorsque vous les avez lancés pour la première fois (par exemple lorsque vous avez acheté le PC).

La réinitialisation de votre PC Windows 8 se passe ainsi :

1 Le PC démarre dans l'Environnement de récupération Windows (*Windows RE*).

2 Windows RE efface et formate les partitions du disque dur sur lesquelles Windows et les données personnelles résident.

3 Windows RE installe une nouvelle copie de Windows.

4 Le PC redémarre dans la copie récemment installée de Windows.

REMARQUE

Réinitialiser votre PC

Une question légitime peut se poser et pour ceux d'entre vous qui s'inquiètent des données susceptibles d'être toujours récupérables après une réinitialisation standard, en particulier sur les PC contenant des données personnelles confidentielles. Windows 8 vous propose d'effacer vos données plus minutieusement, avec des étapes supplémentaires pouvant limiter de façon significative l'efficacité des tentatives de récupération des données les plus sophistiquées. Au lieu de simplement formater le lecteur, l'option *Minutieux* écrira des motifs aléatoires sur chaque secteur du lecteur, remplaçant ainsi les

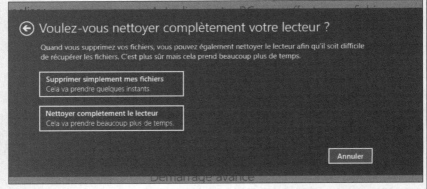

REMARQUE

données existantes visibles au système d'exploitation. Même si quelqu'un retire le lecteur de votre PC, vos données ne seront pas facilement récupérables sans l'utilisation d'un équipement spécial, excessivement cher pour la plupart des gens.

Cette approche établit un juste équilibre entre la sécurité et les performances. Un simple passage dans votre disque dur offre une sécurité plus que suffisante pour les cas les plus courants, mais ne vous bloque pas pendant des heures ou des jours avec des contrôles en plusieurs passages, qui peuvent être obligatoires pour se conformer à la réglementation, si vous gérez des données gouvernementales et commerciales hautement confidentielles.

⟨←⟩ Voulez-vous nettoyer complètement votre lecteur ?

Quand vous supprimez vos fichiers, vous pouvez également nettoyer le lecteur afin qu'il soit difficile de récupérer les fichiers. C'est plus sûr mais cela prend beaucoup plus de temps.

Supprimer simplement mes fichiers
Cela va prendre quelques instants.

Nettoyer complètement le lecteur
Cela va prendre beaucoup plus de temps.

Annuler

Figure 19.2 : Option d'effacement avancé des données lors de la réinitialisation de votre PC

19.2. Actualiser votre PC

La réinitialisation de votre PC permet de vous ramener à la case départ, si vous rencontrez un problème, mais il s'agit clairement d'une solution d'une certaine lourdeur, à laquelle vous ne ferez appel qu'en dernier ressort. Et si vous pouviez bénéficier des avantages d'une réinitialisation (recommencer avec une nouvelle installation de Windows) tout en conservant vos données intactes ? C'est là que l'actualisation devient pratique. La fonctionnalité d'actualisation reste fondamentalement une réinstallation de Windows, tout comme la réinitialisation de votre PC décrite ci-dessus, mais vos données, paramètres et applications de style Modern sont préservés. Windows 8 dispose d'une solution pour vous aider avec vos applications bureautiques.

Le côté le plus pratique de l'actualisation est qu'il n'est pas nécessaire de sauvegarder d'abord vos données sur un disque dur externe pour les restaurer ensuite.

L'actualisation de votre PC se passe ainsi :

1 Le PC démarre dans Windows RE.

2 Windows RE recherche vos données, paramètres et applications sur le disque dur et les place à part (sur le même lecteur).

3 Windows RE installe une nouvelle copie de Windows.

4 Windows RE restaure les données, paramètres et applications mis à part dans la copie récemment installée de Windows.

5 Le PC redémarre dans la copie récemment installée de Windows.

Contrairement à la réinstallation manuelle de Windows 7 ou Windows XP, vous n'avez pas besoin de parcourir à nouveau les écrans d'accueil de Windows et de reconfigurer tous les paramètres initiaux, car vos comptes d'utilisateurs et ces paramètres sont tous conservés. Vous pouvez vous connecter avec le même compte et le même mot de passe et tous vos documents et données sont préservés dans les mêmes emplacements qu'auparavant. Pour réaliser cette opération, Windows 8 utilise en réalité les mêmes technologies de création d'images et de migration que celles sous-jacentes au programme d'installation de Windows. En fait, le moteur d'installation sous-jacent est utilisé pour réaliser à la fois les opérations de réinitialisation et d'actualisation, qui bénéficient également des améliorations en termes de performances et de fiabilité, que Microsoft a ajoutées au programme d'installation de Windows 8.

Les paramètres mal configurés sont parfois la cause de problèmes conduisant les utilisateurs à actualiser leurs PC. Pour être sûr que l'actualisation est efficace, à la fois pour résoudre les problèmes et pour s'assurer que les utilisateurs ne perdent pas leurs paramètres qu'ils ont parfois du mal à reconfigurer, Microsoft s'est penché sur le problème en choisissant de préserver certains des paramètres comme :

■ Connexions réseau sans fil.

■ Connexions haut débit pour mobiles.

■ Paramètres BitLocker et BitLocker To Go.

■ Affectations de lettres de lecteur.

■ Paramètres de personnalisation, tels que l'arrière-plan de l'écran verrouillé et le papier peint du Bureau.

De l'autre côté, Microsoft a délibérément choisi de ne pas préserver les paramètres suivants, car ils peuvent entraîner des problèmes s'ils sont mal configurés :

■ Associations de types de fichiers.

- Paramètres d'affichage.
- Paramètres du Pare-feu Windows.

19.3. Restauration de vos applications

Lors de l'actualisation de votre PC, ne seront préservées que les applications de style Modern. Les applications qui ne sont pas livrées avec votre ordinateur devront alors être réinstallées manuellement. Cela évite la réinstallation par inadvertance des applications *Non valides* qui n'ont pas été installées intentionnellement ou qui se sont glissées dans quelque chose de valide mais qui n'ont laissé aucune trace de la manière dont elles ont été installées.

Si vous n'avez pas besoin de réinstaller certaines applications bureautiques après l'actualisation de votre PC, Windows 8 enregistre la liste des applications qui n'ont pas été conservées dans un fichier HTML que vous pouvez placer sur le Bureau. Vous pouvez ainsi voir rapidement ce que vous devrez peut-être réinstaller et où le trouver.

Attention cependant : si une des applications bureautiques que vous possédez requiert une clé de licence, vous devrez suivre les instructions de votre fabricant pour savoir comment réutiliser la clé. Vous devrez peut-être pour cela désinstaller d'abord l'application, accéder à un site web ou suivre des étapes automatisées par téléphone, par exemple.

> **REMARQUE**
>
> **Réinstallation de Windows 8**
>
> Même si Windows 8 propose un mécanisme de réinstallation, il vous sera demandé de fournir les sources d'installation pour que Windows 8 ajoute ou corrige les fichiers et composants manquants ou endommagés.

Pour actualiser les performances de votre ordinateur, procédez comme suit :

1 Dans la nouvelle interface graphique, déplacez-vous en bas à droite de l'écran pour faire apparaître la barre latérale droite. Cliquez sur **Paramètres** puis sur **Modifier les paramètres du PC**.

2 Dans le volet gauche de la fenêtre **Paramètres**, sélectionnez **Général**.

3 Dans le volet droit, sélectionnez l'option de *Actualiser* puis cliquez sur **Commencer**.

4 Cliquez sur **Actualiser votre PC sans affecter vos fichiers** puis sur **Suivant**.

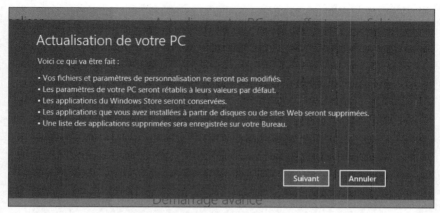

Figure 19.3 : Fenêtre d'informations sur l'actualisation de l'ordinateur

5 Dans la fenêtre **Prêt à actualiser votre PC**, cliquez sur **Restaurer les performances**.

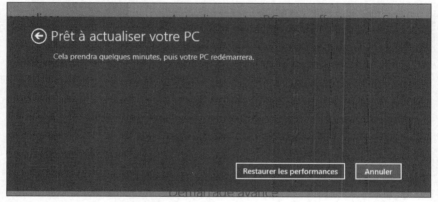

Figure 19.4 : Restaurer les performances

6 Comme nous avons pu l'expliquer précédemment, l'actualisation de performances est une opération qui a été totalement automatisée par Microsoft pour que la procédure soit transparente à tous les utilisateurs. Il n'en reste pas moins que derrière cette actualisation se cache un grand nombre d'opérations automatisées par Windows 8. Cette restauration va prendre plusieurs minutes durant lesquelles vous allez pouvoir visualiser la progression de la restauration de votre machine. Néanmoins, avant de se lancer dans l'actualisation, il est important de prévoir de ne pas avoir besoin de son ordinateur durant un bon moment. Après validation, votre ordinateur redémarre ; pour appliquer vos paramètres, cela prend encore quelques minutes en fonction de la puissance de votre machine.

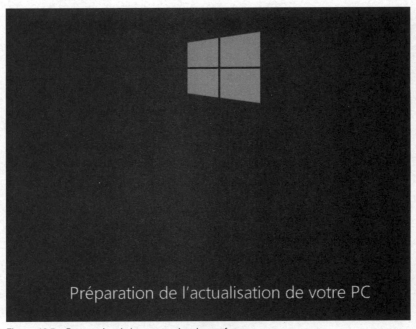

Figure 19.5 : Progression de la restauration des performances

7 Laissez-vous guider par les messages d'information jusqu'à la fin de la restauration. Vous pouvez à présent réutiliser votre ordinateur !

19.4. Si votre ordinateur ne peut pas démarrer ?

Lorsque votre PC parvient à démarrer normalement, vous pouvez l'actualiser ou le réinitialiser à partir des paramètres du PC. Il s'agit de l'application de style Modern (connu aussi sous l'ancien nom Metro), que nous appellerons *Panneau de configuration*. Il est différent du *Panneau de configuration* standard que vous pouvez toujours utiliser pour des tâches plus complexes à partir du Bureau. Les options se trouvent facilement et se trouveront au même emplacement sur chaque PC Windows 8. Une fois lancées, vous pouvez les parcourir en seulement quelques clics, ce qui permet de guider facilement une personne ne connaissant pas l'informatique que vous souhaitez dépanner à distance.

Cependant, dans certains cas, il se peut que l'ordinateur ne parvienne pas à démarrer et vous pouvez alors être amené à l'actualiser ou à le réinitialiser pour qu'il fonctionne de nouveau.

Microsoft a rendu possible l'actualisation ou la réinitialisation de votre PC par le même biais.

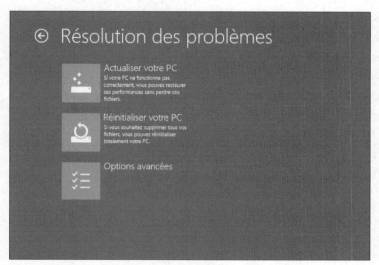

Figure 19.6 : Option d'actualisation et réinitialisation depuis le menu de démarrage en cas de problème

Un outil est également disponible pour créer un lecteur flash USB de démarrage, pour palier à l'éventualité où la copie de Windows RE présente sur le disque dur ne démarre pas. Vous serez en mesure de démarrer votre PC avec le lecteur flash USB et de résoudre les problèmes en actualisant votre PC ou en effectuant un dépannage avancé. Et si votre PC comporte une partition de récupération masquée, vous pourrez même la supprimer et récupérer l'espace disque une fois le lecteur flash USB de démarrage créé.

19.5. Actualiser votre PC sur un état que vous définissez

Aujourd'hui, les utilisateurs sont de plus en plus nombreux à configurer le PC exactement comme ils le souhaitent, en installant des applications bureautiques préférées ou en supprimant des applications livrées avec le PC, pour ensuite créer une image du disque dur avant de commencer à utiliser le PC. De cette façon, lorsque vous devez tout recommencer, vous pouvez simplement restaurer l'image, ce qui vous évite de réinstaller toutes les applications.

En gardant cela à l'esprit, Microsoft a fait en sorte avec Windows 8 que vous puissiez établir votre propre image de base, *via* un outil en ligne de commande (`recimg.exe`). Ainsi, lorsque vous obtenez un PC Windows 8, vous pouvez réaliser les opérations suivantes :

1 Parcourir l'introduction de l'interface logicielle lors de la première utilisation de Windows pour configurer les paramètres de base.

2 Installer vos applications bureautiques préférées (ou désinstaller les éléments dont vous ne voulez pas).

3 Configurer la machine exactement comme vous le souhaitez.

4 Utiliser `recimg.exe` pour capturer et définir votre image personnalisée du système.

Une fois que vous avez créé l'image personnalisée, lorsque vous actualiserez votre PC, vous pourrez non seulement conserver vos données personnelles, paramètres et applications de style Modern, mais vous pourrez également restaurer toutes les applications bureautiques de votre image personnalisée. Et si vous achetez un PC qui comporte déjà une image de récupération sur une partition masquée, l'outil vous permettra d'utiliser l'image personnalisée que vous venez de créer à la place.

Vous pouvez réaliser cette procédure en saisissant ce qui suit dans une fenêtre d'Invite de commandes exécutée sur l'ordinateur en tant qu'administrateur :

1 `mkdir C:\RefreshImage`

2 `recimg —CreateImage C:\RefreshImage`

Figure 19.7 : Lignes de commandes pour la création de l'image

Cela crée l'image sous *C:\RefreshImage* et l'enregistrera comme celle devant être utilisée lorsque vous actualiserez votre PC.

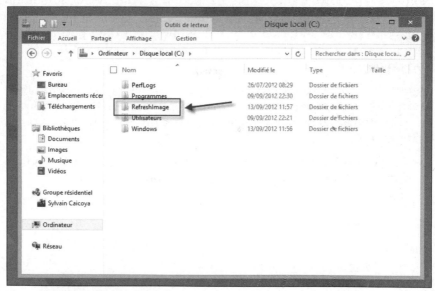

Figure 19.8 : Répertoire RefreshImage

L'excellence dans l'actualisation du PC réside dans le fait que les performances ne sont pas impactées par la quantité de données que vous possédez. À l'aide de la technologie de migration sous-jacente au programme d'installation de Windows, vos données ne quittent jamais le lecteur et elles ne sont pas non plus physiquement déplacées d'un emplacement sur le disque vers un autre, ce qui réduit les lectures/écritures du disque.

L'effacement minutieux des données prend un peu plus de temps que les autres opérations, car chaque secteur du lecteur a dû être remplacé. Toutefois, vous pouvez également remarquer que lorsque le chiffrement de lecteur BitLocker est activé sur le lecteur, ce processus prend beaucoup moins de temps. Cela est dû à une optimisation que Microsoft utilise afin que l'effacement d'un lecteur chiffré ne nécessite que l'effacement des métadonnées, ce qui rend toutes les données irrécupérables.

19.6. En bref

Bien que Windows 8 ressemble beaucoup à Windows 7, lorsqu'on utilise le Bureau classique, dans les faits, ce n'est pas vraiment cas. Le simple fait que le démarrage ait été entièrement revu permet d'apporter des évolutions majeures, comme l'actualisation et la réinitialisation de votre PC.

Aujourd'hui Microsoft a réussi son tour de force en simplifiant l'ensemble des tâches de réinstallation et d'optimisation tout en laissant les utilisateurs les plus avertis allez encore un peu plus loin dans la gestion du PC.

Par se tour de force Microsoft s'offre pleinement son entrée dans le monde *multi-devices* avec les différents facteurs de forme.

X

Z

Composé et imprimé en France. - JOUVE, 1, rue du Docteur Sauvé, 53100 MAYENNE
N° 970177U. - Dépôt légal : octobre 2012